D1073354

SABLE MOUVANT
FRAGMENTS DE MA VIE

HENNING MANKELL

SABLE MOUVANT
FRAGMENTS DE MA VIE

TRADUIT DU SUÉDOIS
PAR ANNA GIBSON

ÉDITIONS DU SEUIL
25, bd Romain-Rolland, Paris XIVe

CE LIVRE EST ÉDITÉ PAR ANNE FREYER-MAUTHNER

Titre original : *Kvicksand*
© original : Henning Mankell, 2014
Éditeur original : Leopard Förlag, Stockholm
ISBN : 978-91-7343-464-5

Cette traduction est publiée en accord avec Leopard Förlag, Stockholm,
et l'agence littéraire Leonhardt & Høier, Copenhague

L'exergue : Tomas Tranströmer, « Arcs romans »,
Pour les vivants et les morts, Œuvres complètes, © Le Castor Astral, 2004.
Traduction française de Jacques Outin.

Citation page 137 : Selma Lagerlöf, *Le Cocher*, © Actes Sud, 1998.
Traduction française de Marc de Gouvenain et Lena Grumbach.

ISBN 978-2-02-123340-7

© Septembre 2015, Éditions du Seuil pour la traduction française.

Le Code de la propriété intellectuelle interdit les copies ou reproductions destinées à une utilisation collective. Toute représentation ou reproduction intégrale ou partielle faite par quelque procédé que ce soit, sans le consentement de l'auteur ou de ses ayants cause, est illicite et constitue une contrefaçon sanctionnée par les articles L. 335-2 et suivants du Code de la propriété intellectuelle.

www.seuil.com

À Eva Bergman

Ce livre est également dédié à la mémoire du boulanger Terentius Neo et de son épouse, dont le nom ne nous est pas connu. Une fresque de leur maison de Pompéi nous les montre. Ils sont au beau milieu de la vie. Leur expression est grave et rêveuse. La femme est très belle, mais on perçoit sa réserve. Lui aussi donne une impression de timidité.
Ils ont l'air de deux êtres qui prennent la vie très au sérieux. Quand le volcan est entré en éruption, ils n'ont sans doute pas eu le temps de comprendre ce qui leur arrivait. Ils sont morts là, en l'an 79, au faîte de leur existence, enterrés sous la cendre et la lave en fusion.

N'aie pas honte d'être homme, sois-en fier !
Car en toi une voûte s'ouvre sur une voûte, jusqu'à l'infini.
Jamais tu ne seras parfait, et c'est très bien ainsi.

TOMAS TRANSTRÖMER, « Arcs romans »,
Pour les vivants et les morts, *Œuvres complètes*,
Le Castor astral, 2004, trad. de Jacques Outin.

I

Le doigt tordu

1

L'accident

Tôt le matin, le 16 décembre, Eva m'a conduit à la station-service Statoil de Kungsbacka, où m'attendait une voiture de location. Je devais me rendre pour la journée dans le Sud, à Vallåkra, près de Landskrona, et restituer la voiture dans la soirée au même endroit. Noël approchait, et j'allais signer le lendemain mon dernier roman dans différentes librairies de Kungsbacka et de Göteborg.

Il faisait très froid. Mais il ne neigeait pas. Le trajet me prendrait trois heures si je m'arrêtais pour le petit déjeuner à Varberg, ainsi que j'en avais l'habitude.

Manuela Soeiro, directrice du théâtre Avenida de Maputo et ma collaboratrice depuis trente ans, était en visite en Suède. C'était notre première réunion de travail pour préparer la saison à venir. Manuela logeait chez Eyvind, qui allait mettre en scène le *Hamlet* que j'avais en tête quasiment depuis le début de toutes ces années à la direction artistique du théâtre.

Pour moi, *Hamlet* s'apparente de façon frappante à une légende royale africaine. Il y a chez Shakespeare un élément « noir », une référence à l'Afrique susceptible d'être mise en valeur. De fait, on rencontre une histoire presque identique située au XIXe siècle dans le sud du continent africain. Mon idée était que l'arrivée de Fortimbras après que tout le monde est mort représente l'entrée en scène de l'homme blanc projetant de mettre sérieusement l'Afrique en coupe réglée. Il était donc logique de laisser le mot de la fin à Fortimbras, avec le monologue « être ou ne pas être ».

Pour monter *Hamlet*, il nous fallait un comédien capable de tenir le rôle en tenant compte de ce que nous avions en tête. C'était le cas. Jorginho pouvait le faire. Il avait mûri au cours des dernières années ; quant au maniement de la langue, c'était l'un des meilleurs. Tous ces éléments me donnaient une sensation de « maintenant ou jamais ».

Me voilà donc au volant, filant à travers les paysages du Halland, heureux de cette journée qui s'annonçait fructueuse. Malgré les gros nuages, la route était sèche. Et, contrairement à mon habitude, je ne roulais pas vite car j'avais indiqué une heure d'arrivée à Eyvind et je ne voulais pas être en avance.

Tout s'est passé très rapidement à l'approche de Laholm. Je venais de déboîter pour doubler un poids lourd. Sur la chaussée, une tache, peut-être de l'huile. Impossible de reprendre le contrôle. La voiture file vers la glissière centrale, choc frontal, l'airbag se déclenche, tout devient noir.

Après, je suis là. Assis. Silencieux. Qu'est-il arrivé ? Je ne saigne pas. Je vérifie l'état de mes membres. Tout fonctionne. Je ne suis pas blessé. Je descends de voiture. Des véhicules sont à l'arrêt sur le bord de la route. Des silhouettes accourent vers moi. Je leur dis que je n'ai rien.

Réfugié sur le bas-côté, j'appelle Eva. Quand elle décroche, je fais en sorte de parler très calmement.

« C'est moi. Tu reconnais ma voix et tu entends que je vais bien, n'est-ce pas ? »

Elle réagit au quart de tour.

« Qu'est-ce qui se passe ? »

Je lui raconte. Je minimise l'impact, le choc. Tout va bien.

Je ne sais pas trop ce qui va arriver maintenant. Mais je vais bien. Savoir si elle me croit, c'est une autre affaire.

Puis je téléphone à Vallåkra.

« Je ne viens plus. J'ai eu un accident à Laholm. Je ne suis pas blessé. Mais je rentre. La voiture est bousillée. »

La police arrive. Je souffle dans le ballon, on constate que je n'ai pas bu. Je décris les faits. Pendant ce temps, les pompiers embarquent le véhicule, qui est bon pour la casse. Le chauffeur de l'ambulance me demande si je ne devrais pas malgré tout faire un tour à l'hôpital pour un contrôle. Je dis non merci. Je n'ai pas mal.

La voiture de police me dépose devant la gare de Laholm. Une demi-heure plus tard, je suis à bord d'un train à destination de Göteborg. Le voyage à Vallåkra n'a pas eu lieu.

Pas plus que les séances de dédicaces que j'étais censé assurer le lendemain.

Je ne sais pourquoi, c'est cette date-là, le 16 décembre 2013, qui correspond pour moi au début de mon cancer. Il n'y a aucune logique à cela. Tumeurs et métastases étaient déjà là, bien sûr. Et cette matinée n'a pas été marquée par un premier symptôme, même bénin, ni par le moindre signe avant-coureur sur le plan physique.

Cela tenait davantage de l'avertissement. Quelque chose s'annonçait. Quelque chose était en route.

Une semaine après, juste avant Noël, Eva et moi sommes partis pour Antibes, où nous avons une maison. Le matin du 24 décembre, j'ai été réveillé par des douleurs à la nuque et une raideur généralisée. J'ai pensé que c'était idiot – j'avais dû me déclencher un torticolis en dormant dans une mauvaise position.

La douleur n'est pas passée. Au contraire, elle s'est mise à irradier dans le bras et la main droits. Je n'avais plus aucune sensation dans le pouce. Et la douleur augmentait. J'ai fini par appeler un médecin orthopédiste à Stockholm, qui était au travail bien qu'on fût entre Noël et le jour de l'An[1]. Je suis rentré. Il m'a examiné le 28 décembre. Ce pouvait être un début de hernie discale, a-t-il dit ; mais on ne pouvait être sûr de rien tant qu'on n'aurait pas fait des radiographies. D'un commun accord, nous avons décidé de reporter celles-ci au lendemain des fêtes.

Le 8 janvier est arrivé. Petit matin froid. Il tombait quelques flocons de neige. Pour moi, il s'agissait simplement de confirmer cette histoire de hernie. J'avais encore mal à la nuque. Les puissants antalgiques prescrits par le médecin orthopédiste ne faisaient pas beaucoup d'effet. Peu importait, puisqu'on allait maintenant identifier le problème et passer au traitement.

J'ai subi deux examens radiographiques. Deux heures plus tard, le torticolis dû à une éventuelle hernie s'était métamorphosé en un cancer. Sur un écran d'ordinateur, on m'a montré la tumeur cancéreuse de trois centimètres logée dans mon poumon droit. Ce que j'avais à la nuque, c'était une métastase.

Le message était parfaitement clair. Maladie grave, peut-être incurable. J'ai demandé d'une voix faible si cela signifiait que je n'avais plus qu'à rentrer chez moi et à attendre la fin.

« Par le passé, j'aurais répondu oui. Mais de nos jours, il y a des traitements. »

Tout cela se déroulait à la clinique Sophiahemmet. Eva était avec moi. Nous nous sommes retrouvés dehors pour attendre le taxi. Il faisait froid. Nous ne disions pas grand-chose. Nous ne disions rien, même, je crois.

Un peu plus loin, une petite fille sautillait dans les congères. Radieuse, débordante d'énergie.

1. Pendant cette période qu'on appelle *mellandagarna*, toute la Suède est en congé. *(Toutes les notes sont de la traductrice.)*

Je me suis revu enfant, sautant dans la neige. Maintenant j'allais sur mes soixante-six ans et j'avais un cancer. Je ne sautais plus.

Eva a paru lire dans mes pensées. Elle a arrimé mon bras au sien. Solidement.

Le taxi est arrivé. Quand nous avons démarré, la fillette sautait encore.

Aujourd'hui, au moment où j'écris ces lignes, nous sommes le 18 juin. Le temps écoulé me semble à la fois long et court.

Pas de point final à apposer, dans le sens d'une issue heureuse ou d'une issue fatale. Je suis entre les deux. Aucune certitude.

Voilà ce que j'ai traversé et vécu. Il manque une fin à l'histoire. Elle est en marche.

Tel est l'objet de ce livre. Ma vie. Ce qui a été, et ce qui est.

2

Êtres s'éloignant à contrecœur vers les ombres

Deux jours après l'accident, je me suis rendu à l'église de Släp, qui n'est pas très éloignée du lieu où j'habite, au bord de la mer, au nord de Kungsbacka. J'éprouvais le besoin de revoir un tableau que j'ai déjà contemplé longuement bien des fois. Un tableau à nul autre pareil.

Il s'agit d'un portrait de famille. Un siècle avant l'avènement de la photographie, ceux qui en avaient les moyens se faisaient immortaliser sur une toile peinte. Celle-ci en l'occurrence représente le pasteur Gustaf Fredrik Hjortberg en compagnie de sa femme Anna Helena et de leurs quinze enfants. Elle a été exécutée au début des années 1770. Gustaf Hjortberg, alors âgé d'une cinquantaine d'années, mourrait quelques années plus tard, en 1776.

Ce qui rend ce tableau étrange et émouvant, et un peu effrayant aussi, est qu'il ne se contente pas de montrer les membres de la famille qui sont en vie au moment où l'artiste, Jonas Dürchs, les immortalise. Il inclut également les enfants morts. Ceux-ci ont beau avoir achevé leur bref séjour sur cette terre, on estime qu'ils doivent figurer eux aussi sur le portrait familial.

La composition est caractéristique de l'époque. Les garçons – vivants et morts – sont rassemblés autour du père, à sa droite, tandis que les filles entourent la mère du côté opposé.

Les vivants ont le regard tourné vers le spectateur. On distingue des sourires prudents, voire timides. Les enfants morts, eux, se détournent à demi ; ou alors ils ont le visage partiellement dissimulé derrière le dos des vivants. De l'un des garçons, on n'aperçoit que la racine des cheveux et un œil. Comme s'il s'efforçait de se maintenir à tout prix parmi les autres.

Dans un berceau placé à côté de la mère on devine un bébé. Un autre nourrisson et deux autres fillettes sont visibles à l'arrière-plan. En tout, on dénombre six enfants morts.

Le temps s'est arrêté.

Même s'il ne figure pas parmi les plus célèbres d'entre eux, Gustaf Hjortberg était un disciple de Linné. Il effectua au moins trois voyages jusqu'en Chine avec la Compagnie des Indes orientales en tant qu'aumônier de bord et il est probable que c'est lui qui a introduit la pomme de terre en Suède. Sur le tableau, il tient à la main un feuillet couvert de signes d'écriture. On aperçoit également un globe terrestre et un lémurien ; tous ces éléments suggèrent que nous sommes en présence d'une famille cultivée. Gustaf Hjortberg a porté jusqu'à sa mort l'idéal des Lumières. Et il était connu pour être versé dans l'art de la médecine. On se rendait à Släp en pèlerinage pour bénéficier de ses conseils et remèdes.

Ces gens-là vivaient il y a deux cent cinquante ans. Huit générations, pas davantage, les séparent de nous. Par bien des aspects, ils sont nos contemporains. Ils appartiennent à la même civilisation que nous, qui contemplons aujourd'hui leur image.

Il y a des sourires crispés, des sourires rêveurs, de larges sourires… Chacun a le sien. Mais ce qui attire surtout notre attention, ce sont les enfants qui se détournent ou sont à demi dissimulés. Les enfants morts. On les croirait en mouvement ;

comme s'ils s'écartaient du spectateur pour s'éloigner vers le monde des ombres.

Ce qui est bouleversant, c'est qu'ils s'éloignent à contrecœur. Ces enfants ne veulent pas s'en aller. Je ne connais pas d'autre représentation qui illustre avec plus de force le merveilleux entêtement de la vie.

Je voudrais que ce tableau-là, précisément, survive, comme un témoignage de notre culture. Une salutation, un bonjour adressé à un futur si lointain que je ne peux même pas l'imaginer. Car ce tableau contient à la fois l'amour de la raison et les tragiques conditions d'existence qui sont les nôtres.

Tout est là. Tout est inclus.

3

La grande découverte

Dans le chaos qui s'est emparé de moi après que mon torticolis s'est brutalement mué en cancer, j'ai remarqué que la mémoire me ramenait invariablement à mon enfance.

J'ai mis du temps à comprendre qu'elle cherchait ainsi à m'aider, en dégageant une sorte de plateforme qui me permettrait de faire face à la catastrophe.

Il fallait bien commencer quelque part. Trouver un point d'ancrage. Et j'ai compris que celui-ci ne pouvait être que du côté de mes premières expériences.

C'est pourquoi je choisis pour point de départ un jour de grand froid de l'hiver 1957. Au moment où j'ouvre les yeux ce matin-là, j'ignore qu'un très grand secret est sur le point de m'être révélé.

Je suis en route vers l'école, dans la nuit noire. J'ai neuf ans. Comme d'habitude je m'arrête chez Bosse, mon meilleur ami. Sa maison n'est qu'à quelques minutes de marche du bâtiment du tribunal dont j'occupe, avec ma famille, le premier étage. Mais quand je frappe à la porte ce jour-là, c'est son frère Göran qui m'ouvre. Il m'annonce que Bosse a mal à la gorge et doit rester à la maison. Je vais devoir aller à l'école tout seul.

Sveg est une toute petite ville. Rien n'est loin. Cinquante-sept ans me séparent de ce matin d'hiver, pourtant je me souviens de tout dans les moindres détails. Les lampadaires, très espacés, qui oscillent sous le vent. Devant la quincaillerie, il y en a un qui est fêlé. Ce n'était pas le cas la veille. C'est donc arrivé durant la nuit.

Il a neigé pendant que je dormais. On a déjà déblayé le trottoir devant le magasin de meubles. Sans doute le père d'Inga-Britt. C'est lui, le patron. Inga-Britt est dans ma classe, comme Bosse ; mais c'est une fille, alors on ne fait pas le chemin ensemble. À part ça, elle a beau être une fille, elle court vite. Personne ne l'a jamais rattrapée.

Je me souviens de mon rêve de la nuit : je me tiens en équilibre sur une plaque de glace sur le fleuve Ljusnan, qui passe en contrebas de la maison où je vis. La plaque de glace dérive vers le sud, on est en plein dégel. C'est le printemps. Je devrais avoir peur car c'est dangereux. Quelques mois auparavant, un garçon un peu plus âgé que moi s'est aventuré sur un lac gelé, non loin de Sveg, quand la glace a cédé sous son poids. Un trou s'est ouvert. Il a été aspiré. Les pompiers sont venus draguer le lac, mais on ne l'a pas retrouvé. L'institutrice a dessiné une croix sur son banc. La croix est toujours là. Tout le monde a peur de la glace qui s'ouvre de façon imprévisible, des accidents et des fantômes. À l'école on a tous peur de cette chose incompréhensible qu'on appelle la Mort. La croix tracée sur le banc est un sujet d'effroi.

Dans mon rêve cependant, la plaque de glace ne présente aucun danger. Je ne basculerai pas, je le sais. Je suis en sécurité.

Après le magasin de meubles, je traverse la rue et je m'arrête devant la Maison de la Culture, où deux vitrines annoncent les deux films de la semaine. Les bobines nous parviennent emballées dans de grands cartons déposés dans la zone de fret de la gare après avoir été acheminés soit par le train d'Orsa, c'est-à-dire du sud, soit par l'autorail d'Östersund. De la gare, les transports sont encore à cette date assurés par une voiture à cheval jusqu'à la Maison de la Culture où Engman, le gardien, les décharge. Une fois, j'ai essayé de le faire à sa place, mais ils étaient beaucoup trop lourds pour un garçon de neuf ans. En général, il s'agit de westerns de série B ou C, où les personnages ne font que parler, parler, parler, sauf à la fin où on a droit à un rapide duel, avec des images aux couleurs bizarres, comme si les visages avaient été repeints en rose et le ciel bleu en vert.

Je constate que cette semaine Engman a prévu de montrer *Un shérif dur à cuire*, qui ne m'attire pas beaucoup, et un film suédois avec Nils Poppe, dont le seul intérêt est qu'il n'est pas interdit aux mineurs. Je ne serai pas obligé de passer par le soupirail – avec Bosse, on a trafiqué le verrou, ce qui nous permet de voir tous les films qu'on veut.

Alors que je me tiens debout là, dans le froid, à regarder les affiches, je vis l'un des instants décisifs de mon existence, un instant qui la marquera à tout jamais. Je m'en souviens avec une acuité presque surnaturelle. Soudain, je suis assailli par une idée totalement neuve. Une idée inouïe. C'est comme une décharge électrique qui me traverse. Les mots se forment tout seuls dans ma tête :

« Je suis moi et personne d'autre. »

C'est à ce moment précis que j'acquiers mon identité. Jusqu'à cet instant, mes pensées et réflexions étaient à peu près celles qu'on peut attendre de la part d'un garçon de mon âge. À présent, voilà qu'un état tout différent prend le relais. L'identité suppose un état de conscience.

Je suis moi et personne d'autre. Je ne peux échanger ma place avec personne. La vie devient une question sérieuse.

J'ignore combien de temps je suis resté figé sur le trottoir, dans l'obscurité, en présence de cette découverte bouleversante.

Je me souviens juste que je suis arrivé en retard à l'école. Rut Prestjan, mon institutrice, était déjà à l'harmonium quand je me suis faufilé dans le bâtiment. J'ai ôté mes vêtements d'hiver et j'ai attendu dans le couloir. Il était interdit d'entrer dans la salle de classe à partir du moment où les psaumes du matin avaient démarré.

J'ai donc attendu. Accord final, bref silence, brouhaha dans les bancs – j'ai frappé et je suis entré. Comme je n'étais pour ainsi dire jamais en retard, Mme Prestjan s'est contentée de me lancer un regard sévère avant de hocher la tête. Si elle avait suspecté désinvolture ou paresse, elle ne l'aurait pas toléré.

« Bosse est malade, ai-je annoncé. Il a mal à la gorge et de la fièvre. Il ne viendra pas aujourd'hui. »

Puis je me suis assis à ma place. J'ai regardé autour de moi. Personne ne soupçonnait le grand secret que je portais, et que je n'ai jamais cessé de porter depuis ce petit matin froid de 1957.

4

Sable mouvant

Ce matin-là, juste après le nouvel an, j'ai reçu le diagnostic. La vie a brutalement rétréci, en un flétrissement accéléré. Mes pensées sont devenues rares. Un paysage désertique s'étendait en moi et recouvrait tout le reste.

Je n'osais plus envisager l'avenir. Trop incertain. Terrain miné. Au lieu de cela, je revenais sans cesse à l'enfance.

Pendant une période, vers huit ou neuf ans, je me souviens que je réfléchissais intensément pour savoir quel type de mort me faisait le plus peur. Rien de plus normal : on a souvent ce genre de pensées à cet âge, où la vie et la mort deviennent des questions décisives, exigeant qu'on se positionne. Les enfants sont des êtres graves, en particulier à l'âge où on commence à prendre conscience de soi. Où l'on se découvre une identité non interchangeable. Mon apparence dans le miroir sera amenée à se modifier au cours de mon existence. Mais derrière ce reflet se cache toujours cette personne qui est moi.

L'identité se forme dès lors qu'on ose se confronter aux questions difficiles. Tous ceux qui n'ont pas entièrement oublié leur enfance savent qu'il en est ainsi.

Ce qui m'effrayait le plus, c'était de mourir sous la glace : qu'elle cède sous mon poids et que je ne réussisse pas à remonter dessus. Être aspiré. Se noyer sous la glace. Mourir suffoqué dans l'eau glaciale, pris au piège alors même que la lumière du soleil me parvient au travers. La panique dont nul ne viendra me libérer. Le cri que nul n'entend. Le cri qui se pétrifie, qui devient glace et mort.

Cette peur n'était pas irrationnelle. J'ai grandi dans la province du Härjedalen, où les hivers sont longs et rigoureux.

À cette époque, quand j'avais huit ou neuf ans, une fille de mon âge a disparu sous la glace trop mince du lac Sandtjärn. J'étais présent quand on l'a repêchée. La rumeur s'était répandue à la vitesse de l'éclair, tous les habitants de Sveg étaient accourus. C'était un dimanche. Ses parents se tenaient au bord du lac gelé, où l'on voyait le trou noir se découper un peu plus loin au milieu de la blancheur. Les pompiers bénévoles étaient au travail. Quand la drague a ramené le corps de la fillette, les parents n'ont pas réagi comme on a l'occasion de le voir au cinéma ou de le lire dans les livres. Ils n'ont pas poussé de cris. Ils étaient muets. Totalement silencieux. C'étaient les autres qui pleuraient. La maîtresse d'école. Le pasteur, les amis de la petite.

Quelqu'un a vomi dans la neige. Il régnait un grand silence. L'haleine exhalée par toutes les lèvres formait comme des signaux de fumée indéchiffrables.

Elle n'était pas restée longtemps dans l'eau. Mais elle était toute raide. La laine de ses habits a émis des craquements quand on l'a déposée sur la neige. Son visage était très blanc, comme si on l'avait maquillée. Ses cheveux, sous le bonnet, ressemblaient à des stalactites jaunes.

Il existait cependant un autre type de mort qui m'effrayait tout autant, sinon plus. J'avais lu une anecdote à ce sujet, je ne sais plus très bien où, peut-être dans la revue *Rekord-magasinet*, avec ses histoires tirées du monde de l'athlétisme qui mêlaient suspense et aventures, ou alors dans un récit de voyage situé au Moyen-Orient ou peut-être en Afrique. Je n'ai jamais réussi à mettre la main dessus.

En tout cas, il s'agissait du phénomène connu sous le nom de sable mouvant. Un homme équipé pour une expédition, uniforme kaki et fusil à l'épaule, pose par malheur le pied au mauvais endroit et le voilà qui s'enfonce, happé, aspiré, incapable de se dégager malgré ses efforts. À la fin, le sable recouvre sa bouche, puis son nez. L'homme est condamné. Il meurt étouffé. La dernière chose qu'on voit de lui est le sommet de son casque juste avant qu'il ne disparaisse à son tour.

Le sable était vivant. Ses grains se transformaient en horribles tentacules capables de dévorer un homme. Un trou de sable carnivore…

Moyennant quelques précautions, la glace représentait un danger qu'il était possible d'éviter. Quant au sable, on n'avait franchement pas beaucoup de plages dignes de ce nom, que ce soit sur les rives du fleuve Ljusnan ou celles des lacs des environs. Mais bien plus tard, en arpentant les dunes de Skagen au Danemark et, plus tard encore, les immenses plages d'Afrique, il est arrivé que me revienne en mémoire cette horrible mort par le sable.

Cette peur a été réactivée après l'annonce de mon cancer. Avec le recul, je peux dire qu'elle s'est abattue sur moi de plein fouet.

Ce qui m'a assailli était, précisément, la peur panique du sable mouvant. J'ai lutté de toutes mes forces pour ne pas être aspiré vers le bas, dévoré, anéanti par la certitude paralysante d'être atteint d'une maladie incurable. Il m'a fallu dix jours, en dehors de mes rares heures de sommeil, pour vaincre la terreur qui menaçait de détruire en moi toute capacité de résistance.

Je n'ai pas le souvenir d'avoir pleuré à aucun moment sous l'effet du désespoir. Pas davantage d'avoir crié dans la nuit. C'était une lutte silencieuse pour survivre au sable qui m'aspirait.

Je n'ai pas été aspiré. À la fin, j'ai pu ramper hors du trou et commencer à faire face. La solution de me coucher et d'attendre la mort n'était plus envisageable. Il existait des traitements. J'allais les suivre. Même si la guérison était impossible, je pouvais vivre encore longtemps.

S'entendre déclarer qu'on a un cancer équivaut à un cataclysme. On ne peut savoir qu'après coup si l'on a été capable d'opposer une résistance. Ce que j'ai pensé et ressenti pendant les dix jours qui ont suivi l'annonce du diagnostic n'est pas encore tout à fait clair pour moi, et peut-être ne le sera-t-il jamais. Ces dix jours de janvier 2014, peu après l'Épiphanie, baignent dans une ombre fantomatique aussi sombre que le cœur de l'hiver suédois, avec ses journées réduites à de rares heures de lumière. J'avais de brusques accès de fièvre, qui m'ont rappelé les crises de paludisme qu'il m'est arrivé de traverser. Je passais le plus clair de mon temps au lit, la couverture remontée, bien serrée, jusqu'au menton.

Ce dont je me souviens parfaitement, c'est de cette sensation que le temps s'était arrêté. Comme dans un univers compressé, sous vide, tout s'était réduit à un point où il n'existait plus d'avant ni d'après – rien que ce « maintenant » indéfini. Un être humain happé par la bouche de sable au mouvement de succion mortel, et qui s'agrippe au bord pour ne pas sombrer.

Quand enfin j'ai senti que j'avais vaincu la tentation de lâcher prise, de me laisser aller, de céder à l'appel du gouffre, j'ai voulu savoir ce qu'est, au juste, ce phénomène d'aspiration du sable mouvant. Et j'ai découvert alors qu'il s'agissait d'un mythe. Toutes les histoires qu'on raconte à ce propos sont peut-être pure affabulation. Il existe notamment une équipe universitaire aux Pays-Bas qui a enquêté sur le sujet au travers d'expérimentations concrètes.

La métaphore reste malgré tout d'actualité pour moi.

Sable mouvant. Voilà à quoi ressemblaient les dix jours qui ont changé de fond en comble les conditions de mon existence. Un gouffre infernal auquel j'ai réussi à échapper.

5
L'avenir dissimulé sous la terre

La première fois que j'entends prononcer le mot *Onkalo*, c'est à l'automne 2012. Bien entendu, j'ignore alors totalement qu'on va m'annoncer dans un peu plus d'un an que j'ai un cancer.

Onkalo est un mot finnois qui signifie « trou », mais qui peut aussi désigner une réalité énigmatique ou encore les cavités où vivent les trolls.

C'est à bord du train entre Göteborg et Stockholm que je tombe par hasard sur un article évoquant le projet d'ouvrir à la dynamite, dans la roche mère de Finlande, des tunnels et des salles souterraines afin d'y entreposer les déchets du nucléaire pour une durée indéterminée. Qui ne doit pas être inférieure à cent mille ans. Même si la radioactivité est la plus intense (comprendre « mortelle ») au cours des mille premières années, il faut malgré tout pouvoir garantir un stockage hermétique sur une durée équivalente au passage sur Terre de trois mille générations humaines.

J'ai connu le nucléaire toute ma vie. De mon enfance, je garde le souvenir de manifestations hostiles, et de la peur que nous inspiraient à la fois l'arme atomique et la perspective d'une terrible guerre entre deux bêtes féroces, l'Union soviétique et les États-Unis. La paix entre elles était toute relative, fragile et précaire, et il fallait à tout prix empêcher leur affrontement. Après cela, il y a eu les grandes catastrophes nucléaires – Three Mile Island, Tchernobyl et la dernière en date : Fukushima. J'ai la conviction, bien naturelle, que le compte à rebours nous séparant de la prochaine a déjà commencé. Je suis un opposant à l'énergie nucléaire. Chaque accident avéré – et chaque incident où le pire a été évité de justesse – renforce ma défiance. Je savais que le temps nécessaire pour neutraliser la radioactivité était très long, et connaissais le danger de ces déchets avec lesquels il allait falloir cohabiter pendant des millénaires. Mais c'est seulement ce jour-là, à l'automne 2012, que j'en ai saisi les implications réelles.

L'article est relégué au bas d'une page intérieure. D'autres informations ont une priorité bien supérieure : les amours d'une rock star, les astuces pour payer moins d'impôts et pour maigrir de dix kilos en quinze jours.

C'est compréhensible. La vie, après tout, se déroule au présent.

Peu de gens ont la capacité d'étendre leur curiosité au-delà des jours ou des mois à venir. Au-delà du prochain tirage du Loto, disons, grâce auquel on espère se délivrer de toute contrainte et partir s'installer aux Caraïbes.

Aujourd'hui, les habitants de notre partie du monde ne croient pas en Dieu, mais ils croient au tirage et au grattage. Ils sont accros aux jeux de hasard. Si on a la chance de gagner, c'est merveilleux : plus besoin de travailler, plus besoin de se préoccuper de quoi que ce soit, dorénavant on pourra considérer le reste de la société avec arrogance et mépris. La nouvelle façon de désigner le gros lot l'indique on ne peut plus clairement : « Vingt-cinq ans de salaire ! » Exonéré d'impôts, bien entendu.

En bas de page du journal, donc, voilà cet article sur le projet de cachette géante enfouie au cœur de la roche mère finlandaise afin d'y stocker jusqu'à la fin des temps d'énormes quantités de déchets nucléaires.

Quelques jours plus tard, j'ai envoyé une lettre demandant si je pouvais visiter Onkalo. On m'a répondu que je n'étais pas le bienvenu. Et qu'on ne souhaitait pas que je fasse de ces installations le décor d'un futur roman à suspense. J'ai rétorqué, indigné, que cela ne m'avait jamais effleuré. Ma perspective était purement philosophique, et pouvait se résumer ainsi : comment est-il possible de garantir la conservation pendant cent mille ans de déchets mortellement toxiques, alors qu'aucun des plus anciens édifices humains que nous connaissons n'excède cinq ou six mille ans d'âge ? Comment peut-on prétendre à un résultat dont aucune personne vivante aujourd'hui ne sera encore là pour le valider ?

On m'a répondu une nouvelle fois en faisant valoir qu'Onkalo était fermé aux visiteurs dans la mesure où l'on ne pouvait se porter garant de leur sécurité dans les tunnels et les espaces souterrains. Cela m'a paru effrayant et comique à la fois : on s'estimait incapable de garantir la sécurité du moindre visiteur, tout en affirmant pouvoir garantir la bonne conservation des déchets cent mille ans après que moi-même et le signataire de cette réponse aurions achevé de nous décomposer dans nos tombes !

J'ai compris que je n'aurais pas l'occasion de visiter la cachette finlandaise. Mais de semblables travaux se déroulaient en Suède, non loin d'Oskarshamn.

Je m'étais rendu dans cette ville à plusieurs reprises quand j'avais dix-huit ans – bien avant que la moindre centrale nucléaire ne voie le jour dans le pays, sans même parler des interrogations liées au traitement des déchets, qui étaient encore loin de figurer à l'ordre du jour du gouvernement comme de la conscience citoyenne.

J'ai écrit à la direction de la centrale nucléaire d'Oskarshamn.

On m'a répondu que j'étais le bienvenu quand je voulais. Je me suis rendu sur place quelques mois plus tard.

À présent que je vis avec un cancer, cette question du traitement des déchets radioactifs m'apparaît dans une lumière encore différente.

6
La bulle dans la paroi du verre

Viktor Sundström était le mari de ma tante paternelle. Un ingénieur autodidacte, qui est resté pour moi un ami « de jeunesse » dans la mesure où il était, malgré son âge, un rebelle digne de ce nom. Il a vécu jusqu'à quatre-vingt-quinze ans, et il ne s'est jamais lassé de décrire les conditions effroyables dans lesquelles vivaient, à la fin du XIXe siècle, les familles pauvres du Värmland dont il était issu.

Un jour, il a essayé de m'expliquer l'univers. À cette époque – au milieu des années 1950 –, la théorie du *big bang* n'était pas encore tout à fait acceptée. D'après Viktor, l'univers avait toujours existé. Quand je lui ai demandé ce qu'il y avait eu avant, il m'a répondu qu'il n'y avait pas d'avant.

C'était impossible à comprendre, bien sûr. Toute ma représentation enfantine du monde s'écroulait. Je me souviens vaguement que Viktor a tenté d'arrondir un peu les angles en s'apercevant que le retrait de cet « avant » m'avait perturbé et même peut-être effrayé.

« Bon, a-t-il dit en substance. Personne ne sait avec certitude ce qu'il en est. L'univers est une énigme. »

Viktor ne croyait pas en Dieu. Il appréciait le fait que mon père eût interdit à ses enfants de fréquenter l'école du dimanche. Lui-même ne mettait jamais les pieds dans une église sauf à l'occasion d'un enterrement. Ce qu'il adviendrait de son corps après sa mort lui était totalement indifférent.

Pour moi, Dieu était une entité d'une puissance effrayante. Un être invisible qui rôdait dans les parages et savait lire dans mes pensées. Je saisissais que Viktor ne croyait pas plus que mon père à ce Dieu invisible qui aurait créé la Terre et les étoiles. Pendant quelque temps, cela m'a passablement déstabilisé. Que l'univers, avec toutes ses étoiles scintillant lors des froides nuits d'hiver, soit une énigme – ce n'était pas une pensée satisfaisante.

Il devait y avoir autre chose. Il devait y avoir un « avant ».

Même si je l'avais voulu, je n'aurais pas pu en ce temps-là m'imaginer un futur long de cent mille ans. Je ne le peux toujours pas. Je peux alléguer des chiffres, je peux compter les générations, mais je ne comprends pas pour autant. Comment quiconque peut-il se représenter le monde dans un futur aussi éloigné ? Comment se représenter un descendant distant de trois mille générations ? Le temps à venir se perd dans les mêmes brumes que le temps révolu. Quel que soit le côté où nous nous tournons, nous sommes enveloppés de brouillard, ou plutôt d'épaisses ténèbres. Nous pouvons envoyer nos pensées aux quatre points cardinaux et dans toutes les directions temporelles. Mais les réponses qui nous reviennent sont peu convaincantes. Nous ne pouvons aller au-delà de ce que les auteurs de science-fiction eux-mêmes ont du mal à appréhender.

Grâce à des modèles mathématiques, les chercheurs sont capables de calculer beaucoup de choses, depuis la création de l'univers jusqu'au jour où le soleil en expansion finira par avaler notre planète, quand les mers se seront évaporées et que le phénomène de la vie aura disparu depuis longtemps. Le soleil dispensateur de vie causera à la fin notre perte. Tel un gigantesque dragon de feu, il dévorera la Terre avant de mourir à son tour et de devenir une naine jaune morte et froide parmi d'autres. Mais les modèles mathématiques ne rendent pas le temps plus compréhensible pour nous.

Il existe d'autres méthodes pour approcher l'impossible représentation du monde dans cent mille ans. En voici une.

Il y a de cela un certain nombre d'années, j'ai demandé à un ami verrier de me souffler un verre contenant dans sa masse une bulle d'air emprisonnée. En tant que professionnel, il considérait ce verre comme un objet défectueux. Mais moi, je réfléchissais à la différence entre vérité et mensonge, fiction et réalité ; à l'arrière-plan, il y avait également la question du temps et des distances infinies.

Il existe un mythe selon lequel une bulle d'air emprisonnée dans la paroi d'un verre se déplace, mais si lentement que son mouvement de rotation est impossible à suivre à l'œil nu. La durée d'une longue vie humaine ne suffirait pas pour constater un déplacement significatif. Il lui faudrait plus d'un million d'années pour retourner à son point de départ. La bulle d'air a donc, de même que les planètes, une orbite qui règle la forme et la vitesse de son déplacement.

Harry Martinson a écrit de belles pages à ce sujet dans sa grande épopée spatiale *Aniara*. Or, si nous pensons qu'il ne s'agit pas d'un mythe, mais de la réalité, nous nous heurtons à un problème : comment en être sûrs ? Aucun individu placé face à ce verre-là ne sera présent dans un million d'années pour témoigner de ce qu'il a vu. Des milliers de générations d'êtres humains ne peuvent transmettre le souvenir fidèle de ce que leur regard a vu au cours des millénaires. Nous ne pouvons savoir si le trajet de la bulle d'air est réel ou imaginaire, mythique ou vérifiable.

Bien entendu, des scientifiques peuvent créer un modèle d'expérimentation. Mais cela ne nous donnera jamais qu'un indice de probabilité, jamais une réponse totalement convaincante.

Tenter de *voir* en se projetant jusqu'à cent mille ans dans le futur revient à un numéro d'équilibriste entre ce que nous pouvons nous représenter au moyen de nos connaissances et ce que nous devinons en faisant intervenir notre imaginaire.

L'être humain est une créature qui s'est développée au fil des millénaires de façon de plus en plus pointue et efficace. Nous ne disposerions pas de cette faculté essentielle qu'est l'imagination s'il ne s'agissait pas d'un trait nécessaire à notre survie – pour protéger nos enfants, découvrir de nouveaux moyens de subsistance quand le monde tel que nous avions appris à le maîtriser est bouleversé par des imprévus du genre sécheresse, inondation, tremblement de terre ou éruption volcanique.

L'histoire humaine, comme celle de tous les êtres vivants, se réduit en dernier recours à des stratégies de survie. Rien d'autre n'a d'importance. Cette capacité se traduit par le fait que nous nous reproduisons, et que nous laissons aux générations suivantes le soin de se confronter aux mêmes enjeux de survie que nous.

La vie est l'art de la survie. Au fond, elle n'est rien d'autre que cela.

Le verre avec sa bulle est toujours là, dans ma maison, sur une étagère. À moins que quelqu'un ne le renverse par mégarde et qu'il ne se brise en mille morceaux, il sera encore là longtemps après que je n'y serai plus.

Et je crois que la bulle se déplace. Même si je ne le vois pas.

7
Testament

2013. Un jour de printemps, je rédige mon testament. Sept mois me séparent du début de mes douleurs à la nuque. Je ne perçois aucun signe, mental ou physique, de mon état. Je ne me sens pas malade, j'ignore absolument que la mort a franchi le seuil de ma maison et attend dans le vestibule le moment de faire son entrée.

La raison qui me pousse à rédiger ce testament est d'un autre ordre.

Quand mon père est mort, il y a de cela bien longtemps, il s'est avéré qu'il avait laissé des instructions précises concernant l'ensemble de ses biens. Grâce à cette prévoyance, ma sœur, mon frère et moi n'avons jamais eu à nous creuser la tête pour deviner quelles auraient été ses dernières volontés. Quels paquets de lettres fallait-il brûler ? Quels documents pouvait-on au contraire garder, et même lire ? Comment distribuer équitablement livres et mobilier ? Qui devait bénéficier d'un legs ? De la sorte, nous n'avons eu aucun mal à trier et à répartir les biens matériels, ce qui nous a permis de nous consacrer au travail autrement plus important qui était celui du deuil.

Rédiger son testament, c'est confirmer sa mortalité. Dans une certaine mesure, on le fait pour des motifs éminemment égoïstes. Mais il s'agit surtout, me semble-t-il, de faciliter l'existence de ceux qui devront continuer après nous.

Quand on est mort, on est mort. On ne peut plus influer sur rien.

Vivre, c'est pouvoir dire oui ou non. Être mort, c'est être enveloppé de silence.

À quelle époque les humains ont-ils commencé à rédiger des testaments ? La réponse coule de source : quand ils ont commencé à posséder des biens susceptibles d'avoir une valeur pour d'autres. Le besoin de laisser une trace écrite de ses « dernières volontés » est né avec la propriété privée.

La plupart des gens songent à l'occasion qu'ils devraient rédiger un testament. Mais ils ne le font pas. Ou alors ils se limitent à inscrire quelques notes dans un carnet. On repousse l'échéance. Pour certains, c'est lié à une superstition toute simple : on craint que cela n'attire la mort et qu'elle ne s'empresse aussitôt de venir vous chercher. Pour d'autres, c'est peut-être plutôt un sentiment qu'il n'y a pas urgence. On est encore jeune ; il sera bien temps de se préoccuper de ces choses-là plus tard.

On entretient la plus grande des illusions. On pense : *si je meurs*. Et non : *quand je mourrai*.

Et voilà que survient l'accident mortel. Ou le cancer galopant qui anéantit jusqu'à l'idée de rédiger un testament. On est trop occupé à lutter pour sa survie.

Les civilisations ne laissent pas de testament. Seuls les individus le font. Rome, l'Égypte des pharaons, la civilisation inca ou maya n'ont pas disparu à la suite d'un événement unique, comme un accident ou une éruption volcanique. Le déclin s'est fait progressivement, et il a été nié jusqu'au bout. Une civilisation aussi aboutie que la leur ne pouvait tout simplement pas disparaître. Les dieux s'en portaient garants. Pour peu qu'on respecte rituels et offrandes, et qu'on se plie aux exigences des prêtres ou chamanes, on était assuré d'appartenir à une civilisation destinée à vivre toujours. Celle-ci était établie pour l'éternité et ne connaîtrait que de lentes évolutions sans jamais réellement vieillir.

C'est là un dénominateur commun de toutes les grandes civilisations : le fait qu'elles semblent avoir été immortelles aux yeux de leurs représentants.

En matière de civilisations englouties, un exemple frappant nous est fourni par l'île de Pâques. Aujourd'hui, Rapa Nui – tel est son nom en langue polynésienne – est une île rase, sans arbres, jetée dans l'océan Pacifique. Le paysage, vallonné, herbeux, est parsemé de gigantesques sculptures des dieux de cette antique civilisation. Depuis la découverte de l'île, le jour de Pâques de 1722, par l'équipage d'un navire hollandais dont le commandant s'appelait Jacob Roggeveen, ces sculptures n'ont cessé d'intriguer et de fasciner. Certaines sont tombées, d'autres se maintiennent debout à l'endroit où elles furent autrefois traînées, puis dressées.

Plus étonnantes encore sont les carrières de pierre où elles ont été taillées. On y trouve des statues inachevées, dont une qui aurait dû dépasser en hauteur toutes les autres. Elle représente un dieu. Elle ne fut donc jamais achevée, ni transportée, au prix d'immenses efforts et d'une très grande ingéniosité technique, sur le lieu choisi par les prêtres.

La carrière de l'île de Pâques est comme un cimetière pour des dieux qui n'auraient jamais eu l'occasion d'officier. Les tailleurs de pierre ont brutalement abandonné leurs créatures. Y ont-ils été contraints ? Ou sont-ils partis de leur plein gré ? Ont-ils fui, pris de panique ? Ou est-ce leur foi en leurs dieux qui s'est tarie ? Nul ne sait.

Dans le cas de l'île de Pâques, il est cependant possible d'affirmer sans trop d'erreur ce qui a provoqué son déclin. Du moins, les réponses peuvent être réduites à quelques hypothèses.

Selon plusieurs chercheurs, les premiers colons auraient

apporté – involontairement, on l'imagine – des rats, qui ne rencontrèrent pas sur l'île de prédateur naturel. Ils purent donc se multiplier de façon spectaculaire en se nourrissant des graines des palmiers dont l'île était couverte.

Ces colons étaient originaires des archipels du Pacifique qui avaient découvert cette île à l'écart, au cours de leurs longues expéditions. Les arbres étaient probablement l'une des ressources qui les décidèrent à rester et qui leur permirent de se développer pendant quatre siècles environ. D'après les travaux de plusieurs chercheurs, ce serait également cette exploitation forestière intensive qui aurait, *in fine*, provoqué leur chute. Sans arbres, impossible de construire des bateaux pour pêcher ni, vers la fin, pour quitter l'île afin de retourner, peut-être, vers les rivages d'où leurs ancêtres étaient venus autrefois. La forêt avait servi à tout, construction, combustible, mais aussi transport des dieux sur tapis de rondins mobiles vers leur emplacement définitif. La terre arable, n'étant plus fixée à la roche par les racines des arbres, était emportée par le vent. Et les rats dévoraient les graines, si bien que la forêt ne pouvait repousser.

On ignore de quelle manière la fin se présenta. Rien n'a été consigné par écrit. Mais certaines sculptures taillées dans le bois qui ont été retrouvées indiqueraient que l'île fut frappée de famine. Les personnages sont maigres, efflanqués. Leurs côtes saillantes sont aussi expressives que leur visage.

La lutte pour la nourriture engendra des conflits entre groupes. Il n'est pas difficile d'imaginer le chaos social, le désespoir religieux et la brutalité à laquelle les humains ont recours quand il n'y a plus assez de nourriture pour tous.

Nul ne rédigea de testament, bien sûr. Aucun vestige personnel ou collectif ne permet de savoir ce qui se déroula au cours des derniers temps, avant que l'île de Pâques ne retourne à l'état de désert. Ce que les derniers habitants nous ont laissé à déchiffrer, c'est un avertissement muet.

L'île désertée, les statues renversées ou inachevées sont un testament en elles-mêmes. Les civilisations, même les plus avancées, finissent par mourir un jour ou l'autre.

Il n'existe pas de « dernières volontés » laissées par les civilisations antérieures à la nôtre. Grâce à l'archéologie, la paléontologie et autres champs de recherche, avec l'aide d'instruments toujours plus performants, nous pouvons aller toujours plus loin et plus précisément pour tenter de comprendre.

Deux notions résument tout ce qui a été, et sans doute aussi tout ce qui sera.

Survie et disparition.

Un simple regard en arrière nous permet d'anticiper ce qui nous attend, nous aussi. Rien ne se répète à l'identique. L'histoire n'est pas une suite d'imitations.

Mais en ce qui nous concerne, on peut dire que nous avons d'ores et déjà décidé quel sera le témoignage ultime de ce que nous fûmes.

Pas Rubens, Rembrandt, Raphaël.

Pas Shakespeare, Botticelli, Beethoven, Bach ou les Beatles.

Rien de tout cela.

Quand notre civilisation aura disparu, il restera deux choses. La sonde spatiale *Voyager* lancée dans sa course à travers l'espace interstellaire. Et les déchets nucléaires enfouis au cœur de la roche mère.

8

Homme à la fenêtre

Me voilà assis un soir à réfléchir à la manière dont est entrée dans ma vie la connaissance du cancer, qu'on appelait à l'époque *le crabe*[1].

À l'âge de neuf ans, j'avais été pris brutalement d'intenses maux de ventre. Si intenses qu'on décida de m'emmener en urgence au petit hôpital de Sveg. Une appendicite, nous dit-on. Il fallait opérer. En réalité, les douleurs disparurent comme elles étaient venues et le médecin-chef, un type redouté du nom de Stenholm, en conclut qu'un peu de liquide s'était sans doute infiltré dans l'appendice puis s'était évacué tout seul.

Quoi qu'il en soit, on m'a gardé trois jours sous surveillance. J'étais dans une salle commune. Le lit du bout, sous la fenêtre, était occupé par un homme presque chauve à l'énorme bedaine. Il avait un cancer. Son ventre présentait, côté gauche, une plaie purulente. On lui refaisait son pansement matin et soir ; les bandes imprégnées de sang et de pus étaient jetées dans un seau en fer-blanc, puis emportées. À voir la tête de ses voisins de lit, je comprenais que ça déga-

1. *Kräftan* : littéralement « le crustacé » (ou « l'écrevisse », dans la langue courante). Ce mot résonnait d'une façon particulièrement sinistre, d'autant plus qu'on étirait volontiers la première syllabe d'un air lourd de sous-entendus. C'est sans doute pourquoi on lui préfère désormais le terme international de « cancer ».

geait une sale odeur. Une fois, pendant que l'homme était aux toilettes, j'ai entendu l'un de ses voisins murmurer que c'était *le crabe*, que le ventre du bonhomme était entièrement bouffé, au point qu'une des tumeurs avait franchi la barrière de la peau et se déversait directement à l'extérieur.

Personne ne le disait à voix haute. Mais même moi, qui n'avais que neuf ans, je comprenais bien que cet homme allait mourir. J'ai appris que son métier était de vendre des chevaux. Des chevaux de trait, suédois du Nord surtout, mais aussi des ardennais. Je crois qu'il se prénommait Svante. Son nom de famille était-il Wiberg – à moins que ce ne soit Wallén ? Mais il était maquignon : de cela, je suis certain.

Au cours de ces jours où je suis resté dans la salle commune, il n'a reçu aucune visite. Quand il n'était pas allongé immobile sur son lit, il allait se planter devant l'une des hautes fenêtres. Il demeurait là, à regarder dehors, dans sa blouse d'hôpital mal taillée, avec sa bedaine et ses mains croisées dans le dos comme un policier en patrouille. Ça pouvait durer des heures. Du moins dans mon souvenir.

Le matin de ma sortie, je suis allé voir ce qu'il contemplait ainsi fixement chaque jour.

La fenêtre donnait sur la morgue de l'hôpital. Un petit bâtiment passé à la chaux jouxtant un local à poubelles et une vieille écurie. Peut-être y logeait-on des chevaux autrefois ? Après ce séjour, je savais que *le crabe* était quelque chose qui sentait mauvais et qui laissait dans son sillage des pansements pleins de sang et de pus. En tout cas cela ne pouvait avoir le moindre rapport avec moi, sinon comme une vague et lointaine menace dissimulée au fond d'une salle commune dans un petit hôpital du Norrland.

Je suis assis dans la pénombre. Il est quatre heures et demie du matin. Un autre souvenir vient de se matérialiser. Peut-être serait-il plus juste de dire que je l'ai descendu d'un rayonnage de mes archives personnelles. Un événement survenu il y a exactement vingt et un ans.

Je me souviens avec précision de ma dernière cigarette. Fumée devant les portes de l'aéroport international de Johannesburg. À l'époque, en décembre 1992, celui-ci s'appelait encore l'aéroport Jan Smuts. Quelques années plus tard, quand l'apartheid aura été définitivement jeté à la poubelle de l'Histoire, il sera rebaptisé en l'honneur du combattant de la liberté Oliver Tambo.

Cela faisait un mois que je me traînais à Maputo, affaibli, de plus en plus abattu. Je croyais à un virus, ou à une crise de paludisme qui refusait de se déclarer franchement. Nous répétions une nouvelle pièce. Chaque après-midi, je prenais le volant de ma vieille Renault pour me rendre au théâtre. Je devais me forcer à mettre le contact et à démarrer. J'avais beau dormir et dormir, la fatigue devenait paralysante.

Un jour, en arrivant, j'ai coupé le moteur. Je n'ai pas eu la force de sortir de la voiture. C'est là que j'ai renoncé. J'ai appelé Alfredo, le régisseur, qui était occupé à mettre en place une affiche au-dehors.

« Je ne me sens pas bien. Dis aux comédiens qu'ils fassent une italienne sans moi. »

Je suis rentré. À peine couché, je dormais déjà. Le soir, je suis sorti acheter à manger et devant le magasin j'ai croisé par hasard Elisabeth, une amie suédoise qui est médecin. Elle m'a regardé attentivement et elle a dit :

« Tu es tout jaune.

– Ah.

– Passe me voir demain matin à huit heures. »

Le lendemain, elle m'a envoyé au laboratoire pour une analyse du foie. Le résultat, un chiffre qui devait normalement tourner autour de 20, était de 2000. Je ne me souviens plus du nom de ce test.

« Je ne peux pas m'occuper de toi, a-t-elle dit. Pas ici. J'appelle un hôpital à Johannesburg. Tu dois partir aujourd'hui même. »

Le voyage de Maputo à bord du vol du soir de la compagnie South African Airways n'était pas long, à peine trois quarts d'heure. J'ai attendu devant l'entrée principale de l'aéroport de Johannesburg en fumant une cigarette. Quand l'ambulance de l'hôpital Sandton est arrivée, j'ai écrasé le mégot. Je ne savais pas que je venais de fumer la dernière cigarette de ma vie.

Deux jours plus tard, on m'a annoncé que je souffrais d'une jaunisse sévère. Probablement contractée au cours d'un voyage dans le nord du Mozambique, dans un restaurant à l'hygiène douteuse où j'avais mangé des légumes mal lavés.

C'était pendant les fêtes de Noël de 1992. L'apartheid s'effondrait, et la plus grande incertitude régnait quant à ce qui allait se passer en Afrique du Sud. La nuit, dans mon lit d'hôpital où je peinais à m'endormir, j'entendais parfois des tirs dehors, dans l'obscurité. Johannesburg était une ville infestée de criminalité. La haine interraciale était très répandue. La peur également.

Au matin du troisième jour, un médecin est entré dans ma chambre. Je ne l'avais jamais vu.

« On a regardé les radios d'hier », m'a-t-il annoncé en anglais. Son fort accent révélait qu'il était là depuis peu ; il était sans doute originaire d'Europe de l'Est. « On a trouvé une tache sombre sur un poumon, on ne sait pas encore ce que c'est, mais on va le savoir très vite. »

Et il est sorti. La porte ne s'était pas refermée que l'évidence s'est abattue sur moi : *j'ai un cancer*. Le fait d'avoir écrasé ma cigarette devant l'aéroport de Johannesburg ne m'aiderait en rien. J'avais été fumeur, à présent j'allais mourir.

Une scène remontant au début des années 1970 m'a traversé l'esprit. C'était à Skellefteå, dans le nord de la Suède. Le Dr Sigrid Nygren, femme médecin expérimentée et grande amatrice de théâtre, venait de me faire un bilan de santé. J'avais un peu plus de vingt ans.

« Tu fumes ?

– Oui.

– Tu devrais arrêter. Sinon tu es bon pour un cancer qui te rattrapera dans tes meilleures années, vers quarante, quarante-cinq ans. »

On était en 1992 et j'avais quarante-quatre ans. Pendant deux jours, je suis resté là avec ma jaunisse à attendre l'annonce de ce que les médecins avaient découvert sur ma radio. Je ne pensais à rien d'autre qu'à la mort. Couché dans mon lit d'hôpital, je me livrais à un marchandage pitoyable, mais très naturel, dont le sens dernier était que je m'engageais à devenir un être humain infiniment meilleur si le cancer m'était épargné.

Quand finalement on m'a annoncé que j'avais juste un peu de liquide dans le poumon gauche, j'ai réalisé que ma peur était liée à mon âge. Mourir, soit, tout le monde devait y passer. Mais je ne voulais pas mourir alors que je n'avais même pas atteint quarante-cinq ans.

En janvier 2014, quand j'ai accueilli l'annonce d'une tumeur primaire agressive située dans le poumon gauche, l'une de mes premières réactions a été un sentiment d'irréalité. Moi, un cancer du poumon ? Alors que je ne fumais plus depuis au moins vingt ans ? Ça me paraissait tellement immérité que j'ai eu, pour une fois, vraiment envie de me plaindre. J'ai dû prendre sur moi pour ne pas le faire. Parfois, il ne reste rien d'autre que la plainte.

Quand on est enfant, adolescent, jeune adulte ou même adulte entre deux âges, on trouve injuste d'être frappé par le cancer. Mais quand on approche comme moi les soixante-dix ans, ce qui est bien plus que l'espérance de vie de la plupart des êtres humains dans le monde, on accepte plus facilement l'idée d'avoir une maladie incurable.

Ce n'est pas tout à fait vrai, les choses ne sont pas aussi simples. La mort arrive toujours au mauvais moment. Comme un invité imprévu qui vient déranger la fête en disant : « Allons, il est temps de partir. »

Personne ne veut mourir. Jeune ou vieux, mourir est toujours difficile. Solitaire, en plus.

Adolescent, au début des années 1960, j'ai habité quelques années à Borås, dans l'ouest de la Suède. Au lycée, le rassemblement du matin était obligatoire. Une cérémonie sécularisée, où les éléments chrétiens restaient pourtant prédominants, à de rares exceptions près. Un jour, le remarquable comédien Kolbjörn Knudsen nous avait interprété un court extrait de *Peer Gynt*, qui avait fait lever la tête aux élèves endormis comme à ceux qui révisaient en cachette. Parfois on avait droit à de la poésie, de préférence Ferlin ou Gullberg, déclamée d'une voix nerveuse par un élève plus âgé.

Mais c'était en général un pasteur qui monopolisait l'estrade. Je me souviens en particulier d'un aumônier des hôpitaux qui revenait régulièrement. Il aimait bien nous raconter les derniers instants de tel ou tel garçon dont il avait la charge. La morale était toujours la même. La terreur de la mort, même chez les très jeunes, devenait supportable dès lors qu'on s'en remettait à Dieu.

La sentimentalité et la fausseté de ces récits étaient repoussantes. Lui-même finissait presque toujours par pleurer d'émotion à ses propres discours. On l'aurait cru sorti tout droit des histoires édifiantes de l'école du dimanche.

Plus tard, j'ai découvert l'écrivain allemand Georg Büchner, qui est mort à vingt-trois ans. Avant cela, il avait trouvé le temps de publier un manifeste révolutionnaire en Hesse, d'être exilé et poursuivi par la police secrète, d'écrire trois chefs-d'œuvre parmi lesquels *La Mort de Danton* et *Woyzeck* et de soutenir avec succès une thèse sur le système nerveux du barbeau.

À sa mort, il habitait Spiegelgasse à Zurich. Il avait contracté le typhus. Je me suis demandé comment cet homme talentueux avait accueilli la certitude qu'il allait mourir alors que sa vie commençait à peine. Son désespoir avait dû être abyssal. À moins qu'il n'ait refusé l'évidence ? Peut-être avait-il réagi de la manière qui est, paraît-il, très répandue au seuil de la mort et qui consiste à concevoir de grands projets qui seront mis en œuvre dès qu'on aura quitté son lit de malade.

La nuit s'acheminait vers un petit matin d'hiver froid et moi, j'étais toujours dans mon fauteuil rouge avec mes pensées vagabondes. Peut-être m'étais-je assoupi un moment. Le reflet de la lune sur la bibliothèque avait disparu. Je devais penser à appeler Lars Eriksson pour lui commander encore vingt mètres de rayonnages de chêne. Du chêne qui venait de Lettonie, me suis-je soudain rappelé. Pourquoi le chêne suédois n'était-il plus adapté, même pour fabriquer des étagères ? Mystère.

J'avais soixante-six ans et un cancer. J'allais commencer une chimiothérapie. Sans qu'on sache, moi pas plus que les médecins qui m'entouraient, si elle serait efficace ou non.

Ce qui arriverait si elle ne l'était pas, je n'osais pas y penser.

Dans ce cas, que je sois un homme de soixante-six ans ou un enfant qui rencontrait la mort pour la première fois dans une salle commune de l'hôpital de Sveg, cela ne ferait aucune différence.

9
Hagar Qim

Le temple a été construit avant ma naissance. Il subsistera après ma mort.

Il y a en Méditerranée deux îles que j'ai décidé, très tôt, d'aller voir. Quand je m'ennuyais en cours, j'ouvrais mon atlas sur ma table et je regardais Malte et la Crète. Je connaissais Cnossos et les dauphins de la fresque du palais. Mais Malte n'était encore qu'un nom.

Pourtant je voulais y aller. J'ignore ce qui m'attirait là-bas. Vers l'âge de trente ans, un hiver, j'ai pris le train jusqu'à Athènes puis le ferry jusqu'en Crète. Je suis resté un mois à Héraklion et j'ai étudié l'histoire, que je connaissais mal. L'hiver était humide et froid. Je lisais, je marchais, je mangeais dans de petites tavernes ; quelquefois j'allais au cinéma.

Malte, c'est un autre épisode. J'y suis allé en 2012. La chaleur était comme en Afrique. Un mur de lumière aveuglante. Et, quand je suis arrivé, j'ai compris pourquoi j'étais venu.

Sur la côte sud-ouest de l'île se dresse un monument, peut-être l'un des plus anciens du monde. Il domine un plateau rocheux avec vue sur la mer. C'est le temple de Hagar Qim, dont le nom signifie « pierres dressées ». En réalité, il s'agit de plusieurs constructions qui se sont additionnées sur une très longue période. Mais on a pu les dater. Les parties les plus anciennes ont entre cinq mille et six mille ans. À cette époque – le néolithique méditerranéen –, l'île de Malte s'était peuplée d'agriculteurs venus par bateau de Sicile.

Ce temple, l'un des plus anciens qui n'aient pas été réduits à l'état de fragments, témoigne d'une ingéniosité remarquable. On ne peut qu'admirer sans réserve la précision avec laquelle ont été ajustés ces énormes blocs de pierre.

Concernant les bâtisseurs de ce temple, nous en savons à peine plus que ce que j'indiquais à l'instant, qu'ils étaient des agriculteurs venus de Sicile coloniser cette île déserte. Les fouilles ont mis au jour des débris d'outils, mais aucune trace d'équipement militaire. *A priori*, c'étaient des colons pacifiques.

Nous n'en savons pas plus sur la ou les divinités vénérées dans ce temple. Aucune inscription, aucun objet, rien. On a retrouvé des ossements suggérant l'occurrence de sacrifices d'animaux. Mais la religion de ces gens reste muette. Leurs dieux se sont tus à jamais.

Seul demeure le puissant édifice de pierre qu'ils construisirent. Ce monument qui atteste leur existence. L'effort consenti a dû être gigantesque. Il a dû mobiliser des architectes, des entrepreneurs, des ouvriers. On peut affirmer que les travaux ont duré très longtemps. Le temple, inachevé, n'a cessé d'être transformé, embelli, agrandi. Peut-être leur religion consistait-elle entièrement en cet acte de construire ? Un culte muet, s'exprimant exclusivement par des pierres qu'on taillait, traînait, soulevait et assemblait… Nul ne connaît la réponse.

Bien des siècles après cette immigration sicilienne, d'autres groupes ont débarqué à Malte. Les nouveaux arrivants étaient pacifiques, eux aussi, et se sont mêlés aux descendants des premiers. Mais, par la suite, d'autres sont arrivés qui ont conquis l'île par les armes. De nouveaux mondes symboliques et de nouveaux dieux ont été vénérés au cours des siècles.

Comme ailleurs, au fil de l'histoire, les anciens dieux ont dû céder la place à d'autres locataires provisoires.

Six mille ans, c'est long. Quelle que soit l'unité de temps qu'on choisisse. Si l'on compte trente ans pour une génération humaine, cela ne représente jamais que deux cents générations.

Le temple de Hagar Qim est plus vieux d'au moins mille ans que la pyramide de Kheops. Les temples des Aztèques ou des Mayas sont bien plus récents. Les puissantes cathédrales d'Europe ont été édifiées il y a moins de mille ans ; si l'on adopte la perspective de la longue durée, elles sont à peine adolescentes.

Hagar Qim demeure, mégalithe solitaire inspirant la même révérence qu'une très vieille personne. Il dévoile une vérité qui est à la fois inattendue et décisive pour ce que j'essaie de dire : six mille ans, cela a beau être long, ce n'est presque rien comparé à la longévité espérée des abris souterrains censés contenir nos déchets nucléaires. Six mille ans d'un côté ; cent mille de l'autre. La différence est vertigineuse. Quatre-vingt-quatorze mille ans. Rien de ce que l'humanité a construit ne peut soutenir la comparaison, même de très loin. Pourtant, nous devons y arriver. C'est impératif.

De nos jours, on peut monter dans un avion et atterrir deux heures plus tard à l'aéroport de La Valette, capitale de l'île de Malte. Ensuite on peut prendre une voiture vers le sud, le long de routes sinueuses. Le temple est là. Ses piliers muets font face à la mer, comme si des guetteurs invisibles cherchaient à l'horizon le signe de l'arrivée de nouveaux migrants.

Hagar Qim est un édifice très ancien. Il existe des peintures pariétales et des sculptures d'ivoire bien plus anciennes encore ; certaines ont quarante mille ans. Les uns et les autres sont avant tout des témoignages de la faculté humaine de créer de l'art. Mais rien n'était là au départ, déjà tout prêt à éclore dans le monde spirituel de l'humanité. Tout s'est développé peu à peu.

C'est ce que nous raconte la sculpture de l'homme-lion, découverte dans le sud-ouest de l'Allemagne à l'été 1939, quelques jours avant le déclenchement de la guerre.

10
L'homme-lion

L'été 1939 fut un été très chaud dans toute l'Europe. En Suède les plages étaient bondées, bien qu'on fût déjà fin août. Beaucoup se souvenaient de la canicule qui avait marqué l'été 1914, juste avant le début de la Grande Guerre. Leur inquiétude croissait au rythme des exigences toujours plus bruyantes du caporal autrichien au sujet des frontières allemandes. Le facteur déclenchant de la Première Guerre avait été le meurtre de l'héritier de l'empire austro-hongrois à Sarajevo. À l'arrière-plan, bêtise et arrogance, mais aussi *Realpolitik*, rêves d'expansion et de domination coloniale.

Le risque était de nouveau très présent. Certains affirmaient avec raison que la guerre n'avait en réalité jamais pris fin. Elle avait seulement marqué une pause d'une vingtaine d'années. À moins que les dirigeants européens ne trouvent le moyen d'empêcher Hitler de mettre ses menaces à exécution, le rideau ne tarderait pas à se lever pour le deuxième acte. Ses demandes devenaient de jour en jour plus provocatrices. Chamberlain, le Premier ministre britannique, était revenu de Munich avec un papier signé par le chancelier allemand. Beaucoup doutaient de la fiabilité de cette signature, et la phrase prononcée par Chamberlain à sa descente d'avion, « Je crois que c'est la paix pour notre temps », compte parmi les déclarations les plus grossièrement erronées jamais faites par un homme politique.

Mais tout le monde n'était pas à jouir du soleil en maillot de bain sur la plage ou à s'inquiéter de la menace d'une possible guerre. Au même moment, dans le Sud profond de l'Allemagne, quelques archéologues occupés à explorer un système de grottes à Stadel, au cœur des Alpes souabes, ne s'étaient pas interrompus du fait que les nazis avaient entamé leur marche sur la Pologne.

Ils venaient en effet de faire une grande découverte. Plus exactement, ils avaient trouvé un grand nombre de petits fragments qui, une fois assemblés, allaient constituer une découverte sensationnelle. Il s'agissait d'environ deux cents éclats d'ivoire provenant d'une défense de mammouth recueillis avec toute la minutie caractéristique d'archéologues consciencieux et passionnés.

Et puis ce fut tout. La guerre éclata. Le sac contenant les bouts d'ivoire resta enfoui dans la réserve d'un musée jusqu'en 1970. On se livra alors à une tentative de reconstruction, en assemblant à grand-peine ce qui avait été découvert trente ans plus tôt. Il était possible de deviner que c'était une sculpture, dont il manquait cependant la plus grande partie. Une nouvelle exploration de la grotte fut entreprise en 1989, et on y découvrit des fragments supplémentaires. À ce jour, on a recueilli environ mille fragments, dont certains sont minuscules.

En 1989, on put déjà mesurer qu'on avait fait une découverte étonnante. Qui allait, de façon spectaculaire, contribuer à réécrire les débuts de l'humanité dans le domaine des arts. Car cette sculpture qui prenait forme à force de patient labeur était, on pouvait le voir à présent, un personnage humain à tête de lion.

Il existe des figurines sculptées par l'homme supposées être plus anciennes encore que celle-là (qu'on appelle l'homme-lion bien qu'il soit possible que ce soit en réalité une femme). Mais aucune ne peut être comparée à elle. Ce qu'elle a de décisif, et de réellement révolutionnaire, cette petite sculpture d'ivoire haute de trente centimètres à peine, c'est précisément cette combinaison d'humain et d'animal. Voici un artiste qui a été capable de former le projet de façonner, à partir d'une défense de mammouth, un être qui n'est pas tout à fait un humain, ni tout à fait un animal comme ceux qui ornent les parois des grottes. Cet artiste a imaginé et réalisé une création inattendue. Il s'est représenté une abstraction. Intérieurement, il a vu une créature qui n'avait pas son pendant dans la réalité extérieure : un mélange d'être humain et de lion. Pourquoi il prend la décision de matérialiser cette vision, nous ne pouvons que l'imaginer. La sculpture doit-elle nous inciter à penser qu'un être humain peut posséder la force du lion ? Ou qu'un fauve peut avoir un caractère humain ? L'artiste propose une représentation qui n'a pas de modèle. Il, ou elle, sait que de cette défense de mammouth sortira quelque chose d'entièrement neuf, mélange de réel et de fantastique.

S'est-il, ou s'est-elle, imaginé que la sculpture était déjà contenue dans l'ivoire ? Et que sa tâche consistait simplement à retirer le superflu afin de dégager la forme de cet homme-lion, qui attendait juste de devenir visible ?

Les archéologues ont calculé qu'il a fallu à l'artiste au moins deux mois pour la réaliser, avec les couteaux de silex disponibles à son époque. Deux mois de travail à la lumière du jour.

Nous pouvons tirer de cela une conclusion supplémentaire. L'homme ou la femme qui a créé cette sculpture vivait au sein d'un groupe qui a assuré sa subsistance pendant le temps nécessaire à son travail. On peut en déduire deux hypothèses. Il existait une forme d'organisation sociale capable d'entretenir un membre non chasseur, non cueilleur. Et la sculpture avait une importance pour le groupe tout entier. Participait-elle d'une forme rituelle de vénération ? Ou les créations de l'artiste captivaient-elles son entourage ? Peut-être au point de le, ou la, faire apparaître comme capable de sorcellerie ?

Créer une figure symbolique suppose une importante contribution des facultés intellectuelles. Les premiers stades de développement du cerveau humain ne comprennent pas encore ce qu'on appelle le cortex préfrontal. Celui-ci est constitué par la partie antérieure du lobe frontal ; il permet entre autres de réagir ou non à des stimuli extérieurs, et de traiter différents types d'information déterminants pour l'action.

Il y a des milliers d'années, quelqu'un a donc sculpté un morceau d'ivoire. Sculpture qui, après avoir survécu par un hasard miraculeux, a pu être reconstituée, à l'heure qu'il est, quasiment dans son entier. Avait-il ou elle déjà sculpté des figures symboliques remarquables ? Ou était-ce sa première tentative ? Nous ne pouvons le savoir.

On ignore qui était cet artiste. Il ou elle n'a pas signé son œuvre. Sans doute n'était-il pas important d'expliquer à la postérité qui en était l'auteur. Qui, précisément, avait, à l'aide d'un couteau de silex, créé cette œuvre exceptionnelle : un être humain et un lion fondus en un seul personnage. Nous savons qu'il appartenait à ce que nous appelons maintenant la culture aurignacienne, nommée d'après un site de fouilles situé à Aurignac, en Haute-Garonne. Cette culture nous a également laissé de nombreuses peintures rupestres.

Un jour d'avril 2013, je me rends au British Museum à Londres, où une copie de la petite sculpture d'ivoire est exposée pour une courte période. C'est un moment rare que de se retrouver face à l'homme-lion et de croiser son regard.

Il me voit. Et je le vois. C'est la pensée qui me traverse.

Et, sans que je comprenne d'où cela m'est venu, j'ai soudain l'impression de le reconnaître.

11
Glace

Il y a deux siècles encore, personne ne croyait à l'existence de périodes glaciaires.

L'une des grandes avancées du XIXe siècle fut la découverte et la datation des périodes de grand froid qui avaient régulièrement frappé certaines parties du globe. Une couche de glace épaisse de plusieurs milliers de mètres avait comprimé l'écorce terrestre et réduit le paysage existant à l'état de gravier.

Parmi ceux qui jouèrent un rôle important dans la compréhension de l'histoire de la Terre et des glaciations récurrentes, figure un savant du nom de Milutin Milanković. Celui-ci était à lui seul une équipe scientifique transdisciplinaire, car il possédait de vastes connaissances dans des domaines aussi variés que les mathématiques, l'ingénierie et l'astronomie.

Le premier scientifique à avancer des arguments convaincants en faveur de l'existence de périodes glaciaires au cours de l'histoire fut le glaciologue Louis Agassiz. D'autres suivirent, sans pour autant parvenir à expliquer le fait que les glaciations surviennent de façon relativement régulière, mais avec une puissance variable et pas toujours aux mêmes endroits.

Ce fut lorsque Milanković, en pleine Première Guerre mondiale, décida d'élucider une fois pour toutes la question de ces cycles, qu'un pas décisif fut franchi en faveur de la compréhension des changements climatiques.

Selon Milanković, les importantes variations de température devaient être liées à l'action du Soleil sur la Terre. Cela pouvait sembler une évidence, mais cela n'expliquait pas les grandes différences survenant à des milliers d'années d'intervalle. Milanković mit à contribution ses connaissances en mathématiques et en astronomie afin de calculer les variations de l'inclinaison de l'axe de la Terre et celles de sa course autour du Soleil. La raison de ces variations, comprit-il peu à peu, devait être que la Terre n'est pas seulement soumise à l'attraction du Soleil, mais aussi à celle de la Lune et d'autres planètes du système solaire, en particulier Saturne et Jupiter. Après des années de travail, il parvint à la conclusion qu'il existait trois grandes causes aux variations des mouvements de la Terre.

La première était donc la modification de la forme de l'orbite terrestre sous l'influence de certains facteurs. La deuxième cause était la variabilité de l'inclinaison de l'axe de rotation de la Terre. Et la troisième tenait à l'orientation de l'axe de rotation, variable elle aussi.

Ceci impliquait que l'activité du Soleil par rapport à la Terre se modifiait selon des cycles lents. Quand l'activité solaire était au plus bas, la neige n'avait pas la possibilité de fondre, notamment dans l'hémisphère Nord. Autrement dit, elle s'accumulait d'hiver en hiver, entraînant à son tour un refroidissement du climat.

Aujourd'hui, l'axe de rotation de la Terre est orienté vers un point situé à proximité de l'étoile polaire. Mais cela n'a rien d'immuable. Dans dix mille à douze mille ans, ce point sera situé du côté de l'étoile Véga, et ainsi de suite jusqu'à ce que l'axe soit de nouveau orienté, plusieurs millénaires plus tard, vers l'étoile polaire. Mais celle-ci se sera entre-temps déplacée, puisque l'univers est en perpétuel mouvement.

Les périodes de glaciation se mesurent à l'aide d'échantillons ou « carottes » de glace. Aujourd'hui on peut prévoir avec un fort degré de probabilité quand surviendront les prochaines périodes glaciaires, combien de temps elles dureront et quel type de climat on peut attendre dans l'intervalle, c'est-à-dire dans les périodes interglaciaires. Dans cinq mille ans environ, le massif montagneux suédo-norvégien sera englacé de façon permanente. L'écorce terrestre sera comprimée de trois cents mètres environ, ce qui implique que le niveau de la mer baissera, et se trouvera entre cinq et cinquante mètres plus bas qu'aujourd'hui. Presque tous nos archipels disparaîtront pour ne jamais revenir.

À cette glaciation succédera une période climatique un peu plus douce. Mais personne ne vivra alors en Suède ; il y fera tout simplement trop froid.

Dans vingt mille ans environ culminera une nouvelle période glaciaire, où la glace devrait atteindre mille cinq cents mètres d'épaisseur. Elle sera suivie d'un réchauffement qui, selon les chercheurs, donnera un climat semblable à celui que connaît aujourd'hui le Groenland. Les endroits de Suède qui ne seront pas englacés auront néanmoins le sol gelé en permanence, si bien qu'aucune agriculture ne sera possible. Des groupes de chasseurs et de pêcheurs se déplaceront peut-être le long des actuelles côtes sud et ouest. Le reste du pays sera désert.

La plus forte glaciation se produira dans soixante mille ans environ. L'épaisseur de la couche de glace sur Stockholm pourra alors atteindre deux mille cinq cents mètres. Quand cette glace fondra enfin, le niveau de la mer montera de cent mètres au-dessus de son actuel point culminant à marée haute. Ensuite il fera de nouveau plus chaud. Dans cent vingt mille ans, on aura peut-être le même climat qu'aujourd'hui.

En tenant compte de ces cycles, huit ou neuf périodes glaciaires auront donc eu le temps de se produire avant que ce que nous aurons dissimulé dans nos montagnes ne cesse de présenter un danger mortel.

Question décisive : comment l'écorce terrestre peut-elle s'enfoncer sans détruire ou endommager ces espaces souterrains ménagés à la dynamite pour conserver les déchets ?

Réponse : la roche qui s'enfonce conserve la même forme. Tout s'abaisse sans se modifier. Le seul changement, c'est l'épaisseur de la lourde couverture de glace, et le fait que la surface de la Terre se retrouve enfouie dessous à un niveau plus bas que celui qui est le sien actuellement.

Milutin Milanković est mort en 1958. Il ne pouvait anticiper les résultats récents de la recherche sur le climat. Mais il a vécu assez longtemps pour connaître à la fois la bombe A et la bombe H. Il a dû s'interroger sur l'influence des cycles climatiques sur le nucléaire et ses déchets.

Il existe une photo de lui le représentant à la trentaine, debout, très élégant, la main posée sur un meuble recouvert d'une étoffe. Ses traits sont fins, comme son sourire – curieux mélange de réserve et de fierté. Il fait partie de ces scientifiques dont le nom n'est plus aujourd'hui connu que d'une poignée de spécialistes. Mais son travail pour comprendre le passé et dévoiler le futur reste à tous égards remarquable.

Alors, est-il vrai que nous savons désormais tout sur les périodes glaciaires à venir ? Toutes les énigmes sont-elles résolues ?

Non. Les réponses qu'on peut apporter engendrent toujours de nouvelles questions.

Ce matin, un oiseau invisible chante dans le jardin. C'est la première fois ce printemps. Il se cache dans les arbustes et je m'imagine que c'est le même que l'an dernier. J'ai l'illusion que ces trilles particuliers ne peuvent venir que de lui – cet oiseau qui était déjà là l'année précédente.

Nous vivons dans un pays d'oiseaux invisibles et de saisons magnifiques. Quatre cent mille saisons pour cent mille ans, ou disons trente-huit mille si l'on exclut les périodes glaciaires où il sera impossible de distinguer le printemps de l'automne, l'été de l'hiver.

Les chiffres sont vertigineux. On ne peut les appréhender ni par la raison ni par l'intuition.

C'est comme voir son propre reflet sans être sûr de l'identité de ce visage qui apparaît dans le miroir.

Quand tout devient trop compliqué et que je n'arrive plus à avoir une perception d'ensemble, j'ai l'habitude de regarder une photographie en noir et blanc qui est accrochée au mur de ma maison. Un portrait de moi à neuf ans, assis derrière mon banc de l'école communale de Sveg. Quand je vois ce visage plein de curiosité, animé par la certitude que rien dans la vie n'est impossible, je sens revenir l'envie et l'énergie de comprendre.

Mon bref âge de glace personnel est terminé. Tout est redevenu comme avant. Les vérités continuent d'être provisoires. La quête de la perception d'ensemble peut se poursuivre.

Je me dis qu'il n'existe sans doute rien de plus important.

12

Orienter le temps vers une autre direction

Imaginons la Suède dans quarante mille ans.

Tout devient un jeu de devinettes. En direction du passé, les archéologues peuvent lancer toutes sortes d'expéditions. Aujourd'hui, ils bénéficient en plus d'une extraordinaire ingénierie génétique permettant de comprendre des événements lointains.

Le futur n'attire pas de la même manière, puisqu'il n'existe dans ce domaine rien dont nous puissions être sûrs ou qui résonne avec notre propre expérience. Notre imagination n'a tout simplement pas la force de se déployer jusque-là, de spéculer sur les formes que pourrait prendre la vie au-delà d'un certain horizon temporel.

Nous avons toutefois une petite idée de ce qui se passera dans *x* milliers d'années. Une idée assez précise même. D'un autre côté, nous vivons avec un facteur d'incertitude que les générations précédentes n'ont pas connu, et qui est de savoir de quelle manière le climat modifié par nos soins accélérera des processus qui n'étaient peut-être pas naturellement programmés.

Dans quarante mille ans, des événements spectaculaires seront déjà intervenus. Nous ne pouvons avancer de dates précises ; nous savons seulement qu'ils vont se produire. Nous sommes en route, et même si le chemin est long il mène vers une direction précise. Celle d'une glaciation qui surviendra d'ici cinq mille ans, et qui affectera notre partie du globe. Dans vingt mille ans, une couche de glace épaisse d'environ mille cinq cents mètres recouvrira la Suède. L'écorce terrestre s'enfoncera sous la pression de cet énorme poids. Les paysages que nous voyons aujourd'hui seront enfouis à plusieurs centaines de mètres de profondeur et toutes leurs caractéristiques auront disparu. Prés, lacs, forêts, landes, tout sera réduit à l'état de gravier, de même que les cimetières, les jardins et les petits bois de chênes.

Au cours de cette période glaciaire, tout le bâti sera de la même manière enseveli et détruit. Maisons, villes, ponts, mais aussi tout ce que nous avons amassé dans les musées, bibliothèques, caves, ou enfoui dans la terre comme des trésors.

Tout sera réduit à l'état de cailloutis.

Sous la glace, un monde muet.

Après cette glaciation, dont nous ignorons la durée, notre climat se réchauffe petit à petit. À supposer que des êtres humains existent encore, ils peuvent repeupler des poches isolées du nouveau paysage, où le climat est tolérable et la chasse et la pêche sont possibles. Tout recommence à zéro. Nous redevenons nomades, chasseurs, pêcheurs, cueilleurs.

Le cerveau de ces descendants aura-t-il subi une transformation correspondante ? On n'en sait rien. Mais toute la culture accumulée par l'espèce humaine aura disparu. Si un ordinateur ou un téléphone portable devaient survivre à la glaciation, ils seraient perçus comme des phénomènes surnaturels. Peut-être tombés d'une autre planète ? Échappés des mains de dieux inconnus ?

Rien ne contredit la possibilité que le tonnerre redevienne un dieu circulant à bord de son char et brandissant un marteau, même s'il ne porte plus le nom de Thor. De vieux mythes renaissent comme s'ils n'avaient jamais encore existé. Puisqu'il ne subsiste aucun souvenir d'époques antérieures…

Le temps a perdu la mémoire.

Puis-je me représenter cela ? Sous forme d'images mobilisées par mon cerveau ? Illustrant des hypothèses en faveur desquelles des recherches transdisciplinaires fournissent des arguments convaincants ? Je ne sais pas. Parfois je crois voir ce qui se prépare. Parfois, au contraire, je n'ai que des doutes.

Un glacier haut de deux mille mètres qui pourrait recouvrir dans des milliers d'années tout notre pays ? Il suffit de faire une promenade de deux kilomètres et d'imaginer ce chemin comme un escalier montant droit vers le ciel pour mesurer l'incompréhensible.

Un jour, toute cette glace fondra. Si nous avions la possibilité de voir le monde qui se dévoilera alors, nous ne reconnaîtrions rien. De nouvelles montagnes, de nouveaux rivages, de nouvelles côtes. La glace aurait entièrement redessiné le paysage. Et nous aurions beau chercher, nous ne découvririons aucune trace du passé. Nous ne verrions rien d'autre que du gravier muet.

Ce n'est pas tout à fait exact. Quelque chose aura subsisté de notre civilisation défunte.

Un ou plusieurs dépotoirs souterrains.

13
Le voyage sous terre

Quittant Göteborg, nous traversons la Suède d'ouest en est pour arriver à Oskarshamn, sur la Baltique. Entre l'hostilité rencontrée à Onkalo et l'accueil qui m'est réservé à Oskarshamn, le contraste est total. Aucune loi du secret ne semble ici à l'œuvre, ce qui est plutôt naturel quand on y réfléchit. Après tout, il s'agit de convaincre les gens qu'on fait réellement tout ce qui est humainement possible pour éviter que ne se répande le poison radioactif.

Une responsable m'expose le cadre théorique de son travail : « La question n'est pas de savoir ce que je pense du nucléaire. Dès lors qu'il existe, il faut bien que quelqu'un s'occupe des déchets. »

Nous plongeons dans les entrailles de la Terre. À une profondeur telle que le permafrost ne puisse y accéder et abîmer les capsules de cuivre qu'on envisage aujourd'hui d'utiliser pour la conservation définitive des déchets. Celles-ci vont être enfermées au cœur de roches dont on est sûr qu'elles n'ont pas bougé depuis des temps infinis. Et puis on verra bien. On a cent mille ans pour vérifier si les hypothèses des concepteurs du stockage tiennent le coup. Dans le meilleur des cas, le sceau du tombeau de pierre n'aura pas été brisé.

Cependant, nous ne pourrons amadouer les dieux afin qu'ils nous autorisent à nous en assurer par nous-mêmes.

Pour notre part, nous serons morts depuis des millénaires. Nous ne savons pas non plus si nous aurons des descendants, après la fonte des glaces, qui auront conscience qu'il existait autrefois à cet endroit un pays nommé Suède.

Ce n'est pas plausible. Ce n'est pas possible. La mémoire humaine est limitée. Les mythes eux-mêmes finissent par mourir. À supposer qu'il subsiste, le rêve d'une antique nation ayant en des temps immémoriaux porté le nom de Suède ne sera qu'un reflet d'une légende à laquelle on n'a aucune raison de croire. Notre réalité à nous – notre riche trésor de prodiges artistiques, de triomphes scientifiques et de défaites humaines – ne sera rien de plus qu'une telle légende.

L'Atlantide et la Suède auront alors un point commun. Nul ne pourra avoir la certitude qu'elles ont réellement existé.

Nous savons cependant quel est notre espoir. Il est que ces descendants, si descendants il y a, ne soupçonnent pas qu'existe sous leurs pieds une décharge radioactive létale, une horloge mortifère qui continue d'égrener les secondes, de plus en plus faiblement, jusqu'à ce que les cent mille ans soient écoulés.

Le dernier vestige laissé par l'humanité est ainsi conçu pour que nul ne s'en souvienne.

Notre dernière trace, nous l'enfouissons afin que personne ne la trouve.

Jamais.

14

Le jeune étudiant en médecine

La femme médecin qui m'a fait l'annonce, précise et sans ambiguïté, de mon cancer s'appelait Mona. Ce cancer était, premièrement, « sérieux » et, deuxièmement, selon toute probabilité « incurable ». Dès le départ, il n'a donc pas régné le moindre doute quant aux conditions de vie qui seraient désormais les miennes. Personne ne pouvait me promettre quoi que ce soit. On mettrait en œuvre les traitements qui sembleraient les plus appropriés. Sans garantie de résultat.

Elle a fait preuve de ce qu'on pourrait qualifier d'« art médical ». Elle était bien préparée, s'exprimait clairement, d'une voix calme, a pris le temps de répondre à mes questions. Dans son cabinet, le temps n'existait plus. Elle avait certainement d'autres patients qui attendaient, mais en l'occurrence c'était moi qui étais assis en face d'elle. Moi et personne d'autre. Elle a pris son temps et n'a mis fin à l'entretien qu'après s'être assurée que je n'avais plus de questions.

Plus tard, mon médecin référent a été Bengt Bergman, même si le traitement choisi fut le fruit d'une collaboration de tous les spécialistes du service. Chaque cancer est unique, et une équipe permettant de confronter points de vue et suggestions constitue bien sûr une base de travail irremplaçable.

J'ai eu l'occasion de repenser à tous les médecins que j'ai croisés dans ma vie. Quand on a mon âge, cela finit par en représenter un certain nombre et, dans mon cas, ces rencontres couvrent aussi différents pays, dans des circonstances plus ou moins dramatiques.

Pendant ce temps, les générations se renouvellent.

Prenons par exemple ce jeune homme qui vient de commencer ses études de médecine à la faculté d'Umeå. Si j'ai bien compris, il a déjà choisi sa future spécialité. Il veut être neurologue. Je ne lui demande pas pourquoi. Mais j'imagine sa réponse. Je peux la formuler. Elle est bien réfléchie : « Nous vivons dans un univers que nous ne comprenons qu'en partie. À l'intérieur de nous, il y en a un autre, que nous connaissons tout aussi peu. C'est le cerveau. »

Je le comprends. À supposer que ce raisonnement soit le sien. Il ne se voit pas seulement comme un futur médecin hautement spécialisé. Il veut être de ceux qui explorent des territoires inconnus, comme les sources du Nil ou le pôle Nord. Ou de ceux qui ont imaginé et créé les sondes spatiales s'éloignant en ce moment même de notre système solaire vers l'obscurité et le silence absolus.

Je n'ai jamais éprouvé le désir d'explorer l'univers. Mais je peux vaguement envier ceux qui ont choisi d'explorer le cerveau humain. En particulier ceux qui se consacrent à l'étude de la mémoire. Pourquoi ? Je n'ai vraiment pas un tempérament de chercheur. Ma patience serait tout à fait insuffisante. Mais j'imagine que c'est une aventure vertigineuse que de se risquer à tâtons dans ces régions du cerveau où nous stockons une quantité infinie d'expériences et de pensées. Comprendrons-nous enfin un jour, peut-être, comment est construit cet univers ? Non seulement les processus chimiques où les neurones jouent un rôle essentiel, mais ce que nous appelons, faute de mieux, *l'âme* ?

Ces espaces de la mémoire ont souvent été comparés à un palais dont les salles innombrables renferment nos collections sans cesse accrues de souvenirs, rangés à différents niveaux. Le premier auteur connu à avoir filé cette métaphore est le poète lyrique grec Simonide de Céos, au Ve siècle avant notre ère.

On raconte à son sujet l'histoire suivante. Il venait de participer à une fête dans un palais. Après qu'il fut rentré se coucher, le toit du palais s'effondra, tuant tous les convives avec lesquels il venait de passer la soirée à boire et à deviser gaiement. Tous ces gens qui un instant plus tôt encore étaient vivants avaient brutalement cessé d'exister. Pendant la fouille des décombres, Simonide fut appelé pour identifier les corps. Il parvint à le faire en se rappelant la place de chacun à table avant son départ. En constatant qu'il était capable de *voir* intérieurement tous les détails de la fête, il se prit à penser que ce palais existait tout autant en lui que hors de lui. À cette différence près qu'en lui le toit était intact.

Cette métaphore du palais de la mémoire a connu par la suite des fortunes diverses.

Le détail énigmatique et suggestif est le suivant. Le grand prêtre ou le bibliothécaire en chef qui se déplace dans les salles innombrables pour chercher, selon les besoins du moment, telle ou telle image du passé n'est autre que nous-mêmes. Or la nuit, d'autres bibliothécaires prennent le relais. Ceux-ci sont d'un tempérament plus anarchique ; je me les représente parfois comme un groupe de surréalistes ou de dadaïstes de la première époque. Ils mélangent expériences et souvenirs en une salade chaotique, un charivari de fragments de réalité méconnaissables. Ils fabriquent un tas d'absurdités mais aussi des cauchemars tirés des armoires à poison où ce que nous tentons d'oublier est enfermé à double tour – sauf que ces acteurs de la nuit n'ont aucun mal à forcer les serrures.

Mais à quoi ressemblent les salles de l'oubli ? Que se passe-t-il lorsque survient la vieillesse, avec son lot de trous de mémoire ? La démence efface-t-elle peu à peu le contenu du palais ? Ou bien tout est-il encore là, préservé, intact, jusqu'à ce que le cœur cesse de battre et que s'interrompent les impulsions électriques qui assurent la vie du cerveau, mettant un terme au courant énergétique merveilleux qui est celui de la vie ? Est-ce seulement une ombre qui s'est étendue sur les salles, rendant leur contenu invisible ?

Je m'imagine que la mémoire a partie liée avec une sorte de lumière intérieure. L'oubli, c'est la lumière qui s'éteint dans différentes salles, différents rayonnages, à différents étages.

Une main invisible dévisse les ampoules l'une après l'autre. Et ne les remplace pas.

L'oubli est obscurité. Nous voulons éteindre toute lumière susceptible de dévoiler ce que nous allons dissimuler au cœur de la roche afin que nos descendants n'en soient pas informés et, surtout, qu'ils n'en retrouvent jamais la trace.

Nous enfermons au cœur de la roche mère un troll mortellement dangereux destiné à vivre cent mille ans. Au lieu d'écrire sa légende, nous faisons tout pour qu'il soit définitivement oublié. Un Cantique des cantiques de l'oubli. Mais est-ce possible ? Pouvons-nous réellement duper les générations à venir, leur faire croire que la montagne est vide ? La curiosité humaine et la quête inlassable de nouvelles vérités ne finiront-elles pas par débusquer le troll tapi dans sa grotte ?

Nous l'ignorons. Notre seul espoir est que cela ne se produira pas avant l'échéance. D'ici là : cent mille ans de danger.

C'est un immense paradoxe. Jusqu'à présent, nous avions toujours vécu non pour oublier, mais pour engendrer des souvenirs. Toute culture consiste à conserver la trace des œuvres du passé tout en en créant de nouvelles. L'art est tourné d'un même mouvement vers le passé et vers l'avenir, pour que nous n'oubliions pas l'œuvre des prédécesseurs et que nous n'omettions pas de témoigner de notre époque en pensant à ceux qui viendront après nous.

Dans le monde de l'art, on trouve souvent des avertissements sur le thème du « plus jamais ça ». Que sont les gravures de Goya sur l'effroyable réalité de la guerre sinon une mise en garde afin que ces atrocités ne se reproduisent pas ? Elles se reproduisent. Mais la mise en garde demeure pertinente.

Les souvenirs sont des récits. Parfois morcelés, réduits à l'état de fragments, parfois entiers. L'oubli, je me le représente comme un espace vide. Notre monde intérieur, froid et vide. Dans l'oubli, on devient indifférent à soi, aux autres, à ce qui est advenu, à ce qui adviendra.

Maintenant que nous en sommes à tenter de maîtriser les déchets nucléaires, nous érigeons un palais à l'oubli. Ce que laisse notre civilisation, autrement dit, c'est l'oubli et le silence. Ainsi qu'un poison sournois au fond d'une cathédrale souterraine ouverte à la dynamite et où nulle lumière ne pénètre.

Les premiers dieux de l'histoire de l'humanité étaient presque tous associés au soleil pourvoyeur de vie. Le plus grand miracle était que cet astre continue de se lever chaque matin. Des cultures sans rapport entre elles présentent des récits de création similaires, où le soleil a toujours un rôle.

Mais notre civilisation, qui est allée bien plus loin dans son développement que n'importe quelle autre civilisation connue, laissera un souvenir qui n'est fait que d'obscurité.

15

Un magicien et un escroc

Dans une galerie de mon palais de mémoire, je vais chercher un tableau de Hieronymus Bosch qui date de 1475 environ et qui représente un illusionniste en pleine action. À ses pieds il y a un chien, et dans un panier on aperçoit les yeux d'une chouette. L'escamoteur se tient derrière une table où figurent les deux godets traditionnels et quelques noix de muscade. Face à lui, de l'autre côté de la table, un groupe de spectateurs, au premier rang desquels un homme se penche vers les godets. Impossible de dire s'il est juste ébahi ou s'il se méfie.

L'illusionniste sourit. Ce n'est pas un sourire narquois, plutôt un sourire secret, introverti, comme satisfait d'avoir une fois encore réussi à créer l'illusion et à duper les badauds.

Certains se contentent de jeux d'adresse inoffensifs. Je pense *a contrario* à Uri Geller, qui était à mon sens un escroc. Au début des années 1970 il avait beaucoup de succès, voyageait et se produisait à la télévision dans différents pays. Par exemple, il recourbait des petites cuillères à l'aide de sa prétendue force psychique, ou il révélait le contenu d'images dessinées par des tiers hors de sa vue. La controverse faisait rage pour savoir s'il s'agissait d'un charlatan très habile ou s'il possédait réellement des facultés mentales dont on ne savait d'ailleurs pas trop quoi penser.

J'étais présent par hasard lors de sa prestation à la télévision norvégienne NRK. Je faisais partie de l'équipe chargée de répondre aux appels parfois indignés qui parvenaient au standard de l'émission. Geller se produisait en direct et le standard était saturé d'appels de téléspectateurs qui, depuis leurs chalets de rondins aux quatre coins de la Norvège, avaient vu des horloges suspendre leur tic-tac et des cuillères se recourber dans leurs tiroirs. Je me souviens en particulier d'un vieux monsieur bouleversé téléphonant pour dire que sa femme, de stupeur, était tombée et s'était cassé le bras. Uri Geller émettait-il donc un rayonnement magique capable de franchir l'écran du téléviseur ?

Je ne sais plus ce que j'ai répondu à ce monsieur. Mais je ne croyais pas un instant aux pouvoirs de cet homme. Il y avait chez lui un côté manipulateur qui cadrait mal avec ses intentions artistiques affichées.

Pendant plusieurs années, Uri Geller a poursuivi en justice ceux qui l'accusaient de charlatanisme. À ma connaissance, il n'a jamais gagné aucun de ses procès. Peut-être était-il essentiellement un type procédurier ?

Un tel personnage n'est pas loin de tous ces pseudo-guérisseurs qui exploitent les malades du cancer par le biais de diverses « thérapies ». Je peux comprendre le désespoir qui pousse les gens à consulter des charlatans, et je ne vois pas comment il serait possible d'empêcher la prolifération de ces derniers. Pour autant, je tiens pour respectables certains traitements dits alternatifs ou naturels auxquels il est possible de recourir parallèlement à un traitement médical.

Mais le cancer ne se soigne pas avec des illusions. Voilà la certitude que j'ai gagnée après six mois de traitement et des recherches dans tous les domaines médicaux que j'ai eu le temps et le loisir d'explorer.

J'ai compris que la recherche en cancérologie représentait une extraordinaire conquête humaine. Et même si cela risque de se produire longtemps après mon temps de vie personnel, je suis persuadé que le cancer sera entièrement vaincu un jour.

16

Le rêve d'une tranchée boueuse dans les Flandres

Un mois environ s'est écoulé depuis l'annonce de mon cancer. Je traverse une période où l'on me fait subir toutes sortes d'examens. Je dois bientôt commencer une chimiothérapie ainsi qu'une radiothérapie contre la métastase logée dans ma nuque. Si j'ai bien étudié l'anatomie, il s'agit précisément de la vertèbre qui se rompt lors de la pendaison, dans les pays où *the long drop* est encore pratiqué.

Dans mon rêve, j'atterris au beau milieu de la Grande Guerre, plus de trente ans avant ma naissance. Je suis accroupi au fond d'une tranchée froide, humide, boueuse. J'ignore de quel côté je me bats. Je suis entouré d'autres soldats qui me ressemblent. Personne ne parle. Un brouillard gris approche en silence pardessus les champs déserts. J'aperçois un cheval entortillé dans des barbelés. Il est mort en pleine course, une jambe arrachée.

Silence. Aucun coup de feu, pas la moindre détonation de près ou de loin. Je me tourne vers un soldat recroquevillé près de moi. Les ongles de sa main serrant la crosse du fusil sont rongés jusqu'au sang. Je lui demande quand, à son avis, vont commencer les tirs de grenade.

Il me répond dans une langue que je ne comprends pas. Les yeux écarquillés comme si j'étais son ennemi. Ce qui est peut-être le cas. Chacun est l'ennemi de l'autre dans ce paysage marécageux noyé de brume.

Dans le rêve, je sais qu'un événement va se produire, mais j'ignore lequel. Nous attendons, terrés dans la tranchée. À défaut d'autre chose, nous attendons la mort.

La nappe de brume continue d'avancer au-dessus de la terre grasse trouée des cratères creusés par les précédentes explosions. Soudain, le brouillard grisâtre change de couleur. Au début, c'est imperceptible. Puis tout va très vite. Il est devenu jaune pâle. Trop tard nous comprenons que l'ennemi, c'est lui. En l'aspirant dans nos poumons et en éprouvant la douleur paralysante d'avoir les boyaux rongés par le gaz mortel, nous découvrons combien l'ennemi est proche. Il a envahi notre corps.

Je me réveille. Un bref instant, la confusion est totale. La douleur n'est pas partie ; elle s'attarde dans ma mémoire.

Appartient-elle au rêve ou au moi éveillé ?

Je me souviens alors de la bronchoscopie que j'ai subie la veille. Ce n'était pas très agréable. Après une anesthésie locale et l'administration d'un calmant par voie intraveineuse, une caméra est introduite dans la gorge jusqu'au poumon où se situe la tumeur primaire. Puis on fait glisser un deuxième tuyau très fin, équipé d'une espèce de couteau pour prélever un bout de tumeur qui sera ensuite examiné. J'aurai un peu mal à la gorge après, m'annonce l'infirmière qui se prénomme Marie, et, en effet, elle a raison.

Dans un état semi-comateux, avec tous ces tuyaux dans le bras, je songe aux injections létales qu'on administre aux condamnés à mort. Ici, en l'occurrence, il s'agit de faire en sorte qu'une vie menacée puisse bénéficier du meilleur traitement possible.

Dans le rêve, la bronchoscopie s'est transformée en gaz moutarde – brouillard jaunâtre qui pénètre dans la gorge et les yeux des soldats ; ceux-ci comprennent trop tard ce qui leur arrive. Beaucoup meurent, certains perdent définitivement la vue. Comme dans un tableau de Brueghel, ils s'éloignent du champ de bataille en se guidant les uns les autres vers le royaume des aveugles.

Dans l'obscurité de la nuit où je réfléchis avec intensité, je sens bien que ce n'est pas si simple. Ma douleur dans la gorge s'est transformée en tranchée dans les Flandres, soit. Mais il existe une dimension supplémentaire. Maintenant que je suis éveillé, je me souviens que le gaz moutarde n'est pas seulement une arme terrifiante utilisée pendant la Première Guerre mondiale. Le gaz, qui tirait son nom du fait qu'il pouvait présenter une odeur semblable à celle de la moutarde, se révéla aussi avoir un effet positif sur les soldats qui souffraient de leucémie.

Le gaz meurtrier fut par la suite interdit par les conventions internationales. Même Hitler, qui avait pourtant la possibilité de recourir au gaz grâce à l'IG Farben, y renonça. Ses conseillers l'en avaient dissuadé ; selon eux, le rejet par l'opinion serait tel que son emploi se révélerait contre-productif. Pendant ce temps, ce même gaz était utilisé dans le cadre de recherches scientifiques qui devaient conduire à la chimiothérapie utilisée de nos jours pour combattre efficacement le cancer.

Voilà donc la raison de ce rêve. Les images assemblées à toute vitesse par mon cerveau endormi sont porteuses d'un message. La tranchée, c'est l'attente du début de ma chimiothérapie. Le gaz moutarde ne va pas me tuer ni me rendre aveugle, il va opposer une résistance à l'avancée du cancer. Le brouillard jaune est le poison soigneusement dosé qui va pénétrer goutte à goutte dans mes veines et, on l'espère, attaquer efficacement mes cellules cancéreuses.

Mes cellules saines ne seront malheureusement pas indemnes. Dans le pire des cas, je devrai faire face à beaucoup d'effets secondaires, dont la chute des cheveux ne sera que le moindre. Mon système immunitaire sera par périodes plus ou moins neutralisé, mon taux d'hémoglobine pourra baisser au point de nécessiter des transfusions sanguines.

Mais le gaz mortel est donc à l'origine d'un des remèdes les plus efficaces dont nous disposons aujourd'hui pour combattre différentes formes de cancer. Sans ces agents cytotoxiques combinés de façons diverses, nous n'aurions pas pu réduire comme nous l'avons fait la mortalité liée au cancer.

Mon rêve a livré son secret. Je suis complètement réveillé à présent. Bien qu'il soit quatre heures du matin, je me lève dans l'obscurité et je vais dans la pièce où se trouve, dans un coin, le fauteuil rouge où j'ai l'habitude de m'asseoir pour lire. Je n'allume pas la lumière. Le reflet de l'éclairage extérieur tombe sur un rayonnage bourré de livres. C'est Lars Eriksson qui a construit toutes ces étagères de chêne sur mesure. Il faudra qu'il en construise d'autres. Je n'ai plus de place pour les piles de livres qui s'amoncellent.

Tant que je vivrai, il me faudra de nouvelles étagères.

17
Les grottes

Il existe une illustration dont je me souviens en détail, bien que plus de cinquante ans se soient écoulés depuis le jour où je l'ai vue pour la première fois. Elle figure dans *L'Île mystérieuse* de Jules Verne.

Au plus fort de leur détresse, les naufragés ont été aidés par un mystérieux inconnu, qui leur a entre autres donné de la quinine alors que l'un d'eux était atteint de paludisme. À la fin, ils parviennent à pister l'énigmatique bienfaiteur. Ils descendent dans une grotte où le capitaine Nemo s'apprête à couler son *Nautilus* afin que celui-ci devienne son sarcophage.

L'illustration de la grotte s'est gravée dans ma mémoire.

L'une des grandes aventures de mon enfance était de partir à la recherche de grottes inexplorées. J'ai commencé mes recherches après avoir lu l'histoire du capitaine Nemo. Les chances de découvrir des grottes dans la province du Härjedalen étaient minces. Là où la glace était passée, il restait des cailloux, de la pierre, quelques rochers. Ainsi que des espaces infinis couverts de forêt et de terre sableuse. La roche mère n'était pas d'une nature favorisant la formation de grottes. Mais la quête d'entrées clandestines dissimulées aux regards et ouvrant sur des cavernes mystérieuses dans un sous-sol où la roche aurait été évidée par des fleuves mythiques jaillissant en silence, loin, très loin sous mes pieds, ne perdit jamais son attrait. On ne pouvait pas savoir, la nature avait ses caprices. C'était en tout cas ce que je croyais quand j'étais enfant.

Parfois je me dis que, tout au fond de moi, je n'ai pas cessé de chercher des grottes. Que cette envie, ou cette pulsion, je la garderai toujours. Peut-être m'importe-t-il moins qu'avant de découvrir la faille, le trou, la tanière de renard abandonnée qui se révélera être l'entrée secrète d'un gigantesque système de grottes jamais découvert avant moi. Le plus important, c'est l'attrait, le désir, le goût de la quête.

En 1950, deux ans après ma naissance, trois garçons ont découvert une nouvelle voie d'accès à la grotte de Lummelunda, sur l'île de Gotland. Cette grotte était déjà connue depuis des siècles, on avait même pu y pénétrer un peu, mais elle restait pour l'essentiel inexplorée. Les trois garçons – Örjan Håkansson, Percy Nilsson et Lars Olsson – étaient persuadés de l'existence à cet endroit d'un système de grottes beaucoup plus étendu. Un jour, un gros rocher s'est effondré et là, derrière, ils ont découvert le passage. Ils devaient être fous de joie. Je peux dire que cet instant-là, je le leur envie sans la moindre réserve !

Aujourd'hui, on appelle cette voie d'accès « le passage des garçons ». Il existe de nombreux passages de garçons ou de filles. On découvre sans cesse de nouvelles grottes, souvent par hasard, bien que les spéléologues soient à même de déterminer à quels endroits on a le plus de chances de les trouver. Les grottes et les cavités rocheuses ne se forment jamais de façon fortuite, il y a toujours une raison, même si elle peut être variable et difficile à cerner.

Les êtres humains ont longtemps recherché les grottes afin de se protéger des intempéries et des prédateurs. Les animaux ont fait de même, pour se protéger des prédateurs humains.

C'est là, dans les grottes, que nous rencontrons l'expression la plus ancienne du désir humain de laisser derrière soi une trace artistique. En Ardèche, dans la grotte Chauvet, nous trouvons la signature de celui que nous pouvons oser appeler le premier artiste identifiable de l'histoire de l'humanité. Il a décoré une série de parois de dessins d'animaux. Nous savons qu'il s'agissait d'un homme car sa signature dévoile son sexe. Elle n'est pas écrite, puisqu'il n'existait ni lettres ni écriture il y a trente mille ans.

Sa signature consiste en une paume de main énergique. Un peu comme de nos jours on prend des empreintes digitales, il a enduit sa main de pigments (les mêmes qu'il utilise pour figurer les animaux) et l'a appuyée contre la paroi, à plusieurs endroits. Mais ce n'est pas en soi ce qui le distingue ; d'autres artistes de la même époque ont fait de même. Ce qui le singularise, c'est sa forme.

Il a un doigt tordu. Accident ? Malformation ? Il est exceptionnel qu'un enfant naisse avec un défaut du squelette qui ne concerne qu'un seul doigt. Il est donc probable qu'il se soit blessé – ou qu'on l'ait blessé – au cours de sa vie.

Détail fascinant, la main de cet artiste ressurgit dans plusieurs grottes. Dans la même aire géographique, certes, mais on peut présumer que c'était un peintre nomade, employé par différents groupes qui se seraient côtoyés pacifiquement. Quand on observe les peintures qu'il a laissées, on ne peut qu'admirer son talent. Ses animaux étaient étonnamment réalistes. Surtout, il avait la faculté de donner forme à leur mouvement. On les croirait prêts à bondir et à se détacher de la paroi, ce qui illustre que leurs efforts pour échapper aux bipèdes constituent un élément important de cet univers.

Qui était-il, cet artiste au doigt tordu ? On peut simplement dire qu'il faisait partie, non de la première, mais de l'une des premières vagues de migration humaine venues du continent africain. Quel était son rôle au sein de son groupe, qui comptait peut-être cent ou cent cinquante individus ? On ne sait. Mais dans la mesure où les autres l'ont autorisé à décorer les parois de plusieurs grottes, on peut deviner qu'ils voyaient en lui ce que nous y voyons également : quelqu'un qui avait le don de capter l'essence du vivant et de la restituer de façon crédible.

Était-il jeune ou vieux ? Avait-il des assistants ? Quelqu'un lui préparait-il ses couleurs ? Était-il marié ? Vivait-il avec une seule femme ou bien le groupe était-il polygame ? Avait-il des enfants ? D'autres activités que celle de peintre ? Participait-il à la chasse ou était-il nourri par les autres ? Savait-il sculpter l'ivoire ? Ou était-il seulement peintre ?

Avait-il un nom ? Avait-on un nom en ce temps-là ?

Nous l'ignorons. De la même manière que nous avons découvert, dans la vallée du grand rift, des empreintes de pied parfaitement conservées provenant d'êtres humains ayant marché dans de la cendre pas encore refroidie après une éruption volcanique, il nous reste de lui cette empreinte au doigt tordu. Aucun archéologue ne peut nous dire qui il était, comment il vécut, comment il mourut. Mais je m'imagine que personne n'exerçait de contrainte sur lui quand il représentait ces animaux au fond des grottes. Sinon, elle n'existait qu'en lui-même. Et peut-être dans la croyance des membres de sa tribu que ces peintures pouvaient favoriser l'issue de la chasse.

On trouve un dénominateur commun à la quasi-totalité des peintures rupestres que nous connaissons, y compris en Suède, dans nos gravures sur pierre (*hällristningar*) : les animaux sont représentés avec force détails. Leurs yeux brillent, leurs mouvements sont restitués de façon dynamique. Les humains, quand il y en a, sont au contraire réduits à des esquisses rudimentaires. Des bonshommes-allumettes, dessinés à la hâte comme s'il n'était pas nécessaire d'en faire plus. On peut s'interroger là-dessus. Mais la vérité est peut-être toute simple, à savoir que les animaux étaient plus importants. C'était eux qu'on mangeait, eux qui assuraient la survie.

Aujourd'hui, nous ne décorons pas les parois des grottes. Nous dynamitons des montagnes vieilles de plusieurs milliards d'années pour y créer des cathédrales destinées à abriter les déchets de notre civilisation.

Peut-être dessinerons-nous sur la roche des mises en garde pour avertir les générations futures afin de les dissuader d'ouvrir les capsules de cuivre et de laisser échapper la mort radioactive.

Mais comment s'adresse-t-on à ceux qui vivront dans cent mille ans ? Après une période glaciaire ? Alors qu'ils ne sauront plus rien de notre histoire ?

À quoi devrait ressembler un tel message ?

Entre le peintre au doigt tordu et ceux qui réfléchissent aujourd'hui aux symboles que nous pourrions transmettre à nos lointains descendants, la distance est infinie.

À moins que…

18
La décharge flottante

À la périphérie de Sveg, localité de deux mille habitants où j'ai grandi, dans le nord de la Suède, il y avait de mon temps une décharge communale. Au début des années 1950, alors que sévissait la dernière épidémie de polio du pays, il était absolument défendu d'y aller. Seuls les éboueurs, qui travaillaient encore à l'époque avec des voitures à cheval, étaient autorisés à entrer dans ce qui était le royaume réservé des corneilles. La simple idée des virus et bactéries invisibles qui se cachaient là était effrayante. Parfois, j'osais à peine m'étirer en me réveillant le matin, de crainte de découvrir que mes jambes avaient été frappées de paralysie pendant la nuit. Je n'étais pas le seul à nourrir ce genre d'angoisse.

Le pire, pour moi, c'était d'imaginer que la maladie atteignait les fonctions respiratoires. Dans ce cas, on vous enfermait dans un poumon d'acier où on pouvait rester immobilisé jour et nuit pendant des années jusqu'à ce que mort s'ensuive. Bien sûr, la bruyante machine a sauvé bien des vies. Mais sur les photos, on avait l'impression que les gens étaient enfermés à l'intérieur d'une espèce de locomotive sciée en deux et incapables d'en sortir.

Je n'ai jamais entendu dire qu'il aurait fallu agrandir la décharge communale. Les détritus n'augmentaient pas nécessairement au même rythme que la consommation. La plupart des emballages étaient encore faits de matériaux dégradables. Je suis assez vieux pour me souvenir de l'époque où les quelques déchets accumulés au cours de la journée étaient roulés dans un vieux journal qu'on mettait à la poubelle, puis dans un lieu où le contenu se décomposait sans intervention supplémentaire.

J'ai grandi à l'ère du carton. Celle du plastique est arrivée plus tard ; nous y sommes encore.

J'ai des images nettes de la façon dont tout a changé. Des étapes où le plastique, lentement, inexorablement, a pris le dessus. Dans ma famille, les étés se passaient loin de Sveg et des immenses étendues du nord du pays. Nous séjournions sur la côte ouest, dans l'un des archipels de l'Östergötland. Comme tous les enfants, je fouillais les plages à la recherche des trésors abandonnés par les grands bateaux qui croisaient dans le chenal. Le plus souvent, je ramassais du liège provenant des flotteurs des chaluts. Une journée sans une trouvaille de liège était impensable dans les années 1950 et 1960.

Un jour, j'ai découvert un trésor. Le livre de bord d'un cargo à vapeur originaire de Hambourg, qui s'était retrouvé à l'eau pour une raison insondable. Impossible de savoir si le second l'avait balancé ivre mort, fou de rage, résigné ou désespéré au moment de son geste, privant ainsi son bateau de ce qu'il avait de plus précieux. Pour ma part, je le pris comme un bonjour venu tout droit d'un roman de Jules Verne.

Ce fut d'abord imperceptible. Puis, de plus en plus souvent, on a vu des flotteurs en plastique coincés entre les pierres du rivage. Un jour, j'ai ramassé mon dernier flotteur de liège. Il n'y avait plus que du plastique. Sont venus ensuite les emballages et les bouteilles. Personne n'aurait eu l'idée de les collectionner. Le liège, quand on le tenait dans le creux de sa main, donnait toujours l'impression d'être vivant. Le plastique, lui, était mort.

Dans mon enfance, on avait une vision extrêmement insouciante des déchets. Pas seulement les enfants. Les adultes aussi. En été, dans l'archipel, les repas se composaient souvent de boîtes de conserve qu'on réchauffait sur un réchaud à alcool. À la fin des vacances, on avait une tradition : toutes les boîtes vides étaient chargées sur une barque et on partait à la rame les déverser un peu plus loin dans la mer, où elles se remplissaient d'eau avant de couler doucement vers le fond.

Elles y sont toujours ; ma famille à elle seule a dû en laisser plusieurs centaines. Certaines ont fini par disparaître, rongées par la rouille ; d'autres non. Les boîtes en fer-blanc de l'époque ne contenaient probablement pas beaucoup de produits toxiques. Mais l'attitude générale était simple et innocente : ce qui disparaissait dans la mer disparaissait vraiment et ne reviendrait jamais nous poser des problèmes.

Il en a sans doute toujours été ainsi. Quand les Anglais partaient « aux Indes » à bord de bateaux à vapeur au XIXe siècle, les voyageuses expérimentées informaient discrètement les novices qu'il pouvait être bon d'emporter un lot de vieux sous-vêtements. À moins d'avoir une domestique pour les laver pendant la traversée, il était en effet plus pratique de les balancer au fur et à mesure par le hublot de la cabine. C'est ainsi que le sillage des paquebots était jonché de petites culottes anglaises. Et quand Thor Heyerdahl et ses coéquipiers naviguèrent à la fin des années 1940, à bord du *Kon-Tiki* entre les côtes de l'Amérique du Sud et les îles du Pacifique, ils notèrent une quantité inquiétante de déjections humaines à la dérive. Lorsque j'étais matelot dans la marine marchande suédoise, au début des années 1960, on déversait toutes les ordures par-dessus bord, la seule règle étant d'observer la direction du vent.

J'avais quatorze ans quand est paru *Printemps silencieux* de Rachel Carson, ce livre qui sonnait l'alarme sur la manière dont notre planète était traitée chaque jour davantage comme un dépotoir sans frontières. Je me souviens de la disparition du grand aigle de mer, privé de descendance car ses œufs étaient attaqués par le DDT. Mais c'était un savoir passif. Je continuais par jeu de laisser les boîtes de conserve vides se remplir d'eau de mer et disparaître.

L'être humain a toujours laissé des déchets dans son sillage. L'une des trouvailles les plus excitantes pour un archéologue, ce sont les décharges millénaires entassées et sédimentées. On y découvre des os de mammifères et de divers poissons, mais également des restes calcinés, stratifiés sur plusieurs mètres, qui nous renseignent sur les habitudes alimentaires, leurs variations et leur évolution au fil du temps. Une fois déterrés et analysés, ces dépotoirs constituent une véritable mine d'informations.

La vie des humains est lisible à travers leurs déchets. Les décharges sont un miroir où se laissent déchiffrer des millénaires de vie quotidienne.

Mais ce n'est pas tout. Nous découvrons aussi les temps difficiles, les famines et les disettes. Nous découvrons les inégalités sociales. Certains vivaient beaucoup mieux que d'autres et avaient accès à une nourriture plus riche, plus abondante que ceux qui vivaient deux cents mètres plus loin. Une famille, ou clan, florissait pendant que le voisin dépérissait.

Les décharges de notre temps se présentent autrement et racontent d'autres histoires.

Le plus grand dépotoir du monde, à l'heure actuelle, n'est pas situé sur la terre ferme mais dans l'océan Pacifique, entre la côte californienne et Hawaï. Des millions de tonnes de détritus à la dérive. Les navigateurs évoquent des montagnes ininterrompues de déchets qu'ils sont forcés de traverser sur des centaines de kilomètres. Quatre-vingt-dix pour cent de ces déchets se composent de plastique et ont une demi-vie infiniment longue. Il s'agit pour l'essentiel de petits fragments, parfois invisibles à l'œil nu, que les poissons avalent. Les conséquences, à court comme à long terme, se laissent imaginer facilement.

Je possède une photographie d'une tortue de mer qui, en nageant, a croisé un sac en plastique. Le sac est partiellement rempli d'air et la tortue est sur le point de glisser sa tête à l'intérieur. Le fait-elle vraiment, je n'en sais rien, l'image ne le dit pas. Mais si elle le fait, elle risque fort de s'étouffer.

Bien entendu, un grand nombre de personnes travaillent aujourd'hui à contrer l'avancée de la montagne-poubelle. Nous avons une importante politique de tri et de recyclage qui n'existait pas il y a encore vingt ans. Les emballages les plus nocifs sont désormais interdits. Dans beaucoup de pays, le fait de jeter des détritus dans la nature est passible d'amende. Nous brûlons aussi des déchets afin de créer de l'énergie, pour le chauffage notamment.

Mais ce n'est pas assez, vu que le plus dangereux des déchets, à savoir le nucléaire à l'échelle globale, ne dispose pas encore d'une solution viable pour son stockage définitif. Les plus grands consommateurs de nucléaire, tels la Chine et les États-Unis, ont à peine commencé à construire des stations de stockage provisoires, en attendant d'imaginer des méthodes de stockage définitif et de les approuver politiquement.

Ce qui a lieu, ou non, dans un pays comme la Corée du Nord, je ne veux même pas y penser. J'y pense néanmoins.

Toutes les civilisations ont laissé des déchets. Quand un empire tombe, son premier souci n'est pas de faire le ménage. Mais l'Égypte des pharaons pas plus que la Rome impériale n'ont laissé derrière elles de déchets mortifères.

Nous, oui.

Un jour, je serai moi aussi transformé en déchet. Mais

mon corps s'apparente davantage au liège qu'au plastique. Le processus de putréfaction commence dès l'instant où s'interrompent les fonctions corporelles.

Depuis que j'ai un cancer, il m'est arrivé de rassembler mon courage pour m'informer sur la manière exacte dont se déroule ce processus de décomposition du corps. Cette connaissance me procure une forme de calme. Mourir, c'est rejoindre la plus grande fraternité qui soit. L'instant de la mort varie, comme l'âge, les causes et les circonstances ; ensuite, tout se déroule de la même façon pour tous. La seule différence tient au choix qu'on fait d'être incinéré, ou de laisser le temps et la terre unir leurs forces pour transformer le corps en molécules nouvelles, qui perdureront en se combinant différemment.

Je pense que je serai incinéré. J'ai hésité à demander quelques mètres cubes de terre pour être enseveli dans un cercueil. À l'ancienne.

Mais je crois que je vais y renoncer. La fumée du crématoire libère elle aussi des molécules qui se combineront à d'autres.

L'éternité est un cycle. Elle est partout.

19
Signes

Dans les années 1980, j'ai vécu en Zambie, dans l'extrême nord-ouest du pays, près de la frontière avec l'Angola. Le magasin le plus proche était à trois cent cinquante kilomètres et la ville où je vivais, Kabompo, avait, du temps des Britanniques, servi de lieu de bannissement pour les chefs rebelles qui luttaient pour le démantèlement du système colonial.

Lorsque je vivais là-bas, il y a eu des élections. Chaque candidat était représenté par un dessin d'animal. D'une part c'était la tradition, et d'autre part beaucoup de citoyens étaient analphabètes. Le président en exercice, Kenneth Kaunda, avait pour symbole un superbe aigle d'Afrique. Son principal rival avait été affublé de l'image d'un pauvre rat.

Pas besoin de spéculer sur l'issue du scrutin. Kaunda est resté à son poste jusqu'en 1991.

De nos jours, nous vivons entourés de panneaux signalant dangers et interdits. J'ai pu constater au fil des ans que ma vie était encadrée par une quantité de plus en plus importante de ces panneaux. Cela tient bien sûr au fait que nos sociétés sont devenues de plus en plus complexes. Ne serait-ce que pour éviter le chaos sur les routes, il a fallu inventer sans cesse de nouveaux signaux.

Un jour, en Afrique, j'ai montré à un ami le triangle qui, par convention, avertit de la présence de radioactivité. Je lui ai demandé ce que cela représentait à son avis. Il a réfléchi un instant, puis il a dit que ça lui évoquait un ventilateur. Ou peut-être un réacteur d'avion ? Après réflexion, il a tranché : c'était un avertissement pour ne pas s'approcher des réacteurs.

Si je pose un doigt sur mes lèvres, tout le monde comprendra qu'il faut se taire. Un dessin figurant ce geste sera compris de la même manière. Aucun malentendu possible quant à ce signe, que ce soit en Europe, en Afrique ou en Amérique du Nord. C'est normal : une bouche fermée empêche de parler ; cela vaut pour tous les êtres humains. On n'a donc pas besoin d'imaginer que ce symbole soit issu d'une langue primitive commune. Des cultures n'ont pas besoin d'être en contact l'une avec l'autre pour que ce signal soit compris.

Les symboles sont de puissants outils. Mais qui peut dire leur valeur dans les prochains millénaires de notre avenir inconnu ?

La tâche est ardue pour ceux qui ont aujourd'hui mission d'avertir les personnes qui vivront dans cent mille ans. Est-il même possible d'imaginer à quoi doit ressembler un tel symbole pour être efficace alors que nous ne savons rien de ces êtres futurs, de leur langue, de leur culture, de leur perception du danger ? Cela revient à un pur jeu de devinettes, auquel sont confrontés aujourd'hui les meilleurs cerveaux capables de produire des idées innovantes sur la base de nos connaissances et expériences cumulées.

L'image du rétroviseur : pour avancer correctement, il faut aussi regarder vers l'arrière.

À quoi doit donc ressembler l'avertissement du danger des déchets nucléaires ? Les propositions sont nombreuses. Par exemple, écrire un texte dans toutes les langues que nous connaissons. Ce serait une masse de signes ingérable. Un consensus hésitant se dégage autour de l'idée de combiner son, texte et image. C'est sans doute la meilleure solution. À supposer qu'une solution existe.

Une autre proposition est d'utiliser les ressources de l'art. Comment les humains de l'avenir interpréteraient-ils *Le Cri* d'Edvard Munch s'ils devaient le voir reproduit au fond d'une galerie enfouie au cœur de la roche mère ? L'image de la silhouette criant sur le pont les conduirait-elle à la conclusion qu'ils sont en présence d'une réalité effrayante et dangereuse ? Pour nous, ce serait certainement le cas. Mais pour eux ?

J'ai montré un jour une photographie du *Cri* de Munch à un ami de Maputo. Il y a vu d'emblée l'expression d'une très grande angoisse. Mais eux ? Que pouvons-nous savoir de leurs réactions ?

Quel son pourrait-on choisir pour dissuader quelqu'un de s'approcher des grottes contenant les déchets nucléaires ? L'armée américaine compte désormais dans son arsenal un type de bombe sonore qui génère des sons insupportables aux oreilles humaines. Est-ce une piste à suivre ? Nous ne savons rien de la qualité de l'ouïe de nos descendants dans quelques dizaines de milliers d'années. Peut-être cet enfer sonore n'aura-t-il aucun effet sur eux. Et, surtout, qui peut garantir une solution technique capable de tenir sur une durée de cent mille ans ? Notre seule certitude aujourd'hui, c'est que nous ne pouvons en avoir aucune. Pourtant, il est de notre responsabilité de les avertir.

Mais s'il n'existe pas de moyen sûr de transmettre l'information du danger, que reste-t-il ? Rien d'autre que le recours à l'illusion. Feindre qu'il n'y a rien là où il y a pourtant quelque chose.

L'outil dont nous disposons, c'est l'oubli. Ce qui n'a rien de fiable, ni de rassurant.

L'oubli et le mensonge vont souvent main dans la main.

20

Le radeau de la mort

Nous sommes en 1816, juste avant l'été. Napoléon est définitivement vaincu et mourra cinq ans plus tard sur l'île Sainte-Hélène, rocher venteux de l'Atlantique Sud où il est retenu prisonnier.

En France, c'est à nouveau un Bourbon qui occupe le trône. Quatre vaisseaux de la marine française ont reçu l'ordre de faire voile vers le sud. Leur destination est le Sénégal, sur la côte ouest de l'Afrique. Dans le cadre de la recomposition européenne après le congrès de Vienne, les Anglais vont en effet remettre à la France la ville portuaire de Saint-Louis.

Le 17 juin, la petite armada quitte Rochefort. Il est presque impossible à des navires à voile de rester longtemps groupés en haute mer. Bientôt, ils perdent le contact.

L'une des frégates est un trois-mâts qui a pour nom *La Méduse*. À bord, quatre cents personnes environ, pour moitié des marins et pour moitié des fonctionnaires qui s'apprêtent à prendre le contrôle du comptoir où sera bientôt hissé le drapeau tricolore.

Le commandant s'appelle Hugues Duroy de Chaumareys. C'est un novice, qui a jusque-là surtout travaillé pour l'administration française des douanes. De plus, c'était un opposant à l'Empereur. La plupart des marins étant bonapartistes, le capitaine a dû être méprisé d'emblée et haï par son équipage.

Deux semaines après avoir hissé les voiles à Rochefort, *La Méduse* s'échoue au large des côtes africaines. Il existe à cet endroit des bancs de sable extrêmement dangereux qui n'étaient pas à l'époque cartographiés avec précision. Celui sur lequel s'échoue la frégate porte le nom de banc d'Arguin.

Le vaisseau est immobilisé. Sur ordre du commandant, on se débarrasse de tout ce qui peut être jeté par-dessus bord, dans l'espoir que le bateau ainsi allégé pourra se dégager du piège. C'est un échec. Chaumareys décide alors d'abandonner le navire. Les chaloupes étant en nombre insuffisant, on confectionne un grand radeau. Les trois mâts sont débités à la hache pour former la base carrée de l'embarcation. L'idée, c'est que les chaloupes vont ensuite remorquer le radeau en direction de l'est et des côtes africaines qui se dissimulent dans la brume.

Le remorquage se révèle impossible. À la fin, le capitaine donne l'ordre d'abandonner le radeau et ses cent cinquante-deux passagers. Il commet ainsi un acte qui est, à l'échelle humaine, l'un des plus lâches et des plus méprisables qui soient.

La discipline maintenue tant bien que mal à bord du radeau dans un premier temps se relâche vite. Un chaos brutal prend le relais. Les faibles et les blessés sont successivement jetés à la mer. Les vivres s'épuisent. Bientôt il n'y a plus ni eau ni nourriture. Le cannibalisme fait son apparition ; on découpe au sabre les cadavres dont on dévore la chair crue. Le radeau se transforme en boucherie humaine.

Après quinze jours, l'embarcation est repérée par *L'Argus*, navire jumeau de *La Méduse*. Il n'y a plus alors que quinze survivants. Parmi eux, plusieurs mourront dans les jours et les semaines qui suivent. En définitive, seuls trois marins seront en mesure de rentrer et de reprendre leur vie.

L'un d'eux est le médecin de bord, Jean-Baptiste-Henri Savigny. À son retour en France, il remet aux autorités un compte rendu du drame. L'histoire s'ébruite et devient un scandale retentissant.

L'artiste Théodore Géricault a vingt-cinq ans lors de la catastrophe de *La Méduse*. Il a déjà fait sensation au Salon de Paris de 1812 avec une toile représentant un officier du régiment de chasseurs à cheval de la Garde impériale dont la monture se cabre. Il se lance alors dans une vaste composition du radeau à la dérive et des malheureux qui y agonisent.

Au début, il tâche de représenter l'horreur. Le cannibalisme, ceux qu'on jette encore vivants par-dessus bord, la mer où l'on n'aperçoit pas l'ombre d'une embarcation, le désespoir qui gagne et efface à la fin tout autre sentiment. Il imagine un radeau dérivant sur une mer où aucun dieu ne se préoccupe de la souffrance des naufragés. Dieu ne peut exister en l'absence de tout espoir.

Le ciel est aussi vide que la mer.

Le continent africain, invisible dans la brume, est distant de six kilomètres à peine. Mais il n'offre aucun salut. Ce pourrait tout aussi bien être l'enfer qui les attend. Les naufragés du radeau sont condamnés à mourir.

Géricault est pris d'une hésitation. Il multiplie les croquis mais, à mesure que le travail avance, il atténue de plus en plus l'aspect tragique. Il semble se poser la question suivante : qu'advient-il d'êtres humains qui ont perdu tout espoir ? Quand il ne leur reste rien ?

Il ne donne aucune réponse. En fait, la question est mal posée, car ce n'est pas possible. Il n'existe pas de vie humaine là où tout espoir a disparu.

Il reste toujours quelque chose.

La toile qu'il choisit enfin de peindre donne corps à l'espoir humain qui subsiste malgré tout alors que tout devrait être fini. Au dernier plan de la composition, dans la mer déchaînée, on aperçoit la forme minuscule de *L'Argus* : tandis qu'à bord du radeau les survivants tentent d'attirer son attention, rien ne permet d'affirmer que sur le bateau on ait repéré leur présence. C'est d'ailleurs quelques heures plus tard, à son second passage, qu'ils seront secourus.

Ce tableau est exposé au musée du Louvre. Tout en le contemplant, je songe que cette toile est un point de rencontre entre tradition et modernité. Géricault avait étudié Rubens et le Caravage. Avec la même intensité qu'il mettait à étudier les malades et les cadavres à l'hôpital Beaujon. On dit qu'il emportait dans son atelier des tronçons de corps pour mieux étudier le processus de décomposition.

La plupart des œuvres d'art se laissent appréhender par le regard ou par l'ouïe. Dans certains cas, rares, il m'arrive aussi de percevoir un parfum. Parfois même il me vient à la bouche un goût inattendu. Géricault a accompli ce qu'il est donné à peu d'artistes de réussir. Munch et Bacon sont deux autres exemples qui me viennent à l'esprit. Et puis, bien sûr, le Caravage et Rembrandt. En contemplant son *Radeau de La Méduse*, je crois sentir la puanteur des corps agonisants.

Une étrange contradiction habite le tableau. Les personnages ont beau être presque tous morts de faim et de soif, Géricault leur prête des corps athlétiques. Il a assez d'audace pour combiner le réalisme et les idéaux du classicisme. En instaurant ainsi des distances avec le seul réalisme, il nous permet, à nous spectateurs, de prendre place avec les naufragés sur le radeau. Ce qui me frappe également, c'est cette tentative de représenter un espoir qui n'existe peut-être pas. Je ne connais pas d'autre œuvre d'art qui réussisse à exprimer de la même manière ce qu'il faut bien appeler un défi philosophique.

Après la visite au Louvre, je m'attable dans un café voisin. Cette journée automnale est fraîche, avec un vent qui souffle du nord-ouest. Je suis venu à Paris pour parler de mes livres.

Je regarde les gens autour de moi et je pense que tous portent avec eux une forme ou une autre d'espoir. Que quelque chose réussisse, ou commence, ou cesse, ou se laisse expliquer, ou se révèle être faux…

Nous devons sans cesse veiller à ce que l'espoir soit plus fort que le découragement. Sans espoir, il n'y a pas, au fond, de survie possible. Cela vaut pour le cancéreux comme pour tout un chacun.

Je quitte le café sous une pluie fine. Je me dirige vers le cimetière du Père-Lachaise.

Je mets un long moment à localiser la tombe de Géricault. Il n'avait que trente-deux ans au moment de sa mort. Il aimait les chevaux. Il lui arrivait de tomber, et une fois la chute fut très grave et contribua à écourter sa vie. Le sculpteur Antoine Etex, aujourd'hui oublié, a créé le monument qui orne sa tombe. Une œuvre sentimentale, épouvantable, où l'on voit Géricault représenté tel qu'il était à la fin de sa vie : paralysé à la suite de sa chute de cheval, il peignait couché. Il s'apprête à entrer dans la mort, tenant sa palette et son pinceau qui lui échappe presque des doigts.

Géricault demandait souvent à ses amis de poser en tant que modèles. *Le Radeau de La Méduse* ne fait pas exception. L'un des agonisants a ainsi les traits d'Eugène Delacroix.

Le Radeau de La Méduse raconte donc l'espoir qui vit encore quand tout espoir est perdu. Le paradoxe qui témoigne, plus que tout, de la volonté de survie qui nous habite toujours, nous autres humains, quelles que soient les circonstances.

L'espoir est là, malgré tout. Peut-être n'est-il plus qu'une ombre. Mais il est là.

21
Tout cet amour oublié

La mort et l'oubli ont partie liée, comme le cancer et la peur existentielle.

Il y a bien longtemps, dans les années 1960, je me trouvais dans une vieille maison de Bastugatan à Stockholm, où se déroulaient des travaux de rénovation. Ma visite a coïncidé par hasard avec une découverte faite par les ouvriers qui travaillaient à ce moment-là sur les fondations de la maison. Une bouteille de pils avec, à l'intérieur, un message scellé écrit au crayon de menuisier : « Par un beau soir d'été de 1868 j'étais ici avec ma chérie. »

Pas de nom, pas de signature. Juste ce message de bonheur euphorique adressé à une postérité inconnue.

Tous ceux que je connais ont un jour gravé leur nom dans l'écorce d'un arbre ou sur un rocher au bord de la mer. Personne ne veut être oublié. Mais presque tout le monde le sera.

Combien sont les écrivains dont nous connaissons encore le nom et dont nous lisons les livres aujourd'hui ? Je ne pense pas seulement à ceux des siècles anciens, mais à ceux que nous lisions naguère et qui sont morts il y a à peine vingt ou trente ans. Combien des étonnants romans d'Ivar Lo emprunte-t-on encore dans les bibliothèques de nos jours ? Strindberg survit. Mais qu'en sera-t-il dans un siècle ?

Combien d'artistes oubliés. Combien de scientifiques,

d'ingénieurs, d'inventeurs. Et surtout, combien d'autres, tous les autres, les « gens ordinaires »… Tous oubliés. Certains y attachent peu d'importance. Quand on est mort, on est mort. Tant que l'on existe dans la conscience de quelqu'un, on conserve son identité. Ensuite l'identité devient poussière à son tour.

J'admets que je vis parfois mal l'idée d'être moi aussi oublié dans un certain nombre d'années. Ce sentiment est tout autant l'expression d'une coquetterie embarrassante que d'un trait proprement humain. Je crois le combattre avec succès la plupart du temps.

Sur les cent milliards d'êtres humains qui ont successivement peuplé le monde avant nous, combien ont laissé une trace, un nom, une œuvre qui ait subsisté jusqu'à nos jours ? Une proportion infinitésimale. Le destin de l'être humain est d'être oublié. Pas même ceux qui se sont distingués de façon exceptionnelle à un titre ou à un autre ne survivront indéfiniment dans la mémoire collective. Combien seront encore connus dans cinq siècles ? Ils ne sont guère nombreux. La mémoire n'a jamais été aussi courte dans l'histoire humaine. Nous avons beau être assaillis en permanence par une tempête d'informations, nous en savons de moins en moins. Métaphoriquement parlant, notre cerveau est menacé d'explosion. Pour assimiler les informations nouvelles, il doit se débarrasser des anciennes et les consigner à la décharge. Si notre palais de la mémoire était un lieu réel, ses salles seraient remplies à ras bord depuis longtemps.

Ceux qui travaillent aujourd'hui à la conservation des déchets nucléaires savent une chose concernant leur mission : ils n'en verront pas la fin. Rien qu'en Suède, il va falloir soixante ans pour finir de stocker les déchets dans leurs capsules et sceller le mausolée dans la roche en espérant qu'il ne sera jamais réouvert. Les bâtiments du chantier seront rasés, la végétation reprendra le dessus et une amnésie collective pourra se mettre en place. Le jour où le dernier acteur de cette grande entreprise mourra, tous les souvenirs en seront effacés.

Le processus de désintégration de ce qui a été créé par la main de l'homme est étonnamment rapide. Qu'arrive-t-il aux ponts dès lors qu'ils ne sont pas entretenus avec constance ? Ils sont attaqués par la rouille et perdent en quelques années leur capacité à nous véhiculer sains et saufs par-dessus les fleuves et les vallées. Encore dix ou quinze ans, le pont s'effondre. Encore dix ans et il ne reste plus que les piles de béton corrodées, en passe de disparaître à leur tour. Deux ou trois générations plus tard, le pont sera effacé de la mémoire humaine.

Mais au sein de la roche mère qui a été choisie pour la conservation finale, rien ne va se corroder ni se corrompre. Là, la plus improbable de toutes les créations humaines improbables survivra sans changement pendant cent mille ans. Là, l'unique changement sera invisible – la radioactivité diminuera imperceptiblement jusqu'à n'être plus un danger mortel pour les humains et les animaux.

J'ai rencontré certains de ceux qui consacrent leur vie à ce travail dont ils ne verront pas la fin. Pour la plupart, ils sont conscients d'appartenir à la lignée des bâtisseurs qui n'ont pas pu voir l'aboutissement d'une vie d'efforts.

La Grande Muraille fut entreprise en tant qu'ouvrage défensif par Qin Shi Huang, premier empereur de Chine, vers l'an 200 avant notre ère. Au XVIIe siècle, on travaillait encore à l'édification de la muraille. On œuvrait donc depuis mille huit cents ans. Si l'on imagine une œuvre poursuivie de père en fils, ce sont plus de soixante générations qui n'ont pas vu le résultat de leur labeur, lui-même prolongement du labeur de leurs ancêtres. La dernière pierre ne fut jamais posée.

Les maîtres tailleurs de pierre qui commencèrent à bâtir

Notre-Dame de Paris n'eurent pas la joie d'admirer leur majestueuse cathédrale terminée. Le travail se poursuivit de 1163 à 1345, et six générations furent nécessaires pour en venir à bout.

La cathédrale de Cologne fut encore plus longue à émerger : six cent trente-deux ans séparent le début du chantier de l'achèvement du chef-d'œuvre.

Tant de monuments imaginés par des humains n'ont jamais vu le jour sinon sous forme d'esquisse. Hitler et Albert Speer rêvaient d'un Berlin capitale du monde qui supplanterait Paris, Londres et Rome. Hitler voulait construire plus haut et plus grand que tout ce qui avait existé jusqu'alors. Rien de tout cela ne fut réalisé.

Les responsables de la future conservation des déchets nucléaires ne sont ni des sentimentaux ni des utopistes. Ils sont pourtant conscients que travailler pour l'avenir est un enjeu profondément humain. Il n'est pas nécessaire de voir le résultat de son travail. L'histoire de l'humanité est une longue chaîne où chacun doit s'occuper de son maillon.

Je m'interroge néanmoins. À quoi penseront-ils, ceux qui auront façonné le dernier maillon et qui seront sur place au moment où l'on scellera enfin l'accès aux galeries souterraines en espérant qu'elles ne seront jamais rouvertes ? Avons-nous vraiment fait tout ce que nous pouvions ? N'avons-nous pas négligé un détail ? Y a-t-il une dimension que nous n'avons pas su voir ou mesurer à sa juste valeur ?

Quel effet cela fait-il de vivre avec des questions qui n'ont pas de réponse ? Comment s'y prend-on pour calculer l'incalculable ?

En février 2013, un astéroïde de quarante-cinq mètres de diamètre a « frôlé » notre planète à une vitesse vertigineuse. Il est passé à une distance de trente mille kilomètres, pas assez près pour être aspiré par la gravitation terrestre. Il est très loin à l'heure qu'il est. Mais, quelques jours plus tôt, un autre astéroïde a explosé dans l'atmosphère, générant une pluie de météorites qui s'est abattue sur une ville de Russie et a fait de nombreux blessés. À ce jour, on a recensé environ dix mille astéroïdes qui se promènent dans la partie de l'univers à laquelle nous avons accès. En réalité, il y en a beaucoup plus. Des millions. Si l'un d'entre eux, d'un diamètre de plusieurs kilomètres, devait percuter notre planète, nous ne savons pas quelles en seraient les conséquences.

La vérité concernant notre existence est toujours provisoire. Ce que nous savions hier est sans cesse modifié ou remplacé par ce que nous découvrons aujourd'hui. Pour tout un chacun, la vie reste une affaire inachevée.

J'avais autrefois un ami, disparu depuis longtemps, qui était agriculteur. Dans les premiers temps de notre amitié, il m'a montré son album de photos, où il avait collé des images de ses récoltes et de son cheptel prises depuis qu'il possédait sa ferme. Il n'avait même pas imaginé qu'il puisse y avoir une fin. Pour lui, la continuation indéfinie était le but même de l'entreprise.

Se peut-il que le nucléaire soit une réalité qui rompt de toutes les façons possibles avec un schéma fondamental ? Nous savons que les civilisations ne font pas le ménage derrière elles. Mais aucune n'a jamais laissé derrière elle des déchets qui resteraient mortellement dangereux pendant des millénaires.

Là, nous sommes uniques. Absolument les seuls dans l'Histoire.

22
Tombouctou

Pendant plus de cinquante ans, j'ai rêvé de me rendre dans la ville du désert, la légendaire Tombouctou, dans l'actuel Mali. Je n'avais pas plus de neuf ou dix ans quand j'ai lu pour la première fois dans un récit de voyage ce nom qui a aussitôt résonné en moi comme celui de la ville du bout du monde. J'ai passé mon enfance à la recherche d'une frontière. J'imaginais qu'il devait exister un lieu terminal. Une fois qu'on y était, on ne pouvait pas aller plus loin.

Le chemin s'arrêtait quelque part. De la même manière qu'il fallait bien mourir un jour.

Le bout du monde existait. Et, à cet endroit, il y avait Tombouctou.

Enfant, je consacrais beaucoup de temps à dessiner des archipels. Tous mes étés se déroulaient sur une île de l'archipel de l'Östergötland, très loin du Norrland de l'intérieur des terres où je vivais le reste de l'année. Cette île était entourée d'une quantité apparemment infinie d'autres îles, si bien que cette activité de dessiner des archipels n'avait rien d'étonnant. Je fabriquais mon propre mythe de la création ; un voyage insouciant et infiniment stimulant pour l'imagination. Je dessinais des îles aux formes étranges, pleines de criques secrètes, de passes étroites, de hauts-fonds dangereux et, surtout, d'un système de grottes sous-marines qui reliaient les îles entre elles.

Encore aujourd'hui, quand j'ai une conversation ennuyeuse au téléphone ou simplement quand je laisse vagabonder mes pensées, je m'aperçois parfois que j'ai rempli toute une feuille d'une nouvelle version de cet archipel que je crée depuis l'enfance.

J'ai donc fini par aller à Tombouctou. Il faisait entre quarante et cinquante degrés quand le ferry a entamé la traversée du fleuve Niger et que j'ai vu approcher dans la brume la ville poussiéreuse, desséchée, aux rues balayées par le sable.

Je me rendais à Tombouctou pour deux raisons. La première, c'était de la voir, simplement, et de constater de mes propres yeux que le bout du monde n'existe pas. Mais Tombouctou, elle, existait. Je ne m'étais donc pas trompé du tout au tout.

La seconde raison, plus importante pour l'adulte que j'étais entre-temps devenu, était de pouvoir admirer son trésor de vieux manuscrits. Au cours des époques troublées, les habitants de Tombouctou les avaient toujours dissimulés dans le sable. Des manuscrits millénaires avaient ainsi pu être préservés, grâce au climat désertique chaud et sec, et parvenir de la sorte jusqu'à nous. On pouvait les consulter dans différentes archives ou bibliothèques placées sous la fière surveillance des habitants de la ville. Plusieurs manuscrits se trouvaient encore en la possession de personnes privées. Leur valeur sacrée était telle, pour leurs propriétaires, qu'ils refusaient de les vendre, malgré les sommes astronomiques que certains spéculateurs n'hésitaient pas à offrir pour les plus précieux d'entre eux.

Les deux jours que j'ai passés plongé dans ces archives ont représenté pour moi l'aboutissement d'un pèlerinage long de cinquante ans. J'ai eu d'abord la confirmation de ce que j'avais toujours pensé, à savoir qu'il est faux de prétendre que le continent africain est dépourvu d'histoire écrite. Je tenais ces manuscrits dans mes mains. Mille ans auparavant, cette ville du désert avait été l'un des centres intellectuels les plus importants du monde. Arabes, Africains, Européens s'y réunissaient, bien avant que l'université de la Sorbonne, pour prendre un exemple, eût été même imaginée. On y avait conduit au long des siècles des échanges érudits, non seulement autour de textes théologiques principalement musulmans mais sur des sujets aussi variés que la géographie, l'astronomie et la médecine. Pour la première fois, je comprenais toute l'ampleur et la dimension de la notion d'archives. J'avais ici la trace de discussions et de désaccords qui avaient produit successivement une masse de connaissances extraordinaire.

C'était comme si cette ville entretenait le culte des Lumières.

Aujourd'hui, quelques années après ma visite à Tombouctou, nous savons qu'elle a été pendant un temps la cible des jihadistes, qui ont réussi à brûler une partie des manuscrits jugés hérétiques.

C'est avec une grande inquiétude que j'ai suivi ce drame. J'ai su cependant que beaucoup de manuscrits avaient été sauvés. Malgré les menaces de mort, ils avaient été enfouis une fois de plus dans le sable du désert. Il semble que la plupart aient été préservés. Ce que je pense de gens qui prétendent détruire l'érudition humaine au nom de leur dieu, je n'ai pas besoin de le préciser. Ils commettent un crime à la fois contre les morts, contre les vivants et contre ceux qui ne sont pas encore nés. Et ils le font au nom de Dieu.

Les premières archives dont je garde le souvenir étaient situées au sous-sol du greffe du tribunal de Sveg. Je n'avais pas le droit d'y aller. Mais je le faisais quand même. Je me souviens de rayonnages du sol au plafond où étaient conservées les minutes des actes de vieux procès. Le plus intéressant, c'était de fouiller dans les cartons où avaient été rassemblées les pièces à conviction liées à des affaires de violence. Chaque objet s'accompagnait d'une étiquette remplie à la main précisant où et quand cet objet avait été présenté devant le tribunal. Dans la majorité des cas, il s'agissait de couteaux. Mais il y avait aussi des poings américains et des matraques. Je crois aussi me souvenir d'une hache au manche rongé par les vers. Je me rappelle nettement une question que je me posais à leur sujet. Pourquoi garder ces objets alors que les auteurs avaient déjà été condamnés pour leur crime ?

Aujourd'hui je connais la réponse : les archives existent afin que nous n'oubliions pas notre histoire. Pas seulement ce qui s'est passé et la manière dont cela s'est produit, mais la *réponse*, la réaction suscitée par l'événement.

Parmi les plus anciennes archives du monde, il faut mentionner celles du Vatican, qui réunissent les annales de l'Église catholique depuis bien plus de mille ans. On peut y consulter des documents qui éclairent en détail certains événements historiques connus de la plupart d'entre nous. On peut y lire le compte rendu du procès intenté à Galilée, ou les lettres envoyées par Henri VIII au pape afin de solliciter l'autorisation de divorcer de l'une de ses épouses. Ou encore les interrogatoires, menés du temps de l'Inquisition, de supposés hérétiques qui furent par la suite brûlés vif. Parmi eux figurait Giordano Bruno.

Mais tout ne se réduit pas aux brutales exactions de l'Église contre ceux qui affirmaient que la Terre n'est pas le centre de l'univers. On y trouve aussi des écrits touchants, par exemple une lettre de Michel-Ange se plaignant de n'avoir pas été payé pour son travail.

Jusqu'à la fin du XIXe siècle, ces archives étaient inaccessibles à tous, sauf à une poignée de potentats de la hiérarchie ecclésiastique. Aujourd'hui, elles sont un peu plus ouvertes, même s'il subsiste des « armoires à poison » dont les portes demeurent rigoureusement fermées à toute personne extérieure. Cela dit, les archives du Vatican appartiennent à l'humanité tout entière. Les athées, comme d'ailleurs les adeptes d'autres religions que le catholicisme, devraient être prêts à les défendre puisque c'est une partie de l'histoire humaine qui y est conservée.

Cela peut nous mettre partiellement sur la voie d'une solution pour faire comprendre à nos descendants le danger de ce qui se dissimule dans les fameuses capsules en cuivre. Peut-être devrait-on rassembler tous les débats, toutes les propositions formulées, et les résumer en une sorte de bande dessinée qu'on graverait sur les parois de la roche ? Elle rendrait compte de nos difficultés à transmettre à travers les millénaires ce message capital. Cela pourrait tout au moins contribuer à créer une confiance entre nous et ceux qui vivront dans cent mille ans. Des archives qui ne contiendraient pas d'armoires à poison dérobées aux regards, voilà qui serait peut-être un pas dans la bonne direction.

Même si c'est peut-être une avancée qui ne mène nulle part, ou qui égare. Nous n'avons aucune certitude à ce sujet.

Pas plus qu'à n'importe quel autre.

23

D'autres archives

Il existe aussi d'autres sortes d'archives.

Il était une fois un homme qui avait passé la plus grande partie de son existence à l'hôpital psychiatrique de Säter. J'ignore de quoi il souffrait, mais je crois qu'il était tourmenté par de graves hallucinations qui affectaient tous ses sens.

Il a été interné en 1912 jusqu'à sa mort, dans les années 1960.

À Säter, il s'est consacré à une activité rare.

On en a gardé la trace grâce au petit musée de l'hôpital, où l'on apprend comment on considérait les fous dans le passé et à quels traitements ils étaient soumis. On trouve également dans ce musée une collection de vieux livres. En les ouvrant, on s'aperçoit qu'un texte manuscrit se superpose au texte imprimé. Il est écrit entre les lignes, au crayon à papier, en caractères microscopiques. Plus on approche de la fin du volume, plus ce deuxième texte devient dense. En s'armant d'une loupe, et d'une grande patience, on peut déchiffrer les pattes de mouche de l'auteur *bis*. On découvre alors que celui-ci a « amélioré » le texte imprimé. Il a rendu l'intrigue plus optimiste ou plus sombre, au choix, en intervenant surtout sur les dénouements. En fait, il s'est approprié les livres qu'il lisait.

Qui ne souhaiterait pas en faire autant ?

Le philosophe Paracelse a laissé de nombreux écrits sur

les sujets les plus variés, entre autres ses recherches dans le domaine de l'alchimie, qui l'ont accompagné sa vie durant et qu'il pratiquait avec un grand sérieux.

Ses textes ont traversé les siècles et ont été abondamment traduits, quelquefois avec des erreurs. Paracelse avait par exemple écrit que le métal devait être conservé au chaud dans les braises pendant quarante jours. Dans la version française, les quarante jours étaient devenus quarante ans. Or un vieil alchimiste parisien qui avait lu Paracelse à l'époque de la Première Guerre mondiale avait fait le calcul. S'il voulait appliquer le conseil du maître, il allait devoir vivre jusqu'à cent vingt ans.

Il rassembla ses écrits, fruit d'une vie entière de recherches, légua le tout aux archives et quitta la ville sans laisser de traces.

24

Le courage d'avoir peur

À peu près au moment où je laissais derrière moi le sable mouvant pour reprendre un semblant de contrôle sur une vie qui tienne compte de la réalité de la maladie, j'ai reçu une lettre de l'un de mes plus anciens amis. Je l'avais connu en 1964, après avoir pris la décision d'abandonner le lycée un jour de janvier, à l'âge de seize ans. Je ne l'avais jamais rencontré à l'époque, mais je savais qu'il était musicien de jazz à Paris, où j'avais décidé de me rendre. Ses parents tenaient une petite boulangerie à Borås. J'étais allé les voir. Ils m'avaient donné son adresse.

Cinquante ans plus tard, je reçois donc une lettre de Göran, qui a appris ma maladie en lisant le journal.

Il m'écrivait qu'il avait quitté Paris (même s'il y retournait de temps en temps pour jouer avec son ancien ensemble), qu'il s'était marié, avait des enfants et s'était constitué une collection unique de 78 tours. Et qu'il faisait encore de la musique dans diverses formations.

« Qu'écrit-on à quelqu'un qui est atteint d'un cancer ? » demandait-il dans sa lettre.

Il avait raison bien sûr. Que peut-on dire ? Et que peut dire le malade lui-même ?

En ce qui me concerne, juste après être sorti du sable mouvant, j'ai formulé la question du courage et de la peur. Sans admettre sa peur, peut-on même faire preuve de courage ? Je ne le crois pas. La peur est bien plus que la terreur primitive de mourir. Le fauve nous voit, mais nous ne le voyons pas. Pour la mort, nous ne sommes que des proies. Mais la peur concerne également la perspective de douleurs que rien ne pourra apaiser. Et aussi de savoir qu'on ne sera plus là pour voir ce qui se passera demain ou dans les prochains jours. La peur de la mort se fonde sur des motifs rationnels et sur leurs contraires ; c'est un doux mélange d'illusions et d'une nécessité biologique qui est au fondement même de la vie.

La peur est naturelle et tient au fait, très simple, que nous avons, seuls parmi toutes les espèces animales, la conscience d'être mortels. Les chats que j'ai eus dans ma vie savaient-ils qu'ils allaient mourir ? Savaient-ils même qu'ils étaient vivants ? Ils étaient là, jour après jour, à chasser, à s'étirer, à miauler. Notre moi humain n'est rien d'autre que la conscience de notre mortalité. Admettre sa peur face à l'inconnu revient à reconnaître sa condition d'humain. Au fond, notre existence est une tragédie. Toute notre vie, nous cherchons à accroître nos connaissances, notre savoir, notre expérience. Mais en définitive, tout sera perdu et réduit à néant.

Je respecte ceux qui croient en une vie après la mort, mais je ne les comprends pas. Il me semble que la religion n'est qu'une excuse pour repousser les conditions de l'existence. Qui sont : ici et maintenant, et rien d'autre. Sur lesquelles se fonde aussi ce que notre existence a d'unique, de merveilleux.

J'ai laissé derrière moi le sable mouvant et j'ai commencé à me construire un courage fondé sur le constat que je ne me débarrasserais jamais totalement de ma peur et que j'acceptais cet état de fait. Simplement, il me fallait être le plus fort. Je n'avais pas le choix. Je devais maîtriser la peur, ne pas me laisser maîtriser par elle.

Je pense souvent aux gens peureux que j'ai croisés dans

ma vie. Ils sont nombreux. On peut avoir peur de n'importe quoi. Je crois par exemple que personne n'est entièrement épargné par le phénomène de l'hypocondrie, du moins par périodes. Qui ne se souvient de la peur, à l'adolescence, d'avoir contracté une maladie vénérienne sans le moindre symptôme ni même la moindre raison objective de soupçonner une contagion ! Il m'est arrivé de rencontrer des gens qui redoutaient d'avoir dans le ventre des vers longs d'un mètre, ou appréhendaient de tourner au coin de la rue parce qu'il pouvait s'y dissimuler une ombre armée d'un couteau, même en plein jour dans un quartier animé. J'ai rencontré des gens persuadés à tout instant que leur prochain battement de cœur serait le dernier.

Pour ma part, j'ai peur du noir. Si je dors seul, je laisse toujours quelques lampes allumées. Que je sois chez moi ou à l'hôtel. Cette peur, cependant, me paraît compréhensible. Elle a une explication évidente.

Décembre 1958. Durant l'été, la Suède a remporté la médaille d'argent à la Coupe du Monde de football dont la finale s'est déroulée à Stockholm, dans le stade de Råsunda. Le Brésil a gagné 5-2. Un garçon de dix-sept ans nommé Pelé s'est révélé pour la première fois à la face du monde. Et le défenseur suédois Sven Axbom a eu le plus grand mal à se défendre contre un ailier droit appelé Garrincha.

C'est maintenant l'hiver dans le Norrland. Quand il fait vraiment froid, les rondins des murs se tordent en craquant comme s'ils voulaient reprendre leur liberté. Je dors. Il est deux heures du matin mais je n'en ai pas la moindre idée. Je dors. Je ne vais pas devoir me lever à sept heures pour aller à l'école, car on est dimanche. Mais je ne le sais pas non plus. Dans le sommeil, tout s'interrompt. Le temps et l'espace n'existent pas pour l'enfant endormi.

Malgré tout, un élément extérieur s'infiltre dans ma

conscience. Un élément perturbateur, inquiétant. Je suis tiré à contrecœur vers la surface. Quelqu'un essaie de me réveiller. Mais je ne veux pas me réveiller. Je veux dormir. Je me retourne, j'enfouis ma tête sous l'oreiller. La voix insiste. Il me semble la reconnaître, au fond du sommeil. Je n'en suis pas sûr. Confusion, flottement.

À la fin, j'ouvre les yeux. Il fait noir. Le store occultant est baissé, la lumière des lampadaires de la rue ne pénètre pas dans la chambre. Le noir est total. C'est alors que j'entends de nouveau la voix faible qui m'appelle. Elle monte vers moi des abysses de ces ténèbres. Je sais maintenant à qui elle appartient. C'est mon père. Il est là, quelque part, dans le noir.

Je suis encore beaucoup trop engourdi pour prendre peur. Je ne mesure pas le danger. Pourtant je devrais. Pourquoi me réveille-t-il ainsi en pleine nuit ? Et s'il a envie de me parler, pourquoi n'a-t-il pas allumé ?

Je me redresse. Je cherche à tâtons l'interrupteur de la lampe de lecture en laiton fixée au-dessus de la tête de lit. Je n'ai pas encore conscience du danger. J'allume. Et c'est le choc. À l'instant où la lumière se fait, c'est toute mon existence qui bascule.

Mon père gît au sol à un mètre de la porte. Son pyjama bleu nuit est imprégné de sang. Il a la peau crayeuse, les cheveux poisseux de sueur, des mèches collées au visage.

Je ne sais plus ce que j'ai pensé sur le moment, à l'instant où l'obscurité s'est déchirée, dévoilant brutalement une vérité épouvantable. Je ne me souviens pas des mots qui se sont formés en moi à ce moment. Mais je sais qu'il s'agissait de la peur d'être abandonné une fois de plus. Ma mère était partie quand j'étais tout petit. Être rejeté par sa mère, bien sûr, c'est presque intolérable pour un enfant. Quand j'ai vu mon père baignant dans son sang sur le sol de ma chambre, j'ai pensé qu'il allait disparaître aussi. Lui non plus, je ne serais pas autorisé à le garder.

Ce n'était pas du sang, sur son pyjama, en réalité, mais des traces de vomissure. Il avait eu un AVC. Il a survécu. Mais à compter de cette nuit, j'ai toujours été hanté par la peur des surprises que peut receler l'obscurité.

Je n'écris rien de tout cela à Göran quand enfin je réponds à sa lettre. Je lui rappelle combien son interprétation de *Solitude* de Duke Ellington était belle.

Le courage et la peur sont inextricablement liés. Il faut du courage pour vivre, et du courage pour mourir.

Mais je n'ai pas l'intention de mourir. En tout cas, pas tout de suite. Il me reste trop de choses à faire. C'est ce que je lui écris à la fin de ma lettre.

Je continue de m'armer de courage en prévision de la chimiothérapie qui m'attend.

25
Paris

Et ce voyage à Paris quand j'avais seize ans ?

Ma décision de quitter le lycée était venue d'un coup. Enfin, pas tout à fait. Inconsciemment, et par l'imagination, cela faisait longtemps que je me préparais à partir. Je n'avais pas de difficultés scolaires. Simplement, je ne voyais pas de raison de continuer à subir toutes ces heures de cours soporifiques puisque j'avais déjà décidé que je serais écrivain. Lire et apprendre, je pouvais le faire tout aussi bien et même mieux sans être enfermé dans un bahut.

C'était un samedi après-midi. Suite à un emploi du temps mal agencé, ma classe avait écopé d'une double ration de latin en fin de journée. Heureusement, Eva Jönsson (notre professeur de latin et professeur principal) était excellente. C'était aussi une merveilleuse pianiste ; on pouvait l'écouter en cachette quand elle travaillait le soir dans la salle de musique. En temps normal, j'aimais assez le puzzle que constitue la version latine. Mais là, tandis qu'un camarade ânonnait la traduction d'un paragraphe de *La Guerre des Gaules*, j'ai su d'un coup que le moment était venu. Quand la cloche a sonné, j'ai rassemblé mes affaires et j'ai quitté la salle de classe pour la dernière fois sans révéler mes intentions à quiconque. Surtout ne pas me retourner : j'avais appris ça chez Hemingway. Et, de fait, je n'y ai jamais remis les pieds.

C'était audacieux, mais aussi complètement idiot. Qu'allais-je donc faire à Paris ? Je parlais à peine le français, je n'avais pas d'argent. Tout ce que j'avais, c'était un bout de papier avec l'adresse d'un musicien de jazz que je ne connaissais pas personnellement. Bref, c'était une idée à la fois absurde et romantique. La première partie de la décision (quitter le lycée) était bonne. Mais se rendre à Paris, cela n'avait ni queue ni tête. Je n'avais même pas de passeport.

J'ai réfléchi pendant quelques jours. J'ai pris un train pour Göteborg, sans payer. Là-bas, il soufflait un vent cinglant. Je suis allé à pied jusqu'à Götaplatsen, le cœur du centre-ville. J'avais décidé que je devais avoir pris ma décision avant de remonter dans le train. Paris ou pas Paris. Ça passe ou ça casse.

Près de la gare, je suis entré dans un magasin qui vendait des radios et j'ai volé un transistor.

Le soir même, j'ai communiqué ma décision à mon père. Il m'a regardé comme si j'étais devenu fou. Après que j'ai eu fini de lui expliquer, d'une manière sûrement pas très convaincante, les raisons pour lesquelles j'avais choisi de quitter le lycée et de partir pour Paris, il est resté silencieux. Puis il m'a demandé de lui réexpliquer. Dans le souvenir que j'en garde aujourd'hui, cinquante ans plus tard, la deuxième version fut encore plus courte que la première.

« Tu ne doutes de rien, ma parole. Où vas-tu habiter ? De quoi vas-tu vivre ? Personne n'a entendu parler d'un écrivain de seize ans. Que vas-tu écrire ? De quoi ça va parler ? Comment s'appelle ce musicien dont tu as l'adresse ?

– Göran Eriksson. »

Il n'a pas épilogué. Mais cette nuit-là je l'ai entendu faire les cent pas dans sa chambre et je me suis demandé comment quelqu'un pouvait choisir de son plein gré de devenir parent.

Je me suis procuré un passeport, j'ai vendu une collection

de disques et quelques livres, acheté un billet et préparé mes affaires. Avec l'argent gagné en mettant au clou le transistor volé à Göteborg, je me suis acheté une valise.

Ce vol m'inspire encore mauvaise conscience aujourd'hui. J'avais à l'époque une petite amie prénommée Monika, qui avait des cheveux blonds avec une frange et de beaux yeux inquiétants. Je ne lui avais pas confié grand-chose de mes projets. À présent que j'avais cessé d'aller au lycée, je lui en ai dit un peu plus. Elle m'a répondu que j'étais dingue et elle a rompu. Plus tard cependant, quand je me suis installé dans la capitale française, elle m'a écrit pour me dire que nous étions toujours ensemble, et qu'elle me rejoindrait pendant l'été. Peut-être. Avoir un petit ami à Paris, quand même, ce n'était pas rien.

Le 1er février 1965, deux jours avant mon anniversaire, le train en provenance de Copenhague et de Hambourg est entré en gare à Paris avec moi à son bord. Pendant le voyage, j'avais parlé avec une jeune Suédoise qui lisait Blaise Pascal. Je ne savais pas qui était Blaise Pascal. Elle m'a prêté un livre. J'ai lu sans rien comprendre. J'avais une valise noire à moitié vide contenant une paire de chaussures, quelques chemises et des sous-vêtements. Dans la poche intérieure de ma veste, j'avais rangé mon passeport et deux cents francs. Pas grand-chose, autrement dit, même en 1965. Et pour ne rien arranger, j'avais commencé à souffrir d'une violente rage de dents depuis la frontière belge.

J'ai attendu que le train soit complètement à l'arrêt. Je me suis imaginé de retour en classe. Puis je me suis levé et je suis descendu sur le quai. À compter de ce moment, l'idée de retourner au lycée ne m'a plus jamais traversé l'esprit.

Il faisait froid à Paris. Les Parisiens étaient frigorifiés, et moi aussi. Je me suis attablé au buffet de la gare. J'ai commandé un café et un cognac en espérant que l'alcool viendrait à bout de la douleur. Ça n'a pas fonctionné.

J'avais donc une adresse. Un nom. Göran Eriksson. Un jazzman suédois que je n'avais jamais rencontré. Son appartement se trouvait dans le XVe, aux antipodes de la gare du Nord, tout au bout de l'interminable rue de Vaugirard, juste avant la porte de Versailles. Le chauffeur de taxi m'a regardé de haut en bas et m'a demandé un acompte. Je le lui ai donné. Ma rage de dents empirait. Le taxi m'a déposé en bas de l'immeuble et la concierge m'a laissé entrer à contrecœur. Sur le palier, Göran m'a accueilli, une clarinette à la main. Il m'a proposé un matelas. Cette nuit-là, le sommeil a eu raison de mon mal aux dents. En me réveillant le lendemain, j'ai réalisé que j'étais arrivé à Paris.

J'y suis resté jusqu'à la fin de l'été. Plus de six mois. Par des voies tortueuses, j'ai décroché un boulot au noir dans un atelier de réparation de clarinettes et de saxophones. Je crois être capable, encore aujourd'hui, de démonter une clarinette les yeux bandés et de la remonter dans le bon ordre.

La survie était un défi permanent. Göran n'avait pas d'argent. On s'entraidait. Je passais mon temps libre dans les clubs de jazz – le Caveau de la Huchette, le Tabou et d'autres. Je mangeais dans les restaurants les moins chers.

Mais j'étais à l'université de la vie. J'ai appris le plus important. Se débrouiller par ses propres moyens, prendre ses propres décisions et s'y tenir. Je ne suis pas devenu écrivain au cours des mois que j'ai passés à Paris. Ce n'était pas important. L'important, c'était de faire le premier pas afin de devenir un être humain doué de conscience. Dans le droit-fil de la découverte que j'avais faite quelques années plus tôt devant la Maison de la Culture de Sveg.

Fin août, j'ai senti que j'en avais fini avec Paris. On s'est serré la main, Göran et moi. Je suis retourné en Suède en stop. Mes anciens camarades de classe avaient déjà entamé une nouvelle année scolaire. Je suis allé jusqu'au lycée. Je me suis planté devant le bâtiment de brique rouge. Mais je ne suis pas entré et j'ai pensé que je ne regrettais pas ma décision.

Je ne l'ai jamais regrettée. Ce qui me reste de ce séjour parisien, c'est l'expérience réelle de se trouver tout en bas de l'échelle sociale. J'étais un travailleur au noir, mal vêtu, se baladant certains jours avec le ventre creux. Les gens identifient la pauvreté au premier coup d'œil. Sans doute parce que la peur de la contagion est très forte.

Bien sûr, je n'étais qu'en visite dans ce monde que Jack London a décrit dans *Le Talon de fer*. À tout moment, je pouvais laisser tomber, retourner en Suède, reprendre le lycée et étudier le latin jusqu'au bac.

Mais je ne l'ai pas fait. Même limitée et provisoire, une telle visite vous confronte à la prise de position la plus importante qui soit : quel type de société veut-on contribuer à former ?

Cette question en est venue à marquer ma vie entière.

26

Les hippopotames

Ces six mois à Paris au milieu des années 1960 m'ont appris la nécessité de faire des choix. Chaque jour, je devais choisir si j'allais acheter des cigarettes ou m'autoriser un repas un peu plus copieux que la veille. Je choisissais les musées que je voulais voir. Quand je décidais de flâner simplement, je regardais les gens en imaginant ce que j'écrirais un jour, même si ce jour était encore loin.

Choisir, décider, c'était prendre la vie au sérieux. J'ai appris cela à Paris, où les gens étaient encore très marqués par la guerre d'Algérie. C'était aussi juste avant le début des manifestations contre la guerre au Vietnam. Comme toutes les personnes qui se hâtaient autour de moi sur le trottoir et dans les couloirs du métro, j'ai dû opter pour une direction.

Même s'il m'est arrivé d'avoir tort dans la vie, j'estime que ce ne peut pas être pire que de ne pas prendre position. Je m'étonne souvent de ces gens qui flottent sans résistance au gré du courant, qui ne remettent jamais leur existence en question, qui ne se décident pas à changer de vie même lorsque c'est de toute évidence nécessaire. Les gens divorcent. C'est une forme de changement. Mais qu'en est-il des ruptures plus profondes encore, celles liées aux choix de vie ? Voilà les questions importantes auxquelles on est confronté, et auxquelles il faut répondre.

À Antibes, il y a un magasin d'alimentation où j'ai l'habitude d'acheter des biscottes. De l'ouverture du magasin à sept heures du matin jusqu'à la fermeture douze heures plus tard, un homme est assis là. Il a un petit téléviseur qu'il regarde en permanence. Je ne suis jamais entré dans la boutique sans le trouver assis, immobile, le regard rivé à l'écran. Il regarde absolument tout et s'en détourne presque à contrecœur pour encaisser mon argent. À peine suis-je ressorti qu'il est de nouveau devant son écran.

Il est très aimable. Il a l'air de se plaire dans sa boutique. Mais son mode de vie m'effraie. A-t-il vraiment choisi de regarder cet écran en boucle, d'en faire le sens de sa vie ?

La vie consiste la plupart du temps en hasards qui viennent pour ainsi dire à notre rencontre. Tout tient à notre capacité de prendre des décisions conscientes face à la situation ainsi créée.

Un jour, en tournant le coin d'une rue, je suis tombé sur la femme de ma vie. Je ne pouvais pas savoir qu'elle serait là. Mais j'ai pu, nous avons pu, chacun pour soi et ensemble, choisir la manière d'agir à partir de là ; et finalement nous nous sommes mariés.

Les décisions les plus difficiles que j'aie été amené à prendre, dans ma vie, concernent deux IVG. Dans les deux cas, j'ai fait pression sur la femme pour qu'elle choisisse d'avorter. Ce sont elles naturellement qui ont pris la décision finale. Mais il m'arrive de me dire aujourd'hui que j'ai abusé de mon influence. En quelque sorte, j'ai laissé cette décision devenir la mienne, alors que ce devrait toujours être la femme qui décide.

Je crois cependant aussi avoir fait des choix qui impliquaient une certaine mesure de courage et de désintéressement. En particulier lorsqu'il s'est agi de faire preuve d'une générosité financière dont je n'avais pas vraiment les moyens à l'époque.

La responsabilité du choix, c'est aussi oser décider de quel côté on se situe dans une société injuste, traversée de conflits et marquée par l'indignité. C'est pourquoi nous sommes tous des êtres politiques, que nous le voulions ou non. Nous vivons dans une dimension politique fondamentale. Par le fait même d'exister, nous passons un contrat avec tous nos contemporains, mais aussi avec les générations futures.

Qu'est-ce qui conditionne nos décisions ? Qu'est-ce qui oriente les choix que nous faisons, les idées qui sont les nôtres, ce que nous trouvons par exemple inadmissible ? Que choisissons-nous de défendre, et que choisissons-nous de rejeter ?

Avoir la possibilité de choisir ce à quoi on souhaite consacrer son existence est un grand privilège. Pour la très grande majorité des habitants de la planète, la vie est fondamentalement une affaire de survie, dans des conditions dramatiques.

Il en a toujours été ainsi pour notre espèce. Manger ou être mangé, se protéger contre les prédateurs, les ennemis, les maladies. Faire en sorte que sa progéniture survive et soit aussi bien armée que possible pour affronter l'existence qui l'attend. Au cours des millénaires, très rares sont ceux qui ont pu se consacrer à autre chose qu'à la survie. Ils n'ont certes jamais été aussi nombreux qu'aujourd'hui. La moitié au moins de l'humanité, de nos jours, vit encore sans aucune possibilité de choix.

Ceux qui n'ont pas été contraints de consacrer leur temps à la survie ont aussi généralement été ceux qui détenaient le pouvoir, quelle que soit la forme de société dont on parle. Ils ont été par exemple prêtres et gardiens du temple, chargés d'amadouer les dieux ou d'interpréter les voies impénétrables du destin. Les révoltes et les révolutions ont toujours eu le même enjeu. Lorsqu'on ne peut survivre alors qu'on s'échine au travail jusqu'au bout de ses forces, il ne reste pas d'autre solution que de se révolter. C'est après le passage à la révolte que la question du « droit à autre chose » s'affirme et se précise.

L'absence de toute possibilité de choix concerne les milliards d'êtres humains privés de terres qui doivent affronter chaque jour le défi de nourrir leur famille. Pouvoir « changer de vie » leur est un luxe inaccessible.

Durant tout le temps que j'ai passé en Afrique, j'ai vu cette lutte pour la survie qui ne connaît jamais un seul jour de trêve. Chaque soir l'inquiétude renaît.

Voici plusieurs années je me suis rendu à Jaipur, en Inde. Tard un soir, j'ai pris le train de Jaipur à New Delhi. Le long du remblai, une suite ininterrompue de lumières provenant des nombreuses familles qui vivaient là, à quelques centimètres de la voie. Moi qui voyageais à bord du train, je traversais littéralement leur existence. Des cabanes de misère, et des gens au regard vide contemplant la rame qui progressait lentement, précautionneusement, parmi eux. C'était comme remonter le cours d'un fleuve sombre et menaçant, tel Marlow dans le *Cœur des ténèbres* de Conrad. Il n'y avait pas d'eau autour de moi, mais j'avais néanmoins cette sensation de remonter le fleuve obscur vers une forme de fin du monde.

Près de Lusaka, en Zambie, j'ai vu dans les années 1980 des femmes et des enfants qui cassaient des pierres pour faire du macadam. Ils trimaient là, au bord de la route. La poussière volait, la chaleur était accablante. Quelqu'un, parmi ceux qui m'accompagnaient, a dit que ces femmes n'avaient qu'une seule pensée en tête : ce labeur allait malgré tout les nourrir, leurs enfants et elles. Au-delà de cela, leur conscience était vide. Elles étaient trop épuisées pour qu'il puisse y avoir place pour une autre préoccupation que la survie.

Ceux qui vivent dans les marges extrêmes d'une société n'ont aucun choix.

Se coucher dans la rue pour mourir n'est pas un choix. Se laisser mourir de faim n'est pas un choix. Nous avons aujourd'hui tous les moyens nécessaires pour éradiquer la misère absolue et hisser l'ensemble des êtres humains vivants au-dessus du seuil de malnutrition. Nous choisissons de ne pas le faire. C'est un choix que je ne peux considérer autrement que comme un acte criminel. Mais il n'existe pas de tribunal habilité à poursuivre, à l'échelle globale, les criminels responsables du fait que la faim et la misère ne sont pas combattues à l'aide de toutes les ressources disponibles. Et qui nous entraînent tous à être complices et à avoir notre part de responsabilité dans ce choix.

Aujourd'hui, alors que tant d'années se sont écoulées depuis ces quelques mois où je traînais dans les rues de Paris en ramassant parfois sans vergogne des mégots sur le trottoir, je vois plus clairement que jamais le privilège de pouvoir choisir. En ce qui me concerne, en dehors de ces derniers mois, j'ai toujours été du bon côté de la barrière, bénéficiant de temps, de forces et d'un estomac suffisamment rempli pour évaluer les alternatives qui s'offraient à moi.

Je me suis souvent trompé dans mes choix. J'ai eu l'occasion de regretter bien des décisions, sans avoir la possibilité de revenir en arrière. Le plus important toutefois à mes yeux reste que je n'ai pas dérivé sans résistance dans le sens du courant et que je n'ai jamais renoncé à dire ce que j'avais à dire.

Mais ce n'est pas tout à fait vrai.

Un jour, il y a de cela une trentaine d'années, j'ai été entraîné par le courant. C'était sur un affluent du Zambèze, à l'extrême nord-ouest de la Zambie, dans la région de

Mwinilunga. Nous étions quatre, serrés dans un petit hors-bord en plastique ; nous avions remonté le courant puis coupé le moteur pour redescendre au fil de l'eau et pêcher le *tigerfish*, le poisson-tigre. À un certain endroit, le fleuve formait une fourche. Nous devions emprunter le bras qui nous ramènerait à l'endroit où nous avions laissé tentes et voiture. Il était vital de redémarrer le moteur à temps, car cette fourche était un lieu de rassemblement pour les hippopotames. Or ceux-ci venaient d'avoir des petits et étaient extrêmement agressifs. Peu de gens savent que l'hippopotame, avec sa nonchalance trompeuse, est l'animal qui tue le plus de personnes chaque année en Afrique.

Évidemment, quand le barreur a tiré sur la cordelette du lanceur, le moteur n'a pas démarré. Au début, nous avons trouvé ça drôle. Mais on distinguait déjà les têtes des hippopotames en aval. Nous n'avions aucune chance de réussir à passer au large en utilisant les avirons. Et si le bateau arrivait au milieu d'eux, ce serait fini. Ils le feraient chavirer illico et nous tueraient proprement en nous coupant en deux d'un coup de leurs mâchoires géantes.

Un étrange silence est descendu pendant que le barreur – qui était celui parmi nous qui connaissait le mieux le bateau – tirait fébrilement sur la ficelle. Il n'y avait rien à dire. Nous savions tous ce qui arriverait s'il ne réussissait pas dans les minutes à venir. Se jeter à l'eau et tenter de gagner la rive à la nage, ce n'était pas non plus une bonne idée. Le fleuve était infesté de crocodiles. Nous serions engloutis et broyés bien avant d'atteindre le rivage.

Par bonheur, le moteur a fini par démarrer. Nous avons eu le temps de virer et de passer au large.

Ce soir-là, au campement, nous étions plus silencieux que d'habitude. Le feu crépitait, les flammes dansaient sur nos visages.

Bien des années plus tard, j'en ai reparlé avec l'un des membres de l'équipée. Je lui ai demandé à quoi il avait pensé pendant que nous descendions le courant tout droit vers les hippopotames. Il n'a pas eu besoin de réfléchir. Il avait souvent revécu cet instant en pensée.

« Je cherchais fébrilement une issue. Mais il n'y en avait pas. C'est la seule fois de ma vie où j'ai renoncé. Quand le moteur est reparti, j'ai pensé qu'il y avait un Dieu tout compte fait. Ce qui s'est passé à ce moment-là n'était pas de l'ordre de l'humain.

– Les bougies étaient noyées, c'est tout. La religion n'a rien à voir là-dedans. »

Mon ami n'a rien dit. Pour lui, l'hypothèse d'un Dieu était plus satisfaisante.

C'était son choix. Ce n'était pas le mien. Dieu ou les bougies d'allumage.

Nous n'avions pas fait le même.

27
Une cathédrale et un nuage de poussière

Deux femmes que le hasard m'a fait rencontrer m'ont confronté à ce que peuvent être un grand bonheur et son contraire, un chagrin incommensurable. Pour moi, elles représentent les extrêmes de la vie. Si l'on n'a pas connu un très grand chagrin, on n'a sans doute pas accès à la pleine valeur de l'existence. Personne ne veut être frappé par la tragédie, mais elle est une part incontournable de la vie.

En 1972, je suis allé à Vienne. C'était un hiver très froid. De temps à autre je m'arrêtais un moment dans un café pour me réchauffer un peu avant de ressortir.

Ma promenade, qui ne suivait aucun itinéraire, seulement l'inspiration du moment, m'a conduit jusqu'à la cathédrale Saint-Étienne, le célèbre *Stefansdom*. Je suis entré. C'était immense. Il était midi, l'endroit était désert. Les murailles de pierre étouffaient tous les bruits du dehors. C'était un espace de silence, hors du temps. En cela, les édifices religieux se ressemblent, quelles que soient leur apparence et la religion qu'on y pratique.

Je me suis assis sur un banc et j'ai contemplé la majesté qui m'entourait. Je ne connais aucune cathédrale qui ne m'incite à penser aussitôt aux artisans qui l'ont bâtie, génération après génération, jusqu'à ce que la dernière pierre soit posée, le dernier vitrail enchâssé dans la masse, la dernière sculpture minutieuse parachevée et scellée dans sa niche.

Soudain, mon regard s'est arrêté sur une femme assise seule à l'extrémité d'un banc, la tête inclinée. J'étais derrière elle, de biais. C'est son dos, courbé, voûté, qui m'a donné le sentiment qu'elle était en détresse. Absorbée par une grande douleur. Elle se tenait rigoureusement immobile, seule sur son banc, mais aussi seule et absorbée en elle-même, dans l'espace immense de la cathédrale.

Le deuil et la tragédie nous inspirent souvent une curiosité déplacée. C'est un trait humain. Si nous passons sur une route où un accident vient d'avoir lieu, nous ralentissons malgré nous. Et nous jetons un coup d'œil aux véhicules accidentés. Quand une ambulance freine dans une rue, certains s'arrêtent pour observer la suite des événements. La sirène s'interrompt, les portières claquent… Les plus curieux vont attendre que la victime apparaisse sur son brancard.

Nous nous arrêtons ainsi pour nous rassurer : ouf, ce n'est pas nous qui gisons, inertes, sous la couverture de survie.

Je me suis levé de mon banc et j'ai longé une allée latérale jusqu'à l'autel. Là, je me suis retourné. La femme solitaire était assise, la tête dans les mains. À ses cheveux et à la couleur de sa peau, j'ai vu qu'elle était d'origine africaine.

Elle était assise sur ce banc. Autour d'elle, personne. Le vide. Les mains cachaient son visage. J'essayais d'imaginer ce qui avait pu lui arriver. Une annonce terrible ? Qui la concernait, elle ? Ou un proche ? Un prêtre est apparu et lui a jeté un regard scrutateur. Mais il ne s'est pas arrêté. Je suis resté dans l'ombre, à l'abri d'une colonne. Je l'observais toujours. Ma propre curiosité me mettait mal à l'aise, mais je ne pouvais pas détacher mon regard de cette femme.

Après un long moment, cinq minutes peut-être, j'ai compris que je pouvais faire quelque chose. C'était même plus que cela. Je *devais* intervenir. Je me suis approché et me suis assis à côté d'elle. Elle a levé la tête comme si je lui avais fait peur, comme si je faisais intrusion dans son espace personnel. En allemand d'abord, puis en français et enfin en anglais, je lui ai demandé si je pouvais l'aider. Elle ne me comprenait pas. Elle a dit quelques mots où j'ai cru reconnaître de l'arabe, même si elle ne me paraissait pas être originaire d'un pays arabe. Ma présence ne diminuait pas sa solitude, au contraire. Elle paraissait encore plus inquiète. Soudain, elle s'est levée et elle est partie. Je me suis retourné. Elle se hâtait vers la sortie. La lumière du soleil a lancé un reflet au moment où elle a ouvert la porte.

Je ne l'ai jamais revue. Quarante ans se sont écoulés depuis le jour où je l'ai croisée sur ce banc de la cathédrale Saint-Étienne, mais je reste convaincu que cette femme était habitée par un très grand chagrin. J'ignore d'où elle venait, où elle allait. Je ne sais même pas si elle vit encore. Mais je pense souvent à elle. Son image figure sur l'un de mes murs intérieurs, telle une icône du Chagrin. Elle me rappelle ce que chacun sait peut-être : le chagrin doit vivre en nous pour que son contraire puisse devenir visible. La légende du prince qui ne connaissait pas le chagrin[1] touche toutes les générations. Il n'est ni prince ni simple mortel qui puisse se dérober au chagrin et croire qu'il sera toujours épargné, par la grâce de quelque privilège à lui seul réservé.

Et la joie sans limites ? C'était une autre femme, un autre continent, une autre époque. Presque vingt ans jour pour jour après l'épisode à Vienne. Elle aussi était africaine. Je l'ai croisée dans un camp de transit, au Mozambique. Ce camp accueillait les réfugiés qui revenaient du Zimbabwe et

1. Référence à *Prins Sorgfri*, un conte populaire suédois : un prince confiné par son père dans un palais où tout n'est que perfection découvre un jour la réalité du monde qui s'étend de l'autre côté des murs…

d'Afrique du Sud au début des années 1990, à la fin de la terrible guerre civile au Mozambique. Il y régnait une grande attente inquiète. Nul ne savait si les parents, les proches, les amis disparus depuis longtemps seraient à bord des voitures et des camions aux plateformes surchargées qui arrivaient de la frontière et qu'on voyait approcher au loin sur la route dans un grand nuage de poussière. Des enfants guettaient le retour de leurs parents, des parents espéraient revoir leurs enfants, et puis la famille étendue, les proches, les amis… Quand enfin le convoi s'est arrêté, il y a eu un moment de confusion tandis que les réfugiés étaient soulevés un à un et déposés sur le sol avec leurs balluchons et leurs sacs en plastique. Un bruit semblable à celui d'un essaim d'abeilles inquiètes saturait l'air.

Soudain, j'ai entendu un cri. Ce n'était pas un cri de guerre. C'était un cri de joie démesurée, violente. Il a déclenché comme une onde de choc parmi les camions. Puis le silence s'est fait. On n'entendait que ce cri, qui revenait par intermittence. J'ai vu alors qu'il émanait d'une jeune fille d'environ dix-huit ans. Au milieu de ce grand rassemblement humain, entre ceux qui arrivaient et ceux qui attendaient depuis si longtemps dans la chaleur accablante, il venait de s'ouvrir comme un cercle dans le sable. Au centre de ce cercle se tenaient un homme et une femme âgés. Et cette jeune fille, qui faisait mine de déchirer ses vêtements et de s'arracher les cheveux tout en poussant ce cri et en dansant autour du vieux couple.

J'ai mis un moment à comprendre que c'étaient ses parents. Plus tard, j'ai appris qu'elle avait été séparée d'eux alors qu'elle n'avait que sept ou huit ans. Elle ignorait ce qu'ils étaient devenus. Elle était venue au camp de transit dans l'espoir de les revoir, mais c'était un pur hasard qui les avait réunis. Il y avait beaucoup de camps semblables à travers le pays.

Personne ne savait qui arriverait ni où. Personne ne savait où il fallait se rendre pour attendre le retour des proches. Et beaucoup ne revenaient pas. Beaucoup étaient morts.

C'était, à sa manière, un miracle. Ils s'étaient retrouvés. La joie de la jeune fille était telle qu'elle ne pouvait l'exprimer qu'en dansant. Ses vieux parents, pendant ce temps, se tenaient parfaitement immobiles.

J'ai vu la jeune fille prendre la main de son père avec mille précautions et le saluer en faisant la révérence. Ensuite, sa mère et elle se sont effleuré le visage du bout des doigts.

La dernière image qui me reste d'eux, c'est lorsqu'ils sont montés, ensemble, à bord d'un autre camion qui a disparu dans la poussière.

La cathédrale Saint-Étienne de Vienne et ce nuage de poussière africain résument en quelque sorte ma vie.

Que je sois malade ou non.

II

La route de Salamanque

28
Ombres

La première certitude que j'ai à propos du cancer, c'est qu'il a toujours fait partie du paysage humain. Certaines formes ont augmenté dans nos sociétés modernes. Ce que nous mangeons et l'environnement dans lequel nous vivons contribuent à favoriser des types de cancers, tandis que d'autres diminuent peut-être. Mais on a retrouvé des tumeurs sur des ossements de dinosaures, et les *homo* de Neandertal et les *homo sapiens* de Cro-Magnon n'en étaient pas exempts eux non plus.

Ce n'est pas très étonnant. Le fondement de la vie est la division des cellules, qui se poursuit sans interruption depuis le stade fœtal jusqu'à la mort. Nos cellules se renouvellent des millions de fois. Qu'une division se passe mal et déclenche le processus qui conduit à la formation de tumeurs bénignes ou non n'a rien d'étonnant. C'est plutôt le contraire qui le serait. On doit être prudent quand on évoque la perfection de la nature.

Ma deuxième certitude à propos du cancer, c'est que nul ne peut être assuré d'être à l'abri. Et plus on vieillit, plus le risque augmente. Un peu plus pour les hommes que pour les femmes.

Il est vrai que certaines familles sont plus exposées que d'autres, pour des raisons d'hérédité. De même que certaines familles sont plus frappées par la maladie en général sans qu'on puisse vraiment expliquer pourquoi.

Dans la mienne, il n'y a pas eu, à ma connaissance, de décès dû au cancer au cours des trois dernières générations. En revanche, une personne sur deux, qu'elle soit homme ou femme, est morte des suites de maladies cardio-vasculaires. Dans ma fratrie, nous souffrons tous d'hypertension.

J'admets avoir fait preuve d'une certaine arrogance. J'ai souvent dit que je ne pensais pas être candidat au cancer. Que je mourrais sûrement de façon brutale, d'un court-circuit dans la tête.

Je me trompais.

Ma troisième certitude, c'est que le cancer n'est pas contagieux. Je peux être entouré de cancéreux sans qu'il soit nécessaire de m'inquiéter pour ma santé personnelle. Le cancer ne se propage ni par les airs, ni par les sécrétions, ni à la suite d'une poignée de main.

Pourtant, d'aucuns se comportent comme si c'était le cas. Ils ne sont pas majoritaires, mais ils existent. Quand je leur dis que j'ai un cancer, ils reculent discrètement pour s'éloigner de la source de la maladie.

Ce n'est pas si étonnant. Naguère encore, un diagnostic de cancer équivalait à une sentence de mort. Les médecins étaient souvent impuissants, y compris devant certaines douleurs qu'on ne savait pas soulager. La maladie n'était pas seulement mortelle ; la façon d'en mourir était particulièrement éprouvante.

Après l'annonce de mon diagnostic, l'idée de garder le secret ne m'a jamais traversé l'esprit. Pourquoi l'aurais-je fait ? Je ne sais pas comment j'aurais réagi si j'avais été atteint de syphilis. La syphilis est une maladie contagieuse qu'on peut éviter d'attraper. Mais on n'a que des moyens limités pour se protéger du cancer. Éviter de respirer trop de gaz d'échappement pour se prémunir d'un type de cancer qui est fréquent chez les routiers. Ne pas manger trop de viande rouge pour éviter une tumeur du côlon ou de l'œsophage. Ne pas détruire son foie en buvant. Et, aussi, ne pas fumer.

Moi qui suis non-fumeur depuis vingt-cinq ans, j'ai contracté néanmoins un cancer du poumon. Si je mise sur toutes les cases de la roulette sauf le 1, je ne peux cependant exclure que la bille atterrisse précisément sur le 1. Le cancer ne tient ni engagement ni promesse.

L'ombre du passé hante encore la maladie. Peu importe que les traitements et leurs résultats s'améliorent sans cesse, le cancer en tant que tel ne sera sans doute jamais éradiqué comme l'a été la variole et comme le sera peut-être bientôt le paludisme. Ce qui diminuera de plus en plus, c'est la mortalité liée au cancer. Aujourd'hui, deux tiers des malades sont des survivants de longue durée. Et cette proportion est en augmentation constante.

Mais l'ombre demeure. Je l'ai reconnue nettement dans les réactions très diverses qui ont accueilli l'annonce de ma maladie.

Quand je disais que je souffrais d'un torticolis, on pouvait trouver cela comique. Comme on peut rire quand quelqu'un entend mal et comprend de travers ce qu'on lui raconte. Lorsque j'ai annoncé que ce n'était pas tout compte fait un torticolis ni une hernie discale mais une métastase, la blague n'était plus de mise. Certains ont réagi comme il se doit, avec compassion, inquiétude, bienveillance. D'autres ont purement et simplement disparu. N'ont plus donné signe de vie. Se sont fondus dans l'ombre du cancer.

J'ai souvent pensé, à cette époque, aux mots de Selma Lagerlöf : « Mon Dieu, puisse mon âme arriver à maturité avant qu'elle ne soit moissonnée[1]. »

1. *Le Cocher*, Selma Lagerlöf, Actes Sud, 1998. Traduction française de Marc de Gouvenain et Lena Grumbach.

Nul besoin de s'attacher à la référence religieuse. On peut ôter à cette phrase sa charge de foi chrétienne, elle demeure une vérité universelle. Les personnes qui ont atteint une forme de maturité d'âme ne restent pas tapies dans l'ombre du cancer. Elles continuent de m'appeler et de m'écrire. Je suis encore quelqu'un de tout à fait vivant. Pas un individu assis en équilibre instable sur le bord d'une tombe.

J'admets volontiers qu'il m'est arrivé d'être parfois surpris au cours de cette période. Des gens dont je pressentais qu'ils s'enfuiraient dans l'ombre se sont révélés assez forts pour maintenir un contact fréquent, tandis que d'autres, dont j'attendais davantage, ont assez vite disparu de mon horizon.

Je ne juge personne. Les gens sont comme ils sont. On n'a pas besoin d'avoir beaucoup d'amis. Mais les amis qu'on a, on doit pouvoir compter dessus.

Le cancer est une maladie épouvantable. Même si on est entouré de médecins, d'infirmiers, de famille et d'amis, c'est une épreuve qu'on traverse seul. La maladie se repère rarement de l'extérieur. Personne, en me voyant, ne peut deviner que je suis gravement malade, puisque je n'ai ni perdu mes cheveux, ni maigri de façon spectaculaire. J'ai la même tête que d'habitude, je me comporte comme d'habitude. Ma grande fatigue n'est pas forcément un signe de maladie. Je pourrais très bien être épuisé après avoir terminé une mise en scène ou l'écriture d'un livre.

Mais qu'en est-il de moi ? Est-ce que je me dissimule dans l'ombre, moi aussi ? Suis-je en fuite vers les fourrés protecteurs, tel l'animal blessé que je reste malgré tout ?

En Zambie, il y a bien longtemps, j'ai participé à une battue. Nous étions quatre hommes armés de fusils à la recherche d'un lion blessé. Nous avancions séparés par une distance de quinze mètres environ. Soudain, celui qui marchait en tête s'est arrêté et a levé la main. C'était Paul, pisteur et chasseur zambien respecté. Son geste signifiait que nous devions non seulement nous arrêter, mais charger nos armes. Jusque-là, il était le seul qui avait eu une cartouche insérée dans le chargeur. Il nous a indiqué un taillis situé cinquante mètres devant nous. Si Paul pensait que le lion était là, cela voulait dire qu'il y était ; personne n'aurait eu l'idée de douter de sa parole.

Jusqu'au dernier instant, le lion tenterait de se rendre invisible dans sa cachette. Mais si nous venions trop près, il attaquerait. Ultime tentative désespérée pour échapper à la fois aux chasseurs et à la douleur causée par la balle qui l'avait blessé dans un premier temps.

Quand il a bondi, c'est Paul qui l'a abattu, d'une balle bien placée.

Dans quel taillis suis-je moi-même tapi ? À quoi ressemble ma tentative de fuite dérisoire et inutile ?

Je n'en suis pas au point où je tente de nier l'évidence. Je n'ai pas occulté, à mes propres yeux, la gravité de la maladie. Je n'ai pas accusé le sort. Cette idée d'injustice, d'avoir été injustement frappé, m'est étrangère. S'il s'était agi d'une maladie contagieuse, j'aurais pu éviter de m'exposer au risque. Il suffit aujourd'hui de prendre certaines précautions pour éviter d'être contaminé par le VIH, par exemple.

La nuit, il m'arrive de rêver que je suis en bonne santé. Un autre est tombé malade à ma place. Je me tiens face à des gens que je connais, mais d'une certaine façon je ne les reconnais pas, et je compatis à leur malheur.

La vérité, c'est que je rêve comme tout un chacun d'être l'heureuse exception. Qu'un jour, je réussirai à me débarrasser de la maladie et que je pourrai dire alors que j'ai été miraculeusement délivré de tous mes symptômes.

Je sais cependant que ce n'est pas vrai. La maladie est incurable. Même s'il est possible que je vive assez longtemps pour mourir d'autre chose. Ou que je devienne si vieux qu'il me sera indifférent de continuer à vivre encore un peu ou non.

Le cancer, pour moi, c'est un combat qui se livre simultanément sur plusieurs fronts. L'important est de ne pas gaspiller trop d'énergie à lutter contre mes illusions. J'ai besoin de toutes mes forces pour consolider mes défenses afin de résister au mieux à l'ennemi qui m'a envahi.

Au lieu de me battre contre des moulins à vent qui ne sont que des ombres.

29
Dents phosphorescentes

J'ai reçu ma première montre à aiguilles phosphorescentes à la fin des années 1950, j'avais alors une dizaine d'années. Je m'en souviens encore comme d'un événement magique et étonnant.

Je me rappelle l'éclat vert luisant faiblement dans l'obscurité de l'armoire où était enfermée cette montre la première fois que je l'ai vue.

En 1895, le physicien allemand Wilhelm Röntgen découvrait que certains rayons étaient capables de traverser divers matériaux tout en étant arrêtés par la présence d'une plaque photographique. Nous savons l'importance décisive qu'a eue cette découverte pour la médecine. Une fracture simple du poignet ou une fracture complexe du tibia peut être analysée en détail à l'aide de quelques radiographies qui permettront d'adopter les mesures adéquates. Grâce aux rayons X, on peut aussi débusquer la présence de taches imperceptibles sur un poumon humain. Mais leur application ne se limite pas au diagnostic. Ils permettent aussi de traiter les tumeurs en ciblant les cellules malades.

Une année après la découverte des rayons X, Henri Becquerel découvrait la radioactivité, relayé par les expériences de Marie Curie. Avant que les dangers des radiations pour la santé ne fussent reconnus, le radium suscita l'enthousiasme et on lui attribua des vertus miraculeuses. La revue médicale *Radium*, parue en 1916 aux États-Unis, certifiait qu'il n'avait « absolument aucun effet secondaire indésirable » et qu'il était aux êtres humains « ce que la lumière du soleil est aux plantes ».

En 1915, un Américain inventait une couleur phosphorescente qu'il baptisa *Undark* (« Désobscur »). Il s'appelait Sabin Arnold von Sochocky et son ambition n'était pas d'ordre scientifique. Il voulait gagner de l'argent. Dans l'entreprise qu'il avait fondée, ses employés – pour la plupart des jeunes filles sans formation, voire, dans bien des cas, analphabètes et dont certaines n'avaient que douze ans – peignaient des aiguilles de montre phosphorescentes et des crucifix qui brillaient dans l'obscurité. Pour tracer les traits les plus fins, elles humectaient les poils du pinceau entre leurs lèvres.

Il arrivait aussi que, pour s'amuser, elles se peignent les dents et les ongles avec la couleur. Puis elles allaient dans une pièce sombre pour les voir briller dans le noir et s'admirer les unes les autres. On ne leur avait jamais expliqué que cela pouvait être dangereux.

La Première Guerre mondiale a suscité un intérêt accru pour les objets qui brillaient dans le noir. Quelques années après la fin de la guerre, environ deux mille peintres salariés à plein temps travaillaient aux États-Unis avec la couleur phosphorescente. Pourtant, ceux et celles qui pratiquaient ce métier avaient déjà commencé à mourir. Les maladies variaient.

Personne ne disait ce qu'il en était en réalité. Un dentiste du nom de Theodore Blum rapporte certes qu'une de ses patientes présente une mâchoire sévèrement nécrosée et qu'il soupçonne le travail exercé par cette jeune femme – peintre d'aiguilles sur des cadrans lumineux – d'être à l'origine de la pathologie. La patiente meurt peu de temps après. Sans conséquence sur la fabrication des cadrans en question dont le tic-tac se poursuit.

Il a fallu attendre 1925 pour que la vérité sur la dangerosité de ce travail brise enfin le silence. Sochocky, créateur de l'entreprise US Radium Corporation, fut parmi ceux qui œuvrèrent le plus diligemment à avertir le monde du danger. Il avait dans l'intervalle quitté la société qu'il avait fondée ; sa propre haleine était désormais plus radioactive que celle de ses anciennes employées.

Une inspection menée dans les locaux de la société allait dévoiler l'effroyable. Les ouvrières furent invitées à entrer une à une dans une pièce plongée dans l'obscurité. Les médecins constatèrent alors qu'elles étaient fluorescentes. Leurs vêtements, leur visage, leurs bras, leurs jambes : elles brillaient de la tête aux pieds.

Et presque toutes étaient malades. Leur bilan sanguin révélait que la radioactivité à laquelle elles avaient été exposées les avait empoisonnées sous différentes formes et à des degrés divers.

La vérité qui venait d'être mise au jour était très simple : ceux qui croyaient que le rayonnement radioactif traversait les corps sans laisser de traces avaient eu tort. La radioactivité se fixait sur le squelette. Si la personne avait été exposée à de fortes doses pendant une durée prolongée, cela menait au cancer et à une mort souvent douloureuse.

Il apparut aussi que les personnes qui examinaient les victimes prenaient elles-mêmes de grands risques. Edwin Lehman, un chimiste qui travaillait sur la radioactivité, mourut ainsi d'une maladie du sang qui l'emporta en quelques semaines.

En 1927, cinq ouvrières malades intentèrent un procès à leur entreprise – celle-là même que Sochocky avait créée et qu'il œuvrait désormais à faire interdire. Il existe des preuves nombreuses et convaincantes du désespoir qui l'envahit lorsqu'il comprit quel lourd tribut ses jeunes employées avaient payé à cause de son inconscience.

Les journaux surnommèrent les plaignantes « les cinq condamnées à mort ». Elles demandaient une indemnisation pour leurs souffrances à la fois physiques et morales. L'une avait subi vingt opérations du maxillaire et elle était paralysée de tout le bas du corps. Elle dut être portée dans la salle d'audience sur une civière, comme deux autres femmes qui étaient elles aussi incapables de marcher. L'une ne put même pas lever la main droite pour prêter serment.

Les cinq femmes perdirent leur premier procès. Les avocats de la firme réussirent à plaider la prescription. Les dommages remontaient à un passé trop lointain pour que la demande des plaignantes puisse être reçue. Or, bien que leur état ait empiré, celles-ci ne s'avouèrent pas vaincues.

Certaines étaient à l'article de la mort. Mais elles furent encouragées et soutenues par un grand nombre de personnes que leurs souffrances avaient émues et indignées. Marie Curie, qui avait la première découvert les éléments constitutifs de la radioactivité, leur fit porter un curieux message. Elle leur recommandait de manger du foie de veau. Elle-même allait succomber suite à une leucémie consécutive à sa longue exposition au rayonnement radioactif.

Après bien des années (deux des cinq « condamnées à mort » étaient décédées entre-temps), un médiateur parvint à mener ce long combat à son terme. Un jugement fut rendu, attribuant aux survivantes une fraction dérisoire de la somme qu'elles avaient exigée en réparation. Mais elles étaient à bout de forces. Longtemps après leur mort, on s'aperçut que leurs tombes mêmes étaient radioactives. Les compteurs Geiger s'affolaient parmi les croix et les mausolées.

Six mois plus tard, Sochocky décédait à son tour des suites de son exposition à la radioactivité. Le cancer avait fait pourrir ses mains, sa bouche et sa mâchoire. Mais il s'était battu jusqu'au bout pour que les victimes soient enfin dédommagées et que celles qui travaillaient encore avec de la peinture radioactive soient équipées d'une protection adéquate.

Avec le recul, on peut constater que grâce à cette mobilisation ceux qui allaient mettre au point la première bombe atomique (le fameux projet Manhattan) avaient pu bénéficier d'un bon équipement et n'étaient pas tombés malades comme les ouvrières. Aucun des ingénieurs, physiciens et techniciens créateurs des bombes qui seraient lâchées par la suite sur Hiroshima et Nagasaki n'avait couru le risque de voir sa mâchoire se nécroser.

Nous pouvons évoquer de la même manière la souffrance et les dommages irréversibles causés à ceux qui travaillent avec l'amiante. Aujourd'hui encore, le monde occidental exporte ses bateaux destinés à la casse afin qu'ils soient démontés par exemple en Inde. Des bateaux remplis d'amiante. Et ceux qui n'ont pas d'autre choix que d'accepter ce travail n'ont souvent même pas accès à de simples masques en papier. Beaucoup meurent d'asbestose.

Les fibres microscopiques de la poussière d'amiante sont aspirées dans les poumons, où elles ne tardent pas à former une couche épaisse empêchant une respiration normale. Les victimes ont l'impression de suffoquer peu à peu : un travailleur de la mine de Wittenom en Australie a dit qu'il avait l'impression d'avoir « les poumons remplis de ciment mouillé ».

Cela se produit encore et ne cessera jamais. L'être humain se lance constamment dans de nouveaux projets sans chercher à savoir si sa dernière invention en date ne recèlerait pas par hasard une ombre cachée.

Le risque existe toujours. Et, parfois, l'ombre cachée génère une catastrophe majeure.

Les jeunes ouvrières qui se peignaient les dents et les ongles avec la peinture phosphorescente et s'admiraient en riant ont été sacrifiées sur l'autel de notre perpétuelle fuite en avant.

Il est tellement facile de prendre des risques avec la vie des autres.

30
Photographies

Certaines photographies me reviennent souvent en mémoire. Elles ont réussi à fixer un instant qui, de la même façon que les rêves, parle de moi, même si je ne figure pas sur le cliché.

Il y en a quelques-unes que je n'oublierai jamais. Des photographies en noir et blanc qui ne pâlissent pas et s'effacent encore moins.

Se souvenir et ne jamais oublier, ce n'est pas tout à fait pareil.

La première a été prise en 1919 ou en 1920. L'identité du photographe ne nous est pas connue. La copie que j'ai vue est trouble, presque floue. Comme si le photographe avait eu un mouvement de recul devant ce qu'il s'apprêtait à capter.

C'est une photographie prise en extérieur. On devine un jardin, des arbustes, un mur peut-être.

Elle représente un groupe de vétérans de la Grande Guerre. Ils sont français. Ils ont choisi de vivre isolés en raison de leurs blessures. On les appelle les « gueules cassées », car leur visage a été atteint par une balle ou un éclat d'obus. Certains sont aussi mutilés, ils ont un bras, une jambe ou une main en moins.

Mais ce sont ces terribles plaies au visage qui les ont poussés à se retirer du monde. On n'a pas besoin de regarder longtemps la photo pour comprendre que les passants se seraient détournés avec horreur s'ils avaient dû croiser l'un d'entre eux dans la rue. Ces hommes ne sont pas seulement défigurés. On dirait que la folie même de la guerre, sa brutalité, est imprimée sur leurs visages démolis. Il leur manque une mâchoire, un nez, une bouche, une partie de front, un œil, une oreille. On les croirait maquillés pour jouer dans un film d'horreur contemporain où le ressort le plus efficace est le dégoût.

Mais voilà qu'ils sont, ces hommes d'âges divers, alignés devant un photographe. Tous se sont mis sur leur trente et un. Solennels, ils fixent l'objectif. Aucun ne cherche à dissimuler quoi que ce soit.

Je me demande pourquoi cette photo a été prise, et qui a payé le photographe. Eux ? Quelqu'un d'autre ? Ce n'est pas une image qu'on envoie à ses proches pour leur souhaiter un bon Noël. Est-ce une pure curiosité, ou une tentative sérieuse pour décrire les ravages de la guerre parmi ceux qui ne sont pas morts dans les tranchées et les assauts dérisoires pour récupérer quelques centaines de mètres de terre boueuse dévastée par les obus ?

Malgré les terribles blessures, on distingue ce qui était autrefois un visage.

Ils vivaient désormais isolés dans une grande villa de pierre, derrière de hauts murs. Qu'y faisaient-ils ? Je l'ignore. Mais ils devaient se croiser le matin au petit déjeuner. Comment certains s'y prenaient pour se nourrir sans bouche ni mâchoire, je l'ignore aussi. Mais ce que raconte surtout cette photographie, c'est que ces hommes sont vivants.

La photo dit cela. Nous voici. En dépit de tout, nous sommes encore en vie. Et, en dépit de tout, prêts à nous montrer dans notre costume du dimanche, le regard grave, devant un objectif qui capte cet instant pour le diffuser à travers le monde.

Les blessures de ces hommes ne sont pas sans rappeler celles qui peuvent frapper une personne exposée à des doses élevées de rayonnement radioactif.

À bord d'un sous-marin nucléaire russe, un certain nombre de volontaires pénètrent dans la chaufferie où s'est produit un accident. Leur mort ne sera pas seulement douloureuse. Les autres membres de l'équipage verront littéralement les corps de leurs camarades être rongés sous leurs yeux.

J'imagine un lien invisible entre les jeunes ouvrières qui se maquillaient les dents à la peinture phosphorescente et les anciens soldats alignés devant l'objectif du photographe. Il n'y a pas entre eux de rapport évident. Sinon celui de leur souffrance démesurée.

Ils font écho à leur tour au tableau de l'église de Släp – celui aux enfants morts qui se détournent du spectateur.

La deuxième photographie à laquelle je pense est en réalité une série de clichés pris en l'espace de quelques minutes. Une patrouille militaire, quelque part en ex-Yougoslavie pendant la Seconde Guerre mondiale, vient d'arrêter des partisans soupçonnés d'avoir attaqué des soldats allemands. Ces partisans vont à présent être exécutés sans même passer devant un tribunal militaire. Le soupçon suffit à justifier leur mise à mort. La plupart sont très jeunes. Ils ont le même âge que les soldats allemands.

Ils sont alignés dans un champ. On comprend que la scène se passe pendant l'été ou au début de l'automne car on aperçoit des meules de foin. Il fait chaud. Les soldats allemands portent d'épais uniformes réglementaires dont la veste est boutonnée jusqu'au cou, mais ceux qui attendent de mourir n'ont qu'un pantalon et une chemise ouverte.

Les soldats allemands ont un photographe avec eux. Là

aussi, on ne sait de qui il s'agit. Reporter de guerre allemand ? Collaborateur yougoslave ? On l'ignore.

Ceux qui vont mourir sont placés devant quelques meules. Les soldats se tiennent prêts à épauler.

C'est alors qu'intervient un événement remarquable. L'un des soldats jette son arme. Il se débarrasse de son casque et de sa veste et va se placer au milieu des condamnés. Les images ne permettent pas de dire s'il est calme, résolu ou agité. Il a simplement quitté le peloton d'exécution et changé de camp. Au lieu de tuer, il choisit d'être tué.

Rien dans ces images ne dévoile un possible dialogue entre les soldats et leur camarade. Rien n'indique qu'ils aient tenté de le ramener parmi eux par la parole, ou physiquement, en l'empoignant et en l'éloignant de force des partisans.

C'est cela qui est bouleversant. Tout semble se poursuivre comme prévu. On achève la besogne commencée. La discipline militaire ne vacille pas un instant.

Sur la dernière photo, on voit les partisans effondrés, morts, le soldat allemand parmi eux. Sans sa veste d'uniforme et son casque, il ne se distingue pas des autres. Sur cette image, les soldats ont disparu. Le photographe a dû s'attarder quelques minutes de plus. Rien ne suggère que les autres se soient occupés de la dépouille de leur camarade. Dès lors qu'il a changé de camp, il n'existe plus. Il n'est plus que l'un des condamnés à mort.

Ces clichés suscitent des émotions fortes et soulèvent beaucoup de questions. Qu'est-ce qui a poussé ce soldat à sacrifier sa vie, alors que cela ne pouvait rien changer au sort des prisonniers ? Qu'est-ce donc qui lui a rendu la scène intolérable au point qu'il a préféré mourir ? Se reconnaissait-il chez ces jeunes partisans, a-t-il pressenti que son existence deviendrait impossible dès lors qu'il aurait été complice de leur exécution ?

Nous ne le savons pas. Pas plus que nous ne savons ce qu'en ont pensé ses camarades. Cela a dû beaucoup les surprendre. Pour autant, ils n'ont pas questionné l'ordre qui a retenti l'instant d'après. Ils ont épaulé et visé celui avec qui ils fumaient une cigarette quelques instants plus tôt.

Deux séries d'images qui parlent de la guerre, et de ses victimes. Qui parlent aussi de courage. Et de choix, parmi les plus difficiles et les plus importants que puisse faire un être humain. Choisir de mourir au lieu de vivre. Sacrifier sa vie pour des inconnus, qui se sont en plus rendus responsables d'actes de guerre dirigés contre vous.

Puis-je dire que je le comprends ?

Pour répondre à cette question, je dois savoir comment j'aurais réagi dans la même situation.

Je ne le peux pas. Tout ce que je peux faire, c'est regarder souvent ces images sans jamais renoncer à l'effort de comprendre.

31
L'issue

De même que tout le reste s'est modifié dans mon existence, chaque matin représente désormais pour moi un nouveau défi. Je dois réussir à tourner mes pensées ailleurs que vers la maladie pour éviter de passer des heures à me demander comment je vais, si de nouveaux effets secondaires se sont déclarés, ou si c'est plutôt un bon jour. Car si je ne réussis pas à dévier rapidement ces pensées d'un vigoureux tacle de hockeyeur, la partie est perdue pour un long moment. Et le risque est grand que la résignation, la répugnance et la peur ne prennent le dessus. Que reste-t-il alors ? Se recoucher, se tourner contre le mur ?

Quand j'ai réussi, au bout de trois semaines, à me hisser hors du sable mouvant et à commencer la résistance, mon principal outil a été tout trouvé : les livres. Dans les moments difficiles, prendre un livre et m'y perdre, disparaître dans le texte, a toujours été ma façon à moi d'obtenir soulagement, consolation ou, du moins, un peu de répit. Quand une histoire d'amour se terminait, je prenais un livre. Après un échec au théâtre, ou un texte impossible à finir, j'ai toujours pu compter sur eux. Ils sont pour moi un réconfort, et aussi un instrument qui me permet de diriger mes pensées dans une autre direction et de rassembler mes forces.

Cette fois encore, il en a été ainsi. J'ai toujours chez moi, à portée de main, des livres que je n'ai pas lus. Mais voilà que ce n'était soudain plus possible. Je n'arrivais plus à me plonger dans un livre nouveau, même écrit par un auteur que j'avais toujours abordé avec le plus grand intérêt. Je ne pouvais plus assimiler l'inconnu. Lire un nouveau livre, c'est pénétrer dans le texte comme on entreprend une expédition. Or je ne faisais que m'égarer. Je lisais une page sans en comprendre le contenu. Les mots étaient comme des portes verrouillées. Je n'avais pas la clé.

Un instant, j'ai pris peur. Les livres allaient-ils me trahir au moment où j'avais plus que jamais besoin d'eux ?

Non. Car lorsque je prenais un livre familier, lu et relu, les mots se décryptaient sans effort. C'était la nouveauté que je ne supportais pas. Ce que je connaissais bien, au contraire, conservait le même pouvoir que toujours. Alors j'ai lu, et mes pensées se sont détournées de la maladie.

Le premier que j'ai ouvert était *Robinson Crusoé* de Defoe, dont j'ai collectionné les éditions au fil des ans. Celle que j'ai prise par hasard sur le rayonnage était l'édition de Torsten Hedlunds Förlag, parue à Göteborg en 1982, avec une introduction en forme de notice biographique de Daniel Defoe par le professeur Karl Warburg, une traduction suédoise de Jean Rossander pesante mais proche de l'original et, surtout, comportant les illustrations classiques de Walter Paget.

Je ne connais pas de meilleur roman que *Robinson Crusoé*. Ce qui s'y dévoile, c'est le secret de la différence entre une bonne et une mauvaise histoire.

Le livre raconte le destin d'un naufragé qui reste de longues années sur une île déserte en compagnie de quelques chèvres sauvages. À la fin, il devient l'ami d'un autochtone qui a réussi à échapper à des cannibales qui l'avaient capturé.

La vérité cependant, c'est que Robinson n'est jamais seul.

Moi, lecteur, je suis sans cesse présent, invisible, à ses côtés. C'est cela qui rend l'histoire magique. Si je devais rester en dehors du récit, simplement autorisé à en prendre connaissance de l'extérieur, il ne se produirait pas ce que vise tout roman, à savoir une communion entre le lecteur et ce qu'il lit. Là, au contraire, je suis convié à participer. Je suis là, sur le sable, naufragé comme Robinson, avec lui.

En classe de CE1 à l'école élémentaire de Sveg, Manda Olsson, notre institutrice, nous a distribué un jour des petits cahiers gris. Nous devions inventer une histoire, longue ou courte au choix. Elle nous a dit qu'elle ramasserait les cahiers une semaine plus tard. Rentré chez moi, je me suis enfermé aux toilettes et j'ai commencé à écrire une version de *Robinson Crusoé*. Et j'ai rendu mon cahier le lendemain. J'étais très fier. Entre-temps, je l'avais rempli d'aventures jusqu'à la dernière page. Mlle Olsson m'a dit ensuite qu'elle n'avait rien pu lire, tant j'écrivais vite et mal. J'étais trop pressé. Mais elle m'a donné un nouveau cahier, en me recommandant gentiment d'écrire de manière à pouvoir être lu.

J'ai donc mis de côté tous les livres neufs, et j'ai fait une pile de ceux que j'avais l'intention de relire. Pas de surprises menaçantes en embuscade. J'allais me mouvoir uniquement en terrain connu et balisé.

Ça a marché jusqu'à ma première séance de chimiothérapie. On a constaté alors qu'un des effets secondaires était une irritation de la muqueuse des paupières. J'avais les yeux qui coulaient en permanence. Si je lisais trop, il se formait comme une brume devant le texte. Si je me reposais une heure, ça allait. Mais le brouillage revenait vite.

J'ai alors alterné la lecture et la contemplation d'images. Des reproductions d'œuvres d'art. Là encore, je choisissais du déjà connu. Pas plus d'une image par jour. J'ai commencé par les artistes qui ont compté, et comptent toujours le plus pour moi : le Caravage et Daumier. Dans leur monde, aussi étrange soit-il, je me sens toujours chez moi. Parfois je pense au fait que le Caravage, qui a peint des motifs si variés, n'a jamais peint la mer. Quant à Daumier, beaucoup de gens connaissent ses caricatures politiques mais peu savent qu'il était aussi un peintre et un sculpteur émérite.

Chaque œuvre qui m'importe a une histoire à raconter, même si celles-ci ouvrent d'autres portes que l'écrit.

Nous sommes, nous les humains, des raconteurs d'histoires. Davantage *homo narrans* que *homo sapiens*. Nous nous reconnaissons dans les histoires racontées par d'autres. Toute œuvre d'art digne de ce nom contient un petit fragment de miroir.

La troisième manière pour moi de détourner mon attention de la maladie a été, bien sûr, la musique. Les personnes qui souffrent beaucoup, que ce soit de douleurs physiques ou morales, disent souvent que c'est la musique qui les réconforte le mieux. J'ai passé en revue ma discothèque, et j'ai alterné le jazz, le classique, la musique populaire africaine et la musique électronique.

Surtout, j'ai écouté Miles Davis et Beethoven. Parfois aussi Arvo Pärt et le blues du delta du Mississippi.

J'ai réussi à détourner mon attention de la maladie en observant strictement cette rotation. Livres, images, musique. Il était donc possible de résister à cette horreur qui est de se polariser sur le traitement et la recherche inquiète de nouveaux symptômes. Cela me donnait aussi plus de force dans les moments où je pensais sérieusement à cette réalité qui m'avait heurté de plein fouet. Cela m'aidait en me rappelant que je n'étais pas qu'un malade gravement atteint. J'étais aussi celui que j'avais été avant – moi en tant que moi. Il était possible de vivre dans deux mondes en même temps.

Il y a eu des jours où rien ne pouvait m'aider, pas même

les histoires, les images et la musique. Des jours où j'arrivais à peine à me lever à cause de la fatigue générée par l'invasion brutale, quoique potentiellement positive, de substances chimiques dans mon organisme. Parfois, c'était comme si je ne pesais plus rien et que je glissais sans résistance à travers un univers vide et froid. Dans ces moments-là, je comprenais que certains, dans cette situation, puissent choisir de mourir de leur propre main.

Je pouvais le comprendre, mais je savais en même temps que je n'avais pas ce recours. Je ne voulais pas exposer mes proches à la souffrance de devoir se demander indéfiniment s'ils n'auraient pas pu faire quelque chose de plus pour me sauver.

Deux mois plus tard, alors que j'en étais à la moitié de ma première chimiothérapie, celle qui déciderait de la suite des événements, j'ai découvert un matin qu'une nouvelle forme de normalité avait fait son apparition dans mon existence. Rien ne pourrait redevenir tout à fait comme avant le diagnostic. Pourtant la vie commençait à prendre une forme que, dans les moments sombres, je n'aurais jamais crue possible.

Les journées rallongeaient. Pas de beaucoup, mais le plus dur de l'hiver était passé. Un matin, un merle précoce a chanté, juché sur l'antenne de télévision. J'ai pensé que je pourrais en faire mon épitaphe.

J'ai entendu le merle. J'ai donc vécu.

Mais la mort, j'y pensais de moins en moins. Elle était là, sans qu'il soit besoin de la tirer de l'ombre. Je lisais les livres, je regardais les images, j'écoutais la musique – tout cela avait à voir avec la vie.

Après avoir relu la nouvelle *Au cœur des ténèbres*, de Joseph Conrad, je suis allé regarder l'une des piles des nouveaux livres que j'avais mis de côté deux mois auparavant. Je ne m'en sentais pas encore capable. Mais, quelques jours plus tard, j'ai ouvert un ouvrage provenant de cette pile.

La lumière avait voyagé loin et longtemps. Elle avait fini par percer la zone d'ombre et parvenir jusqu'à moi.

32

Boule de feu au-dessus de Paris, 1348

Une nuit, je suis réveillé par un rêve où figuraient les énormes rats que j'avais pu voir à Paris lors de mon séjour dans les années 1960 – surtout le soir quand je longeais l'interminable rue de Vaugirard jusqu'à l'immeuble où je logeais, rue de Cadix. Des rats gros comme des matous détalant le long de la rue avant de disparaître par les grilles des égouts.

Quand je pense aux rats, je pense aux chats. Et là, dans l'obscurité de la nuit, je me souviens de la légende selon laquelle une grande boule de feu fut aperçue dans le ciel de Paris au cours de l'hiver 1348. Comme tous les phénomènes rares, celui-ci fut aussitôt pris pour un présage funeste.

L'été de la même année, la peste avait atteint la capitale. La surpopulation au cœur de la ville rendait la situation particulièrement difficile. Seule la fuite pouvait permettre d'échapper à l'épidémie. Et où donc auraient pu fuir les pauvres qui constituaient l'immense majorité des Parisiens de ces quartiers ? Nulle part. Alors, ils restaient là, et ils mouraient.

Personne ne savait d'où provenait la peste ni comment elle se propageait de foyer en foyer. Mais, comme toujours, il était plus simple de trouver un bouc émissaire qu'une explication.

Dans ce cas précis, la rumeur se répandit que les responsables étaient les chats.

On avait déjà désigné les juifs. Cette fois, on a accusé les chats. Ces animaux étaient soupçonnés de partager de louches secrets avec les sorcières.

Une razzia en règle s'ensuivit. Tous les chats qu'on put capturer furent mis à mort et jetés dans la Seine.

Autrement dit, les véritables responsables de l'épidémie, à savoir les rats, furent débarrassés en un tournemain de leur seul ennemi naturel. Leur nombre explosa, de même que l'épidémie. Bientôt, on put dénombrer jusqu'à huit cents décès par jour dans la capitale. Les cimetières étaient pleins. Il n'y avait plus assez de bras valides pour enterrer les morts, qui restaient à pourrir dans les maisons et dans les rues. Les prêtres, contaminés à leur tour, étaient contraints d'abandonner les mourants et de se préparer à mourir.

Les riches marchands, les aristocrates, les ecclésiastiques quittaient la ville. Chaque jour, leurs voitures fuyaient la puanteur et la pourriture. Beaucoup d'entre eux mouraient quand même. Mais d'autres survivaient, puisqu'ils avaient les moyens et la possibilité de fuir.

Ceux qui restaient et qui n'étaient pas encore atteints vivaient comme il est de règle dans toutes les situations où la mort rôde, inéluctable. Ils transformèrent leurs derniers jours en orgie. Un chroniqueur anonyme décrit Paris à cette époque comme « une ville en plein effondrement moral et livrée à la luxure ».

La peste fit rage huit mois durant. Quand l'épidémie s'éloigna enfin, la moitié de la population avait succombé. Les cimetières étaient tellement bondés qu'on voyait des bras et des jambes sortir de terre. Chaque nuit, les chiens de la ville s'y rendaient pour festoyer.

Pendant un an, la ville resta infestée par la puanteur des cadavres en putréfaction. Ce n'est qu'en 1350 que la noblesse commença prudemment à revenir.

Mais ces chats morts ! Peut-être peut-on y lire un symbole universel de notre histoire humaine ? Au lieu de laisser les chats chasser les rats, nous les avons tués.

L'être humain aime le risque et déteste attendre. C'est ce goût du jeu, et notre curiosité toujours en éveil qui nous ont menés où nous en sommes aujourd'hui. Et quand la patience fait défaut, le jeu devient dangereux. Peut-être nous aurait-il fallu un peu plus de temps pour atteindre le même point d'évolution. Mais alors aurions-nous évité une partie des terrifiantes catastrophes qui accompagnent tous nos triomphes telle une ombre perpétuelle ?

On peut se demander jusqu'à quel point ce manque de prudence et de réflexion fait partie intégrante, profondément, de la nature humaine. Tous ces jeunes gens qui se tuent en voiture ou à moto le jour même où ils obtiennent leur permis… Au fond d'eux, ils savent bien que la vitesse tue. Cela ne les empêche aucunement d'accélérer et de déboîter de façon impulsive. Et voilà soudain que devant le volant ou le guidon se dresse l'arbre fatal ou le mur de pierre, dur et froid…

Les filles au même âge sont beaucoup plus prudentes, même si elles sont nombreuses à passer leur permis. Le fait qu'elles soient biologiquement destinées à mettre au monde des enfants constitue peut-être le fondement de cette prudence. Qu'il naisse plus de garçons que de filles s'avère une nécessité car tant de garçons, bien plus que de filles, meurent jeunes, parfois sur les champs de bataille comme ce fut le cas sur les plages de Normandie à l'été 1944, ou dans les tranchées entre 1914 et 1918. À cette époque, les femmes devaient rester à l'arrière et travailler dans les usines pour fabriquer les grenades qui tueraient d'autres jeunes hommes surnommés « l'ennemi ».

Passons un instant de ces usines de grenades au district de l'Alberta, dans le nord du Canada. Dans un périmètre aussi grand que la Floride, on trouve le plus important gisement mondial de sable bitumineux. Pas de forage en l'occurrence : il s'agit d'une pure activité minière. Au cours des dix dernières années, les États-Unis ont importé plus de pétrole de l'Alberta que de l'Arabie saoudite.

À court terme et dans une vision unilatérale du monde, on peut y voir une sage décision politique. Mais l'extraction de ce pétrole a un coût environnemental très élevé. Les émissions de gaz à effet de serre sont deux fois plus élevées qu'en Arabie saoudite.

Certains scientifiques affirment aujourd'hui que la question de l'exploitation du sable bitumineux conditionne celle de savoir si nous allons réussir à maîtriser ou non le réchauffement climatique.

James Hansen, un expert des questions climatiques à la Nasa, affirme que « pour ce qui est de contrôler le réchauffement, le match est déjà perdu ».

Il est essentiel de réduire le recours aux énergies fossiles. Tout le monde le sait, hormis peut-être les menteurs les plus invétérés et les plus corrompus parmi les « experts du climat » travaillant pour le compte des entreprises qui en vivent. Mais l'exploitation du sable bitumineux de l'Alberta est un exemple significatif de notre propension à ignorer les conséquences de projets dont nous affirmons toujours qu'ils vont dans le sens du progrès de l'humanité.

James Hansen travaille donc pour la Nasa. J'ignore s'il y était déjà actif il y a trente-six ans. Cela paraît peu probable.

En 1977, les sondes *Voyager 1* et *Voyager 2* ont décollé de la base de lancement de Cap Canaveral. Ces deux sondes ont fait le plus long voyage de l'histoire de l'humanité – un voyage qui se poursuit encore. Aujourd'hui, elles évoluent respectivement à une distance de dix-neuf milliards et de seize milliards de kilomètres du Soleil et bien plus loin de la Terre. Les signaux radio émis par notre planète et captés par *Voyager 1* et *2* avant de nous être renvoyés ont besoin de trente-quatre heures pour accomplir leur trajet.

Les deux sondes se trouvent donc actuellement aux confins de notre système solaire. Les rapports qu'elles nous font parvenir parlent encore du vent solaire et des champs magnétiques qui gouvernent notre portion d'univers. Mais elles peuvent à tout moment franchir la limite du système solaire et disparaître dans une autre partie de l'univers gouvernée par d'autres champs magnétiques. Nul ne sait à quel moment cela se produira, sinon que ce devrait être « très prochainement ». Ce qui, dans une perspective universelle, peut signifier plusieurs siècles ou plusieurs milliers d'années.

Quand je pense aux prouesses scientifiques et techniques qui sont à l'origine de ce voyage, je m'émerveille de la quantité de « mais » et de « si » qui ont jalonné l'histoire du projet, ces innombrables difficultés qu'il a fallu résoudre une à une avant que les sondes puissent partir. C'est cela qui me fait dire avec confiance que le cancer sera lui aussi maîtrisé un jour. De même que le stockage des déchets nucléaires que nous continuons d'accumuler.

Tout cela pendant que les *Voyager* s'éloignent de plus en plus vers un monde dont nous ignorons tout.

Peut-on l'appeler Éternité ?

33

C'est long, l'éternité ?

Je mesure de plus en plus le caractère décisif pour moi de la période où, très jeune, j'ai vécu à Paris. Elle m'a formé à plus d'un titre.

Certains moins agréables que d'autres.

Par exemple, il y avait dans cette ville une femme dont j'ai longtemps souhaité la mort.

Au bout d'un mois de séjour, alors que je n'avais plus un centime, j'avais trouvé du travail dans un atelier de réparation de saxophones et de clarinettes, où M. Simon nettoyait les instruments et changeait les clés avant de me les passer pour que je les remonte.

Le petit atelier était situé au fond d'une cour sur les hauteurs de Belleville. J'y côtoyais un autre employé, un type assez âgé, rond comme une bille, qui était à la fois lâche et méchant. Il ne disait rien tant que M. Simon était dans les parages. Mais quand celui-ci quittait l'atelier pour se rendre dans un magasin de musique ou chez un particulier récupérer des instruments ou pour les livrer après réparation, le petit gros multipliait les commentaires désagréables sur la qualité de mon travail. J'arrivais en retard, j'étais trop lent, pas assez doué, etc. Surtout, je travaillais au noir et je pouvais être arrêté à tout moment.

Sa veulerie me rappelait les personnages grotesques chez

Dickens. Je ne lui répondais jamais. Je me fiais davantage à M. Simon, qui était un homme aimable.

Comme j'habitais porte de Versailles, j'avais un long trajet à parcourir en métro matin et soir. Il y avait deux changements. Le travail démarrait à sept heures, et je m'endormais dans la rame. Souvent je me réveillais bien après la station où j'aurais dû changer de ligne, et je débarquais avec une demi-heure de retard. M. Simon me jetait un regard sombre ou peut-être mélancolique, mais il ne disait rien.

Je descendais à la station Jourdain. Ensuite, j'avais dix minutes de marche. Chaque matin en sortant de la bouche du métro, je tombais sur une vieille femme plantée sur le trottoir et qui me dévisageait fixement. Je ne sais pas ce qu'elle faisait là, d'où elle venait, où elle allait. Comme je n'arrivais jamais exactement à la même heure, j'espérais toujours l'éviter. Mais chaque matin elle était là. Comme si elle était informée d'avance du moment où j'apparaîtrais. Toute de noir vêtue et mâchouillant sa gencive inférieure dépourvue de dents.

Je ne la connaissais pas, je ne savais pas qui elle était. Elle ne m'avait rien fait. Pourtant j'en suis venu à la haïr. Elle était comme un chat noir, ou une sorcière, qui me voulait du mal en me suivant toujours du même regard fixe quand je la croisais, titubant de fatigue, pour me rendre au travail.

Elle m'obsédait. Je voulais la voir morte. En pensée, je la poignardais, je lui défonçais la tête à coups de pierre, ou alors je l'étranglais.

Trente ans plus tard, je suis redescendu à la station Jourdain et j'ai repris le chemin de l'atelier de M. Simon. J'ai sursauté en croyant voir la vieille femme venir à ma rencontre sur le trottoir. Une petite silhouette tout en noir. Mais ce n'était pas elle. Elle était sûrement morte entre-temps.

Il m'est arrivé dans la vie d'avoir envie de tuer ou au moins de blesser quelqu'un qui m'avait insulté ou qui s'était mal comporté. Mais il s'agissait dans tous les cas de tempêtes émotionnelles passagères que j'ai, pour la plupart, complètement oubliées. J'ai toutes les raisons du monde de me réjouir de n'être pas spécialement rancunier.

Cette vieille femme de Belleville est la seule exception. Je n'ai jamais cessé de lui en vouloir – jusqu'au moment où je suis retourné sur les lieux, bien des années après.

Je ne crois pas pouvoir expliquer ce sentiment de façon rationnelle. Peut-être était-ce de devoir travailler si dur pour me permettre de rester à Paris qui m'a fait éprouver de la haine contre cette vieille femme inconnue.

Aujourd'hui, il m'arrive de penser que c'est hélas un trait extrêmement humain. J'avais besoin d'un bouc émissaire pour me défouler, décharger ma colère d'être contraint de trimer pour me loger et me nourrir. Elle a eu la malchance de se trouver sur mon chemin.

Je refuse cependant d'employer le mot « mal ». Je ne crois pas à l'existence du mal. Les hommes ont de tout temps commis des actions mauvaises, mais ce n'est pas la même chose. Ceux qui affirment que certains naissent mauvais nous renvoient à une époque où l'on croyait encore au péché originel. On naissait mauvais comme on naissait avec des cheveux roux ou des taches de son.

J'ai rencontré dans ma vie des gens qui avaient commis des actes atroces, barbares, insoutenables. J'ai croisé des enfants soldats qui avaient assassiné leurs parents, leurs frères, leurs sœurs. Mais ces enfants ne sont en aucun cas mauvais de naissance. Ils ont commis ces actes sous la menace d'une arme braquée contre leur tête. Ils ont eu à choisir entre leur propre vie et celle de ceux qu'on les obligeait à tuer.

Qu'aurais-je fait, en tant que garçon de treize ans, dans

la même situation ? Honnêtement je n'en sais rien. Je peux espérer que j'aurais agi différemment. Mais ce n'est pas sûr.

Quand d'anciens voisins ont commencé à s'entre-tuer dans les Balkans, il ne pouvait davantage être question d'un mal inné qui se serait soudain déchaîné hors de tout contrôle. Là encore, ce sont des circonstances mauvaises qui ont pris le dessus.

« La barbarie a toujours des traits humains, c'est ce qui la rend inhumaine. » Je ne vois pas de raison de modifier cette phrase que j'ai attribuée à un de mes personnages il y a quarante ans.

J'ai été exposé à la haine et à la violence. Assez pour avoir probablement épuisé le stock de vies que chacun reçoit en partage à la naissance.

Je n'ai pas souvent été impliqué dans des bagarres. Dans la cour de récréation c'est arrivé, bien sûr. Je me faisais généralement tabasser, vu que j'étais rapide mais pas très fort. En plus, j'avais la mauvaise habitude de lancer des défis que j'étais condamné à perdre. Je le savais, mais mon espoir était d'assener au moins un coup, qui portait bien et faisait mal. J'y parvenais rarement.

Nos bagarres étaient toutefois innocentes. Elles allaient rarement plus loin qu'un saignement de nez.

À quinze ans, j'ai travaillé quelque temps dans la marine marchande et j'ai débarqué un certain nombre de fois à Middlesbrough pour le compte d'une compagnie maritime qui convoyait du minerai de fer suédois à travers le monde. Middlesbrough était une destination récurrente. Un soir j'ai débarqué, j'ai trop bu et n'ai pas retrouvé le bateau. J'ai demandé mon chemin à une jeune fille. Elle ne comprenait peut-être pas mon anglais, que sais-je. Soudain, trois types sont arrivés en courant et m'ont accusé de l'avoir accostée comme une prostituée. Ce n'était pas le cas. Ils m'ont tabassé et ils m'ont piqué mes chaussures. Je suis remonté à bord en chaussettes, il pleuvait, j'avais du sang coagulé dans les sourcils et sur les lèvres. Mais ce n'était pas si grave. À bord, je suis tombé sur le second, un Norvégien qui a souri d'un air goguenard et m'a suggéré de mettre des chaussures la prochaine fois que je débarquerais par temps de pluie.

D'autres fois, ça a été plus sérieux. Une fois j'ai vraiment cru que j'allais mourir.

C'était à Lusaka, au printemps de 1986. J'avais dîné au restaurant et je rentrais au volant de ma voiture à l'endroit où je devais passer la nuit, un bâtiment appartenant à une association d'aide norvégienne. Je surveillais le rétroviseur car il n'était pas rare que les conducteurs de 4 × 4 se fassent voler leur véhicule en pleine rue sous la menace d'une arme. Je n'avais rien repéré de suspect. Je me suis engagé dans le quartier résidentiel.

Erreur ! L'une des voitures qui m'avaient dépassé un peu plus tôt connaissait ma destination. La maison devait être sous surveillance depuis le début de la soirée.

Comme d'habitude, j'ai freiné devant le portail et j'ai klaxonné deux fois, ce qui était le signal convenu pour que les gardes laissent entrer le véhicule.

Il leur arrivait de dormir ou d'être occupés à autre chose et de mettre un petit moment à ouvrir le portail. Cette fois, leur lenteur m'a sauvé. Quand ils sont arrivés, un coup d'œil leur a suffi pour comprendre ce qui se passait, et ils ont fait le nécessaire. C'est-à-dire rien. Ils se sont figés et ils ont gardé le silence. S'ils étaient intervenus, la fusillade aurait été inévitable.

Une voiture venait de s'arrêter derrière moi, bloquant la rue. Ma vitre était baissée. Soudain j'avais le canon d'un pistolet contre la tempe. J'ai fait ce qu'on m'avait enseigné : mains en l'air, pas de geste brusque.

Je savais que je risquais de prendre une balle dans la tête. C'était le scénario le plus courant. En Zambie, à cette époque, le simple fait de brandir une arme à feu était passible de la peine de mort – même si l'arme n'était pas chargée, même s'il s'agissait d'un jouet. Les tribunaux zambiens condamnaient à la pendaison, et les sentences étaient exécutées. D'où la mauvaise habitude prise par les cambrioleurs et les *carjackers* de tuer leurs victimes, vu que s'ils étaient capturés ils mourraient de toute façon.

Je sentais que l'arme était une vraie. J'ai été traîné hors de la voiture. J'ai eu le temps de percevoir que l'homme était noir, qu'il avait les yeux injectés de sang et qu'il puait le chanvre. Là encore, rien d'inhabituel. Les braqueurs suédois se droguent souvent eux aussi avant de passer à l'action. C'est angoissant, un braquage.

J'étais certain que j'allais mourir. Il m'a obligé à me coucher sur le sol. J'ai pensé que c'était une mort particulièrement absurde. Et prématurée. Je n'avais même pas quarante ans.

Je ne crois pas avoir éprouvé un sentiment de panique ou une peur paralysante de la mort. Il n'y avait que la résignation. Et l'odeur de la terre mouillée pressée contre mon visage. J'ai peut-être pensé que ce serait ma dernière sensation. Une odeur de terre africaine mouillée. Puis la voiture a démarré brutalement. Il n'y avait plus personne.

Après, j'ai subi le contrecoup. J'ai eu des tremblements incontrôlés, le cœur qui battait la chamade, je n'ai pas fermé l'œil plusieurs nuits durant. Mais je ne me souviens pas d'avoir ressenti de la haine vis-à-vis de l'homme qui avait appuyé le canon de son arme contre ma tempe. La gratitude qu'il n'ait pas tiré était pour ainsi dire beaucoup plus forte.

Il existe un épilogue à cet incident. Environ un mois plus

tard, j'ai été averti par la police que ma voiture avait été retrouvée alors qu'on s'apprêtait à lui faire franchir la frontière congolaise pour la revendre. L'un des trafiquants avait été tué. On me demandait de l'identifier à partir d'une photo.

Je n'avais pas vu son visage plus de quelques secondes. Pourtant, je l'ai aussitôt reconnu. J'ai appris qu'il avait dix-neuf ans et qu'il était vraisemblablement responsable de la mort de trois ou quatre personnes.

La vie est courte. La mort, elle, est très longue.

« C'est long, l'éternité ? » demande l'enfant.

Qui peut lui répondre ?

34

Chambre n° 1

Les séances de chimiothérapie se déroulaient dans le service d'oncologie de l'hôpital Sahlgrenska et toujours dans la même chambre. Elle aurait eu besoin d'un coup de neuf, mais le ménage était toujours très proprement fait. Le fauteuil poussé dans un coin – l'espace était exigu – avait un revêtement bleu et des accoudoirs en bois poli par l'usage. L'unique fenêtre était placée haut.

Du lit, je pouvais apercevoir un coin de ciel, le plus souvent gris en ces mois d'hiver.

L'une des infirmières commençait par enfoncer une aiguille dans mon bras ou dans ma main. J'ai des veines invisibles, profondes, qui n'aiment pas donner leur sang et ont tendance à se rétracter quand on cherche à les piquer. Ça pouvait prendre une demi-heure rien que pour fixer la canule. Il arrivait que l'infirmière renonce et demande à une collègue de la remplacer. Mes veines se contractaient ou, parfois, elles éclataient, mais pour finir la canule était en place.

Les substances chimiques étaient stockées dans des poches plastifiées, généralement au nombre de cinq. Ces poches étaient transparentes sauf une qui était rouge. Le premier jour, j'ai demandé pourquoi. J'aurais pu le deviner par moi-même : le contenu était photosensible.

J'entrais dans la chambre n° 1 peu avant neuf heures trente.

Cinq heures plus tard, c'était fini. Le contenu des poches avait rejoint mon circuit sanguin. Dans l'intervalle, j'étais resté seul la plus grande partie du temps. Il n'était pas nécessaire de contrôler le débit. Quelqu'un venait parfois me demander si j'étais allé aux toilettes (elles étaient situées dans la chambre). Oui, pas de problème, les reins fonctionnaient.

Je voyais quelquefois un oiseau égaré passer devant la fenêtre. Les oiseaux ont peut-être leurs propres hôpitaux, m'arrivait-il de penser. Mais un moineau suédois ordinaire peut-il avoir un cancer ? Je n'en sais toujours rien. Je crois que oui.

Au cours de ma troisième séance, j'ai reçu une visite inattendue. Je m'étais assoupi sur le lit. L'infirmière avait branché la troisième poche, celle dont le contenu était photosensible. Elle venait de sortir quand j'ai entendu la porte se rouvrir.

Ce n'était pas l'infirmière qui revenait. C'était une jeune fille, âgée de vingt ans au plus. Je ne l'avais jamais vue, et j'ai pensé que c'était peut-être l'une des élèves infirmières que je n'avais pas encore eu l'occasion de rencontrer. Mais elle ne portait pas de blouse ; rien dans sa tenue n'indiquait qu'elle travaillait à l'hôpital.

Alors ce devait être une patiente comme moi. Elle me dévisageait. Elle bougeait avec lenteur, comme si chaque geste lui coûtait un immense effort. Elle était très maigre, pâle, et avait les yeux brillants. La fatigue lui creusait des cernes, qu'on aurait dits tracés au khôl.

Soudain j'ai compris qu'elle portait une perruque. Ces cheveux noirs n'étaient pas les siens.

Dans l'esprit de tout un chacun, la chimiothérapie est toujours associée à la perte des cheveux. Personnellement, cela m'a été épargné. J'en ai perdu pas mal, mais ils ne sont pas tombés par plaques, je ne me réveillais pas le matin l'oreiller couvert de cheveux. J'avais remarqué que les autres, en me voyant, jetaient spontanément un coup d'œil à mon crâne.

Quand j'étais à l'hôpital, j'observais moi aussi en cachette le crâne des autres patients. Il y avait ceux qui portaient une perruque et ceux qui assumaient leur calvitie. J'avais cru que ce serait pire pour les femmes. Mais c'était un préjugé. J'ai vu là-bas plus d'hommes à perruque que de femmes.

La jeune fille me regardait comme si elle émergeait d'un rêve.

Elle ne paraissait pas être suédoise. Une remarque idiote : si ses traits la situaient du côté du Moyen-Orient, elle pouvait fort bien être née en Suède. Notre pays s'est construit au travers des migrations, dans les deux sens. Pour ma part, je sais que j'ai des origines au moins françaises et allemandes.

Je lui ai souri et lui ai demandé si elle cherchait quelqu'un. Elle n'a pas eu l'air de comprendre ce que je disais. Elle s'est avancée, chancelante, et s'est assise, ou plutôt effondrée, sur le fauteuil aux accoudoirs usés. Elle s'est laissée aller contre le dossier. Elle a fermé les yeux.

J'ai deviné qu'elle était très gravement malade. Malgré son jeune âge, la terre l'attirait à elle. Sa fatigue était de l'épuisement pur et simple. Là, dans le fauteuil, elle paraissait tout juste vivante. Elle était déjà un peu hors du champ de la vie.

Alors la porte s'est rouverte. Une femme d'une cinquantaine d'années est entrée. Elle m'a jeté un regard rapide. Doucement, elle a touché le bras de la jeune fille. Elle lui parlait en arabe. Je ne comprenais pas ses paroles, mais il était clair qu'elle était sa mère.

Son père est arrivé peu après, un petit homme effacé au visage sillonné de rides. Lui aussi m'a à peine regardé, allongé sur mon lit avec ma perfusion. Ils n'avaient d'yeux que pour leur fille. Avec une tendresse infinie, ils l'ont aidée à se relever. Ils ont quitté la chambre en la soutenant de part et d'autre.

Je n'existais pas. Seule leur fille malade existait.

La porte s'est refermée. Ça a fait un bruit, comme si c'était une lourde porte d'église. La mort vient de me rendre une petite visite – voilà ce que j'ai pensé, sans chercher à me dissimuler l'effroi que me causait cette rencontre avec la jeune fille. Pourquoi avait-elle ouvert la porte de la chambre n° 1 ? De quel message était-elle porteuse ? La mort avait-elle des ambassadeurs ?

Quand l'infirmière est venue changer ma perfusion, je n'ai pas pu m'empêcher de lui parler de ma visiteuse. Elle m'a paru très atteinte, ai-je dit. L'infirmière a hoché la tête sans interrompre son travail. Elle était en train de régler la vitesse du débit.

Puis elle m'a répondu. Oui, cette jeune fille était très malade. La façon dont elle l'a dit m'a fait comprendre que la mort n'était pas loin. Mais je n'ai pas demandé de quel cancer elle souffrait. On ne parle pas des autres patients. C'est la règle. Chacun tient à son intégrité.

Je n'ai cependant pas pu retenir une question, qui ne concernait pas sa maladie.

« Pourquoi est-elle entrée dans cette chambre ? »

Je n'attendais pas vraiment de réponse. Mais je me trompais.

« Elle a été transférée là après un dégât des eaux survenu dans celle qu'elle occupe d'habitude. Il n'y avait plus de place dans l'unité d'hospitalisation. Elle est restée ici une semaine avant de pouvoir réintégrer sa chambre. »

Et puis, comme une parenthèse que je n'étais pas vraiment censé entendre :

« Son cerveau est atteint. Il lui arrive de quitter sa chambre. Ses parents la cherchent jusqu'à ce qu'ils la retrouvent. Ils sont en permanence à l'hôpital. Elle est leur seul enfant. Les autres sont morts dans une guerre qu'ils ont fuie. »

Je n'en ai pas appris davantage. Je ne sais pas si sa confusion mentale tenait à une tumeur au cerveau. Ça n'a pas d'importance. Quand elle est entrée dans ma chambre, elle était en route, mais elle ne savait pas vers où.

J'avais beau être là, sur le lit, pour elle il n'y avait personne dans la pièce.

Je ne l'ai jamais revue, pas plus que ses parents. Je ne sais pas quel est son nom. Ni si elle est encore en vie.

Mais chaque fois que je retourne dans la chambre n° 1 pour une séance de chimiothérapie ou pour une transfusion quand mon taux d'hémoglobine est si bas que je ne peux pas me lever sans perdre l'équilibre, il me semble la voir, assise là, sur le fauteuil.

Que me voulait cette jeune fille envoyée par la mort ? Je l'ignore toujours.

35

La route de Salamanque, 1

C'était en 1985. J'avais trente-sept ans. Deux jours auparavant, à quatre heures du matin, j'avais démarré d'Albufeira, dans le sud du Portugal, pour rentrer en Suède. La première nuit, j'ai dormi au-dessus de l'atelier de mécanique d'une station essence au nord de Lisbonne. La chambre sentait le diesel et l'huile moteur. La voiture que je conduisais était modeste. Pas besoin de la mettre à l'abri pendant la nuit ; personne n'aurait eu l'idée de la voler ni même de casser une vitre, car elle ne contenait rien. Tout ce que je possédais était dans une valise qui se trouvait avec moi dans la chambre.

Le lendemain, j'ai repris la route vers le nord. On était début août, il faisait très chaud et la circulation était intense. En Europe les vacances venaient de commencer, vidant les grandes villes de leurs habitants désireux de rejoindre le Sud, la Côte d'Azur, la Costa del Sol et l'Algarve. Je rentrais en Suède avec un manuscrit presque achevé. Un garçon de café d'Albufeira m'avait loué un appartement où j'avais pu écrire avec vue sur la mer.

J'avais bien travaillé. Le dernier mois, un cirque s'était installé dans le coin. Je m'étais habitué à la musique et aux applaudissements. J'étais allé voir leur dernière représentation. Le lendemain, le cirque et moi avions plié bagages en même temps.

J'écoutais les nouvelles à la radio tout en conduisant. Apparemment, il ne s'était rien passé d'important, même si tout paraissait de la plus haute importance. Et comme souvent les informations étaient quasi incompréhensibles.

J'avais décidé de bifurquer vers l'est et de passer par les montagnes pour rejoindre l'Espagne. Je verrais bien où je m'arrêterais pour dormir. J'avais l'intention de rouler le plus longtemps possible.

À l'époque, je dirigeais un théâtre et je m'interrogeais beaucoup sur la façon dont je prenais mes décisions en général dans la vie. Le rétroviseur me renvoyait un visage bronzé. Mes pensées, elles, étaient blanches. Pâles, dirais-je. Tout l'été, j'avais été miné par une inquiétude sourde. Comment trouver la force d'être le chef d'une paroisse aussi compliquée que l'est – et doit l'être – un théâtre ?

Je roulais sur des routes de montagne sinueuses en direction de la frontière. Cet après-midi-là, j'ai atteint les plaines immenses de l'ouest de l'Espagne. Une route absolument rectiligne, à l'infini, coupant un paysage calciné. À un endroit, j'ai compté trente kilomètres jusqu'à la première petite modification imperceptible du tracé ; puis de nouveau le ruban d'asphalte filant droit vers l'horizon.

J'ai fait une pause, assis à l'ombre d'un arbre tout sec. J'ai mangé mon casse-croûte et j'ai chassé les mouches pendant un moment avant de reprendre la route.

La nuit était déjà tombée lorsque je suis arrivé à Salamanque. J'avais roulé longtemps depuis mon départ de la station essence de la banlieue de Lisbonne. J'ai décidé de passer la nuit dans cette ville. J'ai roulé au hasard dans le centre avant de trouver un hôtel bon marché. Coup de chance, j'ai pu me garer juste devant.

La chambre était un boyau ; elle avait peut-être servi de couloir autrefois, dans la maison d'une riche famille avant que celle-ci ne soit reconvertie en hôtel. Mais le lit était confortable. Je me suis douché, changé, puis me suis allongé sur le lit. J'entendais des voix ; deux personnes se disputaient dans la chambre voisine, sur un ton presque calme et discret. Je percevais des bribes de leur échange. Apparemment, le sujet du conflit était le plus courant qui soit : une histoire d'argent.

J'ai dormi un peu en rêvant du long trajet que je venais d'accomplir dans la journée. Sauf que tout était étrange. La voiture était la même, le paysage aussi, et jusqu'aux informations que j'avais entendues à la radio en conduisant. Mais je n'étais pas seul dans la voiture. Quelqu'un était assis à côté de moi. Sans doute y avait-il aussi une troisième personne à l'arrière. Je n'osais pas me retourner pour voir qui c'était.

Je conduisais. Mais j'étais aussi le passager. Adolescent. Nous ne parlions pas. De temps en temps je jetais un coup d'œil à ce moi plus jeune assis sur le siège voisin. Je le reconnaissais. On reconnaît en général son propre reflet.

Au réveil, je me suis attardé pour tenter de capter le message de ce rêve. Je crois qu'on rêve toujours de soi, même quand on croit rêver de quelqu'un d'autre. Mon rêve me disait que celui que j'avais été dans ma jeunesse restait important pour celui que j'étais devenu à l'âge adulte. J'étais de plus en plus convaincu que la personne assise à l'arrière était également moi. Peut-être avais-je eu peur de me retourner de crainte de me voir sous les traits d'un vieillard ? Impossible de le savoir.

Il était vingt et une heures. L'heure de dîner. En descendant, j'ai hésité à demander au réceptionniste, un homme âgé, affecté d'un pied-bot, s'il pouvait me recommander un restaurant dans le quartier. Mais son téléphone a sonné, alors j'ai renoncé et je suis sorti. Il faisait chaud. L'obscurité était douce et soyeuse comme elle peut l'être dans le sud de l'Europe, et en Afrique. J'ai flâné dans les rues. L'ambiance du soir était la même que partout ailleurs. Voitures, jeunes qui riaient ou faisaient du bruit, chiens qui aboyaient, musique se déversant par la porte ouverte d'un bar. Et des cloches d'église, soudain, s'élevant par-dessus ce tapis sonore.

Il y avait quelque chose d'intemporel dans l'atmosphère de ce soir-là à Salamanque. Je ressentais la légèreté qui m'envahit quand je me trouve dans un endroit où personne, absolument personne, ne sait où je suis.

De Sveg à Salamanque. Je me souviens d'avoir pensé cela. Un long voyage, depuis le Norrland neigeux et mélancolique jusqu'à la vieille cité espagnole. Il avait duré de nombreuses années. Personne n'aurait pu prédire qu'un jour, par une chaude soirée du mois d'août, je marcherais dans ces rues à la recherche d'un endroit où dîner.

J'ai hésité devant plusieurs restaurants avant de passer mon chemin. À la fin, j'ai poussé la porte d'un établissement qui me paraissait être un bistrot fréquenté par les gens du quartier. On m'a donné une petite table dans un coin. La table était bancale, la chaise aussi. Je n'ai rien dit. Le serveur, en noir et blanc, m'a proposé de goûter le sauté de veau. C'était ce qu'il y avait de mieux ce soir-là, a-t-il dit. Il avait saisi que je ne parlais pas l'espagnol, mais que je le comprenais à peu près. Il a pris le temps de s'exprimer lentement et distinctement. Il a suggéré un vin local. J'ai dit oui à tout. L'homme avait une soixantaine d'années – l'âge que j'ai maintenant, au moment où j'écris ces lignes. Des cheveux clairsemés, une moustache grise et un nez remarquablement long et pointu. Il se déplaçait entre les nombreux clients sans paraître sous tension.

J'ai mangé le sauté de veau et bu mon vin, qui n'était pas fameux. J'ai commandé un café. Les clients étaient moins nombreux, les tables désertées. Le voyage et l'obligation de rester concentré sur la route m'avaient vidé la tête. Je ne me souviens pas d'une seule de mes pensées au cours de ce dîner.

Soudain une dispute a éclaté à une table voisine. Un homme et une femme, plus jeune que lui, se plaignaient bruyamment auprès du serveur. Quelque chose n'allait pas. Cela concernait le dessert qu'ils avaient commandé. L'homme a repoussé avec ostentation son assiette en affirmant – je crois – qu'il était immangeable et que c'était un scandale de servir une horreur pareille. Le serveur écoutait en silence. Il ne baissait pas la tête tel un écolier pris en faute, au contraire : il regardait le couple bien en face, ne le quittait pas des yeux. Quand l'homme s'est trouvé à court d'arguments, la jeune femme a pris le relais. Elle avait une voix aiguë. J'ai eu l'impression qu'elle ne faisait que répéter les paroles de son compagnon.

Depuis le début de la scène, le serveur tenait en équilibre sur sa main levée un plateau rempli de verres et de tasses qu'il venait de débarrasser.

Tout est allé très vite. La femme n'était pas encore au bout de sa harangue et s'égosillait de sa voix criarde. Soudain, le serveur a levé le plateau au-dessus de sa tête et l'a projeté au sol, faisant valser tasses et verres qui se sont brisés en mille morceaux. Puis, calmement, il a ôté son tablier blanc et l'a jeté au sol avec le reste. Et il est parti. Il a quitté le restaurant en bras de chemise, sans se retourner. Il a disparu.

Un silence assourdissant est descendu sur la salle. Le chef est sorti de sa cambuse. L'homme assis derrière la caisse n'avait pas bougé. Il a appelé en direction des cuisines. Un Noir est apparu. Il portait des gants de vaisselle. L'autre a fait un geste, et l'homme a commencé à ramasser les débris de verre et de faïence pendant que le caissier se levait et s'excusait au nom de l'établissement auprès des rares clients encore attablés. Tout le monde s'est empressé de régler et de s'en aller. À la fin, il ne restait plus que moi. Le Noir avait fini de balayer les derniers débris. Je me suis levé pour aller payer. Le caissier a écarté les mains en un geste d'impuissance, mais il n'a rien dit.

Je suis ressorti dans la nuit veloutée. Sur le chemin de l'hôtel, j'ai traversé la Plaza Mayor, l'une des plus grandes places que j'aie jamais vues. Il y avait encore beaucoup de jeunes dehors et pour cause : à Salamanque, un habitant sur cinq est un étudiant.

En bifurquant dans une petite rue pour rejoindre mon hôtel, j'ai soudain aperçu le serveur. Il se tenait devant la vitrine éclairée d'une agence de voyages en fumant une cigarette. Il paraissait perdu dans ses pensées. Je me suis arrêté pour mieux l'observer. La devanture était pleine d'affiches vantant des destinations aux quatre coins du monde. Je ne sais pas s'il les regardait, ou s'il était seulement pensif.

Il a fini sa cigarette. Il a écrasé le mégot sous son talon et il est parti. Je l'ai vu disparaître dans l'ombre entre deux lampadaires.

Cette nuit-là, je suis resté longtemps éveillé. J'éprouvais le besoin impérieux de prendre une décision. Tout à fait comme si le brusque départ du serveur, ce « maintenant ça suffit », cette sortie spectaculaire, était un défi qui s'adressait aussi à moi. J'étais dans cette période de la vie où l'on dit que les enjeux, les risques aussi bien que les possibilités sont les plus élevés.

Il m'est apparu clairement qu'il me fallait une nouvelle fois décider à quoi j'allais consacrer ma vie. Cette courte vie bordée par deux éternités, deux grandes bouches d'ombre. Le temps alloué n'était plus aussi long qu'il avait pu l'être dix ans auparavant.

Cette nuit-là, dans la vieille cité celtique où je suis resté éveillé jusqu'à l'aube, j'ai jeté mon plateau, j'ai arraché mon tablier et je suis sorti dans la nuit tiède.

J'ai pensé que les seules histoires véritablement importantes parlent de rupture. Qu'il s'agisse de personnes isolées ou de sociétés entières, que ce soit par la révolution ou les catastrophes naturelles. Écrire, décidai-je, c'était orienter ma lampe vers les recoins sombres et tenter d'éclairer de mon mieux ce que d'autres s'efforçaient au contraire d'occulter.

Il y a deux sortes de conteurs, toujours en lutte. L'un enfouit et dissimule, tandis que l'autre exhume et dévoile.

Je me suis assoupi à l'aube. J'ai dormi quelques heures. À mon réveil, j'avais de la fièvre et mal à la gorge. L'idée de reprendre la route, deux cents kilomètres jusqu'à Madrid, puis de bifurquer vers la côte basque et la France, était irréaliste. L'hôtel était abordable. J'ai décidé de rester encore une nuit.

Le soir, je suis passé devant le même restaurant, sans y entrer. Par la vitre, j'ai vu un serveur au travail. Ce n'était pas celui de la veille.

Le lendemain, j'ai repris la route. De Sveg à Salamanque, le voyage avait été très long. Mais il y en avait encore un autre, qui partait de Salamanque et dont je ne connaissais pas la destination.

Le plateau heurte le sol. Les éclats de verre et de faïence volent.

Une rupture intervient. Une question est posée.

36
L'homme qui descendit de cheval

La maladie m'a rendu plus distrait. Je ne sais pas combien de temps je perds chaque jour à chercher mes lunettes, un papier, le téléphone, une boîte de médicaments, un livre, une pomme entamée.

Autrefois, pendant des années, j'ai cherché avec constance un arbre.

Il devait se trouver quelque part le long de l'ancienne route reliant Cambridge à Londres. On disait qu'il existait une plaque indiquant qu'à cet endroit un jeune homme était descendu de cheval et s'était assis au pied de cet arbre pour prendre une décision vitale.

Je n'ai jamais découvert l'arbre en question. Parce que je n'ai pas pris le temps de chercher jusqu'au bout. Je le regrette. Mais je sais qu'il est là, entretenu avec soin en mémoire d'un homme que l'histoire a peu ou prou oublié.

Il s'appelait Thomas Clarkson. Il avait six ans quand son père mourut. À compter de ce jour, il vécut dans une grande pauvreté, mais réussit par la suite à étudier à la faculté de théologie de Cambridge. Personne ne doutait de l'étendue de ses capacités ni de la profondeur de sa foi. Sa route de prêcheur paraissait toute tracée.

La bourse dont il avait bénéficié ne couvrait que ses besoins vitaux. Il était sans cesse contraint de chercher de nouvelles sources de revenus.

Un jour, il lut l'annonce d'un concours. Il fallait écrire un essai sur l'esclavage.

Cela se passait en 1785. La Révolution française allait bientôt condamner cette pratique inhumaine. En Angleterre, c'étaient surtout les quakers qui s'élevaient contre l'immoralité consistant à se déclarer propriétaire d'autres êtres humains et à les exploiter dans des conditions effroyables.

Thomas Clarkson décida aussitôt de concourir. Ce n'était pas tant le thème qui l'attirait que la somme en jeu, qui l'aiderait à faire face à ses dépenses universitaires.

Il partit pour Liverpool, où il interrogea des patrons de compagnies maritimes et des capitaines de bateaux négriers. Il rencontra dans le plus grand secret des esclaves en fuite qui vivaient depuis dans les pires conditions.

Tous ne souhaitaient pas lui parler cependant. La traite était une activité fort lucrative et ceux qui en vivaient n'avaient aucune envie de la voir contestée. Un jour, il faillit se faire balancer à la mer du haut d'une jetée.

Mais il ne pouvait plus fermer les yeux sur ce qu'il avait découvert. Progressivement, l'idée de gagner le concours passa au second plan. L'important pour lui désormais était le sort cruel des esclaves africains contraints de travailler dans les plantations de canne à sucre des Caraïbes et dans les champs de coton du sud des États-Unis.

Il écrivait le soir à la lueur vacillante d'une bougie. Les voix qu'il avait entendues et les visages qu'il avait observés se détachaient de l'ombre et lui revenaient. Il y avait les armateurs pleins de morgue pour qui l'ensemble des Africains ne représentait jamais qu'une marchandise parmi d'autres. Marchandise vivante, certes, mais au même titre que les chèvres ou les animaux exotiques. Il se rappelait les paroles des commandants de bord : la brutalité et la discipline étaient nécessaires pour éviter que le chargement ne sabote l'entreprise en semant le désordre, en se mutinant, en tentant un suicide collectif, en se jetant par-dessus le bastingage…

Mais surtout, il pensait aux esclaves qui avaient réussi à s'évader et qui vivaient à présent dans la terreur d'être capturés et ramenés à leur propriétaire « légitime ». Ils seraient alors fouettés avant d'être embarqués à bord d'un nouveau bateau vers une destination inconnue afin d'y être vendus aux enchères.

Thomas Clarkson écrivit son essai et l'envoya au comité organisateur. Après quelque temps, il apprit qu'il avait gagné et qu'il devait se rendre à la cérémonie au cours de laquelle son texte serait présenté solennellement. Il hésita à répondre à l'invitation, s'interrogea sur l'opportunité d'évoquer dans son discours de remerciement le fait que l'ombre de l'esclavage ternissait la nation britannique alors qu'elle était synonyme d'une souffrance humaine injustifiable.

Il partit finalement recevoir le prix avec les éloges et les applaudissements qui l'accompagnaient. Mais il ne dit rien de ses véritables pensées.

Une fois pasteur, il apprit que son premier poste d'affectation serait basé à Londres.

Par un jour de printemps, il prit donc à cheval la route de la capitale. Il faisait beau. Mais son inquiétude ne cessait de croître. Vers midi, il fit halte près de Wadesmill, dans le Hertfordshire. (Aujourd'hui passe à cet endroit une autoroute.) Il s'assit au pied de l'arbre que je chercherais en vain deux siècles plus tard. Son cheval broutait non loin, tout était paisible, mais en lui la tempête faisait rage.

Il n'a pas noté par écrit combien de temps il était resté sous son arbre avant de prendre enfin la décision fatidique. La distance entre Cambridge et Londres étant d'environ soixante-deux *miles*, il avait donc eu le temps de s'attarder assez longuement.

Quand il se leva pour resseller son cheval, sa décision était prise. Elle mûrissait sans doute depuis longtemps. Mais c'était la première fois qu'il la formulait, à la fois pour lui-même et pour le Dieu auquel il ne cesserait jamais de croire.

Il n'allait pas devenir *clergyman*. Il allait vouer sa vie à combattre l'esclavage, à promouvoir son abolition et à demander la libération de tous les esclaves. Ce qui n'était au départ que le hasard d'un concours littéraire avait bouleversé sa vie.

Thomas Clarkson resta fidèle à cet engagement. Il vécut assez longtemps pour voir promulgué l'*Abolition Act* qui rendait hors la loi le commerce et la propriété d'esclaves dans tout l'empire britannique. Sa vie ne fut jamais facile, et elle fut souvent périlleuse. Les puissants ennemis qu'il avait rencontrés dès sa première incursion dans le milieu des marchands d'esclaves de Liverpool ne cessèrent de le combattre. Il fut exposé à de multiples agressions et tentatives de meurtre. Mais après avoir pris sa décision, il vécut encore soixante et un ans et il mourut de mort naturelle. Il savait que la vie qu'il avait menée valait bien tous les efforts consentis.

Aujourd'hui, Thomas Clarkson est pour ainsi dire oublié. À part la plaque commémorative au pied de l'arbre que je n'ai jamais trouvé, il n'existe pas de monument à sa mémoire. Un buste ou un tableau ici ou là, et son nom, qui demeurera inscrit à côté de tous les autres qui ont aboli de haute lutte la traite des esclaves.

Thomas Clarkson est l'un de ces héros de l'ombre qui sont les plus éminents représentants de l'humanité. Ces hommes, femmes et souvent aussi, de façon surprenante, enfants et adolescents ont agi dans les domaines les plus divers. Ils ont pris de grands risques et surmonté la peur que bien des fois ils ont tous dû ressentir.

Ce que j'ai écrit plus haut n'est pas entièrement vrai. Le commerce des esclaves existe en effet toujours. Même si Thomas Clarkson et ses semblables ont ébranlé l'esclavagisme tel qu'il était pratiqué à leur époque par nombre d'États de droit, la tentation brutale de gagner de l'argent grâce au commerce des êtres humains n'a jamais faibli. Aujourd'hui, il ne s'agit plus de couper la canne à sucre ou de cueillir le coton dans les champs écrasés de soleil, mais de prostitution, d'enfants mis au travail dans des conditions effarantes, d'adultes exploités dans des travaux saisonniers épuisants. Tous sont privés de leurs droits élémentaires, ont des salaires de misère et vivent loin de leur famille.

La prostitution dans le monde est pire que ce qu'elle n'a peut-être jamais été dans l'histoire humaine. Les êtres exploités sont souvent très jeunes. On les contraint à la soumission par la violence.

D'autres héros prennent le relais. Résister à la violence et à l'oppression, c'est plus qu'un droit ou un devoir, c'est une possibilité qui nous est réellement offerte. Ne pas accepter. Dire non.

Aujourd'hui encore, il nous faut des héros qui descendent de cheval et qui s'assoient au pied d'un arbre pour prendre des décisions vitales.

Ces héros-là existent. Malgré tout.

37

Pendant que l'enfant joue

Je ne suis pas croyant et je ne l'ai jamais été. Enfant, je m'efforçais de faire ma prière du soir, mais j'avais toujours l'impression de mentir.

Maintenant que j'ai un cancer, je m'interroge sur ceux que la foi console. Je les respecte, mais je ne les envie pas. Pourtant, comme si je portais malgré moi une conviction religieuse diffuse, je suis certain d'une chose concernant ceux qui vivront peut-être sur Terre dans plusieurs dizaines de milliers d'années, après une ou deux longues périodes glaciaires. C'est qu'ils posséderont une joie de vivre fondamentale.

Sans elle, l'être humain ne survit pas. Cela reviendrait à amputer l'humanité de son âme.

Quelles que soient les innombrables stratégies de survie qu'on a imaginées, la source profonde de notre force, de nos succès, c'est l'envie de vivre, la joie de vivre qui est la nôtre. Si on ajoute à cela la curiosité et la soif de connaissance sans cesse en éveil, on obtient l'image même de ce qui est l'aptitude exceptionnelle de l'être humain.

Les animaux ne se suicident pas. Les humains, oui. Ils peuvent le faire quand la joie de vivre n'est plus là, souvent à la suite d'une grande souffrance, qu'elle soit physique ou psychique. Qui a été le premier être à se suicider ? Question absurde. Mais il est attesté que le suicide accompagne comme une ombre tous les moments de l'histoire des civilisations, de leur naissance à leur apogée, à leur déclin. Bien que Cléopâtre n'ait sans doute pas eu recours à la morsure d'un aspic, nous pouvons être assurés de la réalité de son suicide. Nombreux sont les individus qui se sont noyés, pendus, empoisonnés ou tiré une balle dans la tête. Dans bien des cas, nous pouvons comprendre pourquoi la vie leur est soudain ou progressivement devenue insupportable ; dans d'autres, nous restons désemparés, inquiets, effrayés de découvrir que nous connaissions si peu la personne qui vient de mourir.

Selon Albert Camus, dans *Le Mythe de Sisyphe*, « il n'y a qu'un problème philosophique vraiment sérieux : c'est le suicide. Juger que la vie vaut ou ne vaut pas la peine d'être vécue, c'est répondre à la question fondamentale de la philosophie ».

La réponse tient à l'envie de vivre.

De quoi est-elle faite, cette envie, ou cette joie ? Nous en savons peut-être beaucoup plus là-dessus qu'il y a encore trente ou quarante ans. En dernier recours, il s'agit de processus chimiques. Que nous le voulions ou non, nos expériences, y compris celles de nature spirituelle, résultent de phénomènes physiologiques quantifiables.

Quand j'évoquais plus haut le jeune homme qui a choisi la voie de la recherche en neurobiologie, ce sont ces processus-là qu'il veut explorer et tenter de comprendre. Ces explorations sont complexes et demandent beaucoup de ténacité. Leurs résultats sont difficiles à interpréter. Mais notre compréhension de ces processus énigmatiques, ceux-là mêmes qui font de nous des êtres humains, croît de jour en jour.

Beaucoup de gens protestent quand on leur dit que la passion la plus torride n'est en dernier ressort qu'une affaire de chimie. L'amour, l'érotisme, la passion, ce doit être autre chose, pensons-nous. Et pourtant, les processus chimiques, source magique du sentiment amoureux, conduisent à des actes qui peuvent prendre les formes les plus diverses : offrir des cadeaux, écrire des poèmes, connaître des nuits d'insomnie, de jalousie féroce, de joie sans limites. Mais au départ ce sont des processus chimiques qui déterminent ce que nous sentons et pensons, de quelle façon nous aimons, comment nous souffrons l'humiliation de la jalousie.

J'ai du mal à concevoir que ces processus amoindriraient la dignité des passions humaines. Au contraire, dirais-je. Michel-Ange n'aurait pas été un moins grand artiste s'il avait eu connaissance de ce que nous savons sur les processus invisibles qui gouvernent les événements majeurs et les grandes décisions de notre existence.

Mais la joie et l'envie de vivre ? J'imagine qu'on pourrait les décrire de la manière suivante : un enfant est assis seul. Il joue. Enfermé dans son jeu et dans ses pensées qui n'appartiennent qu'à lui, il fredonne. Une mélodie personnelle, intime, sans paroles.

L'enfant est comme une île au milieu de la mer. Les vagues caressent le rivage. Il n'y a pas de nuages, pas de menace, pas de peur, pas de douleur. La vie entière n'est qu'une sensation agréable, celle de jouer en fredonnant tout seul.

Le temps s'est arrêté. Il n'existe plus. L'espace est doux, fluide. Regarder au-dehors ou à l'intérieur de soi, c'est pareil.

L'enfant joue et chantonne. La vie est parfaite, accomplie.

Peut-être certains sentiments sont-ils si puissants qu'ils ne peuvent être exprimés en paroles ? On ne peut que les chanter… Le fredonnement de l'enfant ressemble à celui de la chanteuse de fado ou de la soprano incarnant la Reine de la nuit dans *La Flûte enchantée*.

Sans la joie et l'envie de vivre, il n'est pas d'êtres humains. Ceux à qui l'on a pris leur dignité et qui luttent pour la récupérer se battent également pour leur droit à retrouver le goût de la vie. Ceux qui tentent de fuir la guerre ou la misère pour gagner les rives prospères de l'Europe et dont le corps sans vie s'échoue sur les plages de Lampedusa et de Sicile, ceux-là étaient aussi en route pour reconquérir leur joie de vivre.

On parle parfois avec mépris des migrants qui cherchent à entrer clandestinement en Europe comme des « chercheurs de fortune ».

C'est ce qu'ils sont. C'est ce que nous sommes tous. Nous cherchons la bonne fortune. Le bonheur. Même si le mot est galvaudé par son usage à la fois sirupeux et commercial, c'est bien cela que nous cherchons tous : une vie digne, fondée sur la joie de vivre.

Pourquoi les Européens sont-ils partis par millions vers l'Amérique du Nord et du Sud ? Pour exactement les mêmes raisons.

L'enfant fredonne, sur la plage, dans le jardin, sur le trottoir. Il joue tout en murmurant sa chanson sans paroles.

Il n'est pas d'humanité ni de civilisation sans cet enfant. Dans le monde austère de la biologie, il n'existe pas d'autre sens à la vie que celui de se multiplier pour alimenter la chaîne sans fin des générations. Mais selon une définition plus profonde, on peut dire que chaque génération a le devoir de transmettre les questions sans réponse à la génération suivante, à charge pour celle-ci de trouver les réponses que nous n'avons pas réussi à découvrir.

Un jour, cette chaîne commencée dans les brumes de l'histoire, quand nous avons dit adieu aux chimpanzés pour tracer notre propre route – cette chaîne s'interrompra. Voilà au moins une chose dont nous pouvons être certains, concernant notre avenir. Toutes les espèces meurent tôt ou tard, ou se transforment. Il n'y a aucune raison de penser que cela ne nous concerne pas également. Le fait que nous soyons l'espèce la plus prospère que l'évolution ait produite ne nous épargnera pas notre destin, qui est de nous éteindre un jour nous aussi.

Nul ne sait quand ni comment cela se produira. Nous pouvons pressentir que notre instinct de destruction nous conduira à anéantir notre espèce de notre propre initiative. Mais nous ne pouvons en être sûrs. Un fou ayant accès à un arsenal nucléaire peut dès aujourd'hui mettre un point final à l'aventure en appuyant sur un simple bouton.

À ce que je viens d'écrire on peut opposer ce que j'appellerais « l'histoire des barricades ». Toutes les révoltes et les révolutions s'expliquent par le fait que ceux qui sont au bas de l'échelle revendiquent leur droit à l'envie de vivre et à la joie de vivre. Ces révoltes sont en général matées de façon brutale par ceux qui s'estiment en droit de décider des conditions de vie de leurs semblables.

Après mai 1968, les autorités françaises ont fait asphalter les rues autour de la Sorbonne. Aujourd'hui, il n'est plus possible de desceller les pavés qui se cachent dessous. Mais rien ne pourra empêcher d'éventuels révoltés d'édifier d'autres barricades par d'autres moyens.

Pendant que l'enfant joue en fredonnant son air sans paroles.

38
Elena

Mais tous les enfants ne jouent pas.

Voici l'histoire de deux enfants dont le temps était tout entier voué à la survie.

Voilà une quinzaine d'années, à côté du théâtre où je travaille à Maputo, deux garçons vivaient dans la rue. L'aîné devait avoir cinq ans. Si on lui demandait son âge, il ne savait pas répondre. Mais son frère, dont il s'occupait, en avait trois. Nous étions arrivés à cette conclusion ensemble, par déduction.

Un gamin de cinq ans s'occupait donc d'un autre qui en avait trois.

Ils dormaient dans un carton d'emballage de réfrigérateur. C'était avant que les appareils neufs ne soient vendus enrobés de film plastique. Le jour où ces grands cartons ont disparu, beaucoup d'enfants se sont retrouvés sans maison.

Ils dormaient donc enlacés à l'intérieur du carton. Le matin, l'aîné lavait son petit frère. Changer de vêtements, il n'en était pas question, ils n'en avaient pas d'autres. Je n'ai de ma vie, ni avant ni après, rencontré quiconque qui soit aussi dépourvu de possessions terrestres. On peut dire qu'ils vivaient sur les traces de François d'Assise, même s'ils n'avaient évidemment jamais entendu parler de lui.

Le jour, ils erraient dans la ville en mendiant. Beaucoup

de gens étaient sensibles à ces deux frères qu'on voyait toujours ensemble. Mais la ville comptait tellement d'enfants qui vivaient dans la rue comme des rats ou des chiens errants que la mendicité ne leur rapportait pas grand-chose. À la tombée de la nuit, on les voyait revenir et rentrer dans leur carton.

Ils ont vécu là, dans cette rue, pendant des années. Par mauvais temps, nous les autorisions à dormir dans le théâtre. Nous leur donnions des vêtements qu'ils convertissaient aussitôt en nourriture en les revendant à d'autres enfants contre des croûtons de pain. Ils avaient beau être totalement dépendants de ce que les autres leur donnaient, il n'existait pas moins chez l'aîné une forme étrange mais évidente de dignité. Comme s'il savait avec certitude qu'il accomplissait brillamment une tâche impossible : servir de parent à son frère, bien qu'ils aient juste huit ans à eux deux !

Je ne les ai jamais vus jouer. Leur existence était une survie – à peine davantage. Il y avait une gravité austère, ou peut-être faudrait-il dire tendue, dans la volonté de l'aîné de garder son frère à peu près propre et de veiller à ce qu'il ait chaque jour de quoi manger. Il ne restait ni temps ni espace pour le jeu.

Ils étaient souvent silencieux. Quand l'aîné s'adressait à son frère, c'était toujours à voix basse, près de son oreille, comme s'il avait de grandes confidences, de grands secrets à lui communiquer, à lui et à personne d'autre.

Un jour, des représentants d'une quelconque mission catholique sont venus les chercher. Une semaine plus tard, ils étaient de retour. Mais entre-temps leur carton avait disparu, réquisitionné par d'autres gamins. Ils ont dormi dans un escalier pendant un temps avant de réussir à trouver un autre carton. Plus petit cette fois – il avait servi à emballer un congélateur.

On les a vus un après-midi arriver en traînant un chiot plein de puces. Dieu seul sait comment ils se l'étaient procuré. Il s'est serré dans le carton avec les deux frères. Et puis le chien a disparu. Quelqu'un avait aperçu les garçons le revendre à un autre gamin contre un demi-poulet.

J'essayais de parler avec eux. Mais l'aîné veillait comme un faucon sur son petit frère. Il n'autorisait personne à s'approcher de lui, à moins d'avoir confiance. Et il n'avait sans doute confiance en personne. Les enfants des rues ont rarement une bonne raison de se fier aux adultes. S'ils sont séparés de leurs parents et se retrouvent à vivre dans la rue, il y a généralement une explication à cela.

Les enfants des rues existent depuis que les premières civilisations ont supplanté la société tribale. On ne les rencontre pas uniquement dans les pays pauvres. Les plus riches métropoles ont aussi leurs enfants qui dorment dehors.

Quand j'ai vécu à Maputo, je me suis obstiné à me lier d'amitié avec quelques-uns d'entre eux. Cela s'est plus ou moins bien passé. Parfois il a fallu des années pour établir un contact qui permette d'obtenir autre chose que des mensonges en réponse à mes questions. Souvent ils mouraient en cours de route. Leur vie était tellement brutale. Certains mouraient d'avoir trop sniffé de produits toxiques, d'autres de diarrhée, ou du paludisme. D'autres encore mouraient assassinés.

Avec les deux frères, J'ai parfois réussi à nouer un dialogue. J'ai compris qu'ils appartenaient au vaste groupe de ceux qui avaient quitté une situation familiale impossible. Le lion qui reprend une meute à son compte commence par tuer la progéniture de son prédécesseur. Ce comportement se retrouve chez certains humains. Quand un homme épouse une femme qui a déjà des enfants, il arrive qu'il mette ces enfants à la porte. Ou qu'il leur rende la vie infernale au point qu'ils préfèrent partir d'eux-mêmes. Et les mères ne sont pas en état de protester. Ce serait synonyme de famine ou de mort. Ou alors la prostitution devient la seule issue.

Je ne les ai jamais vus en compagnie de quelqu'un qui aurait pu être de leur famille. Les deux garçons vivaient comme dans une bulle, sans passé et sans avenir. Ils n'avaient littéralement personne. Ils étaient tout l'un pour l'autre. Pour eux, l'univers vide et froid commençait à l'extérieur du carton.

En même temps, c'était une grande, une intense histoire d'amour. Quand le petit avait mal au ventre, son grand frère lui caressait tendrement les cheveux – qu'il avait très sales. Ces témoignages d'amour et de sollicitude me semblent innés, non acquis.

Je n'ai jamais vraiment su leur nom. L'aîné disait se prénommer Joao. Puis soudain il est devenu Armando, comme si c'était tout naturel. Le plus jeune s'appelait peut-être George, ou Victor. Rien n'est sûr. Et ils n'avaient pas de nom de famille. Ni l'un ni l'autre ne possédait bien sûr de papiers d'identité.

Un jour, ils ont disparu. Restait le carton vide, mouillé par la pluie, qui a vite été récupéré par d'autres enfants. Je ne sais pas ce qui leur est arrivé. Ils devaient avoir environ neuf et sept ans au moment de leur disparition. Je ne les ai jamais revus, bien que je les aie souvent cherchés des yeux quand je marchais ou circulais en voiture dans la ville. Aucune des personnes que j'ai interrogées n'a pu me renseigner. Ils avaient disparu, voilà tout.

J'ai pourtant la certitude qu'ils sont en vie. Que ce sont aujourd'hui des adultes. Les enfants des rues ne vivent pas vieux en général, mais je crois que ces deux frères s'en sont sortis. Justement parce qu'ils n'étaient pas seuls. Ils étaient deux.

Elena aussi s'en est sortie. J'ai rencontré cette jeune fille voici quelques années. Elle avait été recueillie par des bonnes sœurs alors qu'elle était encore nourrisson. Une heure de plus dans le caniveau, elle n'aurait pas survécu. Sa mère l'avait déposée avant l'aube et était partie sans laisser de traces. On ne l'a jamais retrouvée. Peut-être ne l'a-t-on pas cherchée avec beaucoup de conviction, puisqu'on n'avait pour ainsi dire aucune chance de l'identifier.

Elena a été élevée dans un orphelinat où elle a grandi, où elle a été scolarisée, où elle a pu recevoir une vie digne de ce nom.

Quand je l'ai rencontrée, elle avait dix-huit ans et s'apprêtait à commencer des études supérieures. Je l'ai interrogée sur ses intentions. Elle m'a dit vouloir devenir avocate, spécialiste du droit des enfants.

Chaque fois que je pense aux deux frères, je pense aussi à Elena.

39

L'éveil selon Platon

Certains pensent que Dieu est une horloge.

Mais une horloge arrêtée. Qui a marché un instant, puis qui s'est interrompue. Parce qu'on n'avait pas remonté le mécanisme, ou parce que le balancier ne s'était jamais mis en route. Ou simplement parce que Dieu n'a pas besoin de consulter l'heure, vu qu'il est le temps lui-même.

Ou alors ils disent que Dieu est horloger, et que son ciel est une petite Suisse où il se promène dans son atelier en regardant les anges fabriquer de mini-horloges qu'ils iront ensuite répartir à tire-d'aile parmi les âmes.

Dieu est le temps. Et les humains ont reçu en partage la possibilité de le mesurer, de s'en effrayer ou de le vénérer, au choix.

Mesurer le temps, calculer des durées, établir des horaires, voilà une activité à laquelle l'être humain s'adonne depuis des millénaires. Mais dans la limite de ce que nous sommes capables de mesurer en appliquant nos outils à nos trouvailles archéologiques. On peut imaginer que la fascination existait déjà bien avant la création de ces outils pour ce qui n'avait peut-être même pas de nom. *Le temps*. Le seul instrument de mesure était alors la nature elle-même. Le soleil se levait à l'est et se couchait à l'ouest. Mais pas tout à fait au même endroit ni au même moment de jour en jour. Au début, on mesurait le temps à travers les ressemblances et les différences récurrentes d'une année sur l'autre. Toutes ces variations étaient régies par le souffle et la volonté des dieux. Personne n'aurait pu imaginer autre chose.

Les premières mesures du temps ont été réalisées grâce au cadran solaire. La nature et la marche de l'ombre racontaient une régularité commune au Soleil et à la Terre. Quand on entaillait de façon régulière un cercle gravé dans la roche, on pouvait constater que tout se répétait. En combinant ces entailles avec les changements météorologiques, la chaleur, le froid, etc., on a pu savoir à quel moment il convenait de semer ou de partir à la chasse.

Les animaux n'avaient pas, quant à eux, de cadrans solaires. Ils ne se préoccupaient guère du souffle des dieux. Cela devait signifier qu'ils n'avaient pas d'âme. Aujourd'hui encore, nous considérerions comme un acte de cruauté gratuite le fait de fixer une montre-bracelet au poignet d'un singe ou une horloge suisse sur le dos d'un cheval.

Selon nous, les animaux vivent dans un monde hors du temps. Nous sommes les seuls à être conscients du fait qu'il est impossible de dissocier l'espace et le temps. Le temps *est* l'espace. Nous ne pouvons le voir, mais il est là. Il imprègne notre existence et la dirige. Une expression désuète dit des morts qu'ils ont « quitté le temps ». C'est absurde. Peut-être est-ce une périphrase poétique : une manière de décrire l'arrêt du tic-tac de notre horloge biologique qui est le cœur. Je n'ai pas à m'inquiéter pour mon propre compte car je ne l'entendrai pas, mais cela me déplairait que quelqu'un de mon entourage dise à ma mort que j'ai « quitté le temps » car, pour moi, j'ai fait tout autre chose. J'ai essayé d'exister dans ma vie et dans celle des autres.

En Afrique, j'ai vu beaucoup de belles femmes porter des montres-bracelets qui ne fonctionnaient pas. Elles les portaient comme des bijoux et non pas pour consulter l'heure. Elles aussi m'ont enseigné que le temps ne devrait pas toujours être autorisé à régner.

On dit du grand philosophe Platon qu'il construisit voilà près de deux mille quatre cents ans un réveille-matin ingénieux pour faire lever ses élèves de l'Académie. Il utilisa pour cela l'un des plus anciens instruments de mesure du temps, à savoir une clepsydre fonctionnant à l'eau. Avec deux récipients, quelques billes de plomb et un goutte-à-goutte régulier, il créa un engin d'une efficacité redoutable. Quand l'eau avait fini de remplir un récipient, celui-ci basculait et en remplissait un autre qui contenait les billes de plomb. Ce bol basculait à son tour et les billes tombaient sur un plateau en cuivre en faisant un bruit infernal. Personne ne pouvait manquer de se réveiller en sursaut.

La journée venait de commencer.

Platon inventait des réveils, mais il méditait aussi beaucoup sur la nature du temps. Qu'est-ce que le temps ? En quoi consiste son « cours » ? Son sens ? Tous les philosophes ont évoqué la question du temps, d'Aristote à Wittgenstein, avec des variations infinies. Mais ce que le temps représente pour chaque individu, nul ne peut en rendre compte.

Le temps est à toi, pourrait-on dire. Il est à toi et à personne d'autre. Ce que tu en fais est une décision qui t'appartient. Tu peux l'ignorer, ou en faire un camarade pour la vie. Cette vie étant un voyage qui se terminera par un « retour à la maison » de la grande obscurité qui fut aussi ton point de départ.

Le temps ne se mesure pas seulement avec des aiguilles. On trouve encore souvent dans bien des maisons en Suède la reproduction du fameux « escalier de la vie », dont les exemples les plus anciens remontent au XVIIe siècle. Ceux qu'on rencontre le plus fréquemment sont peints dans le style ornemental fleuri dit *kurbits*, développé à partir du XVIIIe siècle dans la province de Dalécarlie.

À l'extrême gauche d'un escalier en forme d'arche, on aperçoit le berceau ; à l'extrême droite, un couple de centenaires s'apprête à quitter la dernière marche et à accomplir le dernier pas vers la mort. Au sommet de l'arche, l'être humain au faîte de sa maturité, vers cinquante ans.

Naturellement, cette illustration reflète une époque où la société n'avait pas du tout la même allure qu'aujourd'hui. On pourrait imaginer une nouvelle version qui rendrait mieux compte de la réalité contemporaine tout en conservant l'idée centrale : la vie et le temps se tiennent par la main.

Les battements du cœur sont le symbole le plus répandu du tic-tac de l'horloge du temps en nous. Un peu plus de battements par minute que la minute ne compte de secondes. Des milliards de battements entre la naissance et la mort.

Quelle que soit la nature du temps, nous vivons toujours dans le passé. L'intervalle entre l'instant où je pense le mot que je vais écrire et l'instant où je l'écris appartient déjà au passé. Quoi que nous fassions, rêvions ou pensions, il n'existe pas de « maintenant » ; il n'y a que le passé. Et le temps qui est passé ne reviendra pas.

Le temps et notre capacité à le mesurer peuvent aussi nous dévoiler des secrets. Le temps peut être une balance sur laquelle nous pesons nos actes.

Au moment où j'écris cela, je viens de lire dans le journal qu'une partie de la glace du Groenland qui a mis plus de mille cinq cents ans à se former a fondu en moins de vingt-cinq ans. L'augmentation de la quantité de dioxyde de carbone a affecté l'équilibre climatique. La vieille glace fond. Personne ne peut aujourd'hui contester la réalité du réchauffement et s'obstiner à nier que cela est causé par l'activité humaine.

Le temps devient donc un instrument à l'aune duquel sont dévoilées les conséquences de nos actes.

Et dans l'avenir ? Y aura-t-il encore quelqu'un pour mesurer le temps ?

Ou bien l'horloge se sera-t-elle définitivement arrêtée ?

40

Nuit d'hiver

Je me méfie des gens qui prétendent qu'ils n'ont jamais peur. Je crois qu'ils mentent. Pas tant aux autres qu'à eux-mêmes.

La plus grande peur humaine, c'est la peur de mourir. Avec le temps, les circonstances où je me suis cru en danger de mort ont fini par s'additionner. Mais le vrai danger, je l'ai côtoyé moins de fois que mes mains n'ont de doigts.

Un jour, j'ai failli m'endormir au volant et j'ai évité de justesse le poids lourd qui allait m'écraser. Je me suis arrêté sur une aire de stationnement. Je suis descendu de voiture. C'était l'hiver. Il était trois heures du matin. Je suis resté planté là. Une voiture passait par intermittence. La peur est arrivée en catimini. Il s'en était fallu d'un cheveu. À peine le temps de cligner des paupières, ç'aurait été fini. J'avais un peu plus de trente-six ans.

Je me souviens aussi d'une nuit à Kitwe, en Zambie. Un appel au secours, via la radio, d'une femme indienne convaincue que les cambrioleurs qui s'étaient introduits chez elle allaient la tuer. Ni elle ni moi n'avons réussi à contacter la police. Entendre sa voix terrifiée – cela fait partie des pires expériences de ma vie.

Je crois que cette femme a vécu ce que j'ai vécu moi-même lors de mon agression : une manière de mourir vraiment terrible. Si jeune, une telle absurdité, une vie gâchée.

Pour quelques billets de banque, une montre et une Toyota Landcruiser qui avait vu des jours meilleurs.

La peur nous protège, nous alerte, nous aide peut-être aussi à supporter l'insupportable.

La peur et l'oubli ont partie liée. Mais tout autant la peur et la mémoire.

Si nous n'avions pas besoin de la peur pour survivre, nous ne la connaîtrions pas.

De même que l'imagination et la faculté d'illusion sont, elles aussi, des instruments de survie merveilleusement précis.

41
Soulagement

Au début, juste après le diagnostic, on m'a fait passer une multitude d'examens. Entre autres, un scanner cérébral. Le jour où Eva et moi sommes allés à l'hôpital pour connaître le résultat a été l'un des pires. Si le cerveau était atteint, j'en conclurais aussitôt que la fin était proche.

Mais Mona, mon médecin référent à l'époque, a dit qu'ils n'avaient rien trouvé. Eva m'a serré la main, fort. À Mona elle a dit :

« Merci ! Merci ! »

Le soulagement que j'ai ressenti à cet instant était immense. Mes pensées allaient au bateau sur le fleuve, aux hippopotames qui auraient pu me tuer, mais aussi à un match de foot à Fredriksdal, en Norvège.

J'étais assis au sommet des gradins quand soudain j'ai vu un petit garçon, en bas, qui levait la tête vers la section où je me trouvais avec une foule d'autres spectateurs. Son visage était tordu de douleur. Il a fondu en larmes et j'ai tout de suite compris pourquoi. Il était allé s'acheter une glace ou un hot-dog, et il cherchait son père, ou la personne avec qui il était venu voir le match. Il était perdu, d'une manière effrayante, au milieu de cette multitude. J'étais sur le point de descendre pour aller le voir quand son père l'a aperçu et s'est levé en agitant la main.

Je n'oublierai jamais le soulagement de ce petit garçon.

En 1972, je terminais le premier manuscrit que j'ai décidé d'envoyer à un éditeur. Auparavant, j'en avais écrit trois autres qui ne me semblaient pas assez bons. J'avais pris la décision de ne rien envoyer tant que je n'avais pas la certitude que ce serait accepté et publié. Ce qui était à la fois arrogant et stupide. Personne ne peut savoir ce genre de chose à l'avance.

J'ai porté le manuscrit jusqu'à une boîte aux lettres. J'ai hésité longtemps avant de le glisser dans la fente. C'était un soir de printemps. Je revois encore la scène. La solitude devant la boîte aux lettres. L'enveloppe de papier kraft. L'avenir, à glisser dans une boîte sombre. Ce geste allait-il me conduire à l'abîme, ou non ?

Pendant de longs mois, j'ai attendu. Le silence paraissait interminable. Mais, un jour d'août, j'ai vu tomber sur le sol de l'entrée une carte postale représentant le poète Dan Andersson. Le facteur l'avait glissée dans la fente de la porte. L'éditeur de la maison à laquelle j'avais envoyé mon texte écrivait qu'on l'avait lu, et qu'on était disposé à le publier.

Qu'ai-je ressenti ? Je me souviens que j'étais nu dans l'entrée et que le sol était froid sous mes pieds. Joie ? Triomphe et jubilation ? Je me souviens d'un grand soulagement, qui m'a traversé tout le corps comme un frisson, un courant chaud. Je ne m'étais pas trompé. Le texte était assez bon pour être publié.

Je me suis assis par terre et j'ai inspiré profondément. Puis j'ai expiré de même.

Le soulagement m'a accompagné toute ma vie, presque aussi important pour moi que la joie. Au théâtre, lorsqu'une première est bien accueillie, ma réaction est d'abord le soulagement. La joie et l'éventuel petit élément de fierté sont moins importants et surtout très passagers. Les jours où je lis les critiques à l'occasion de la publication d'un de mes livres peuvent être éprouvants. Si ça se passe à peu près bien, le soulagement est là. Sinon, je peux en être affecté et même infecté pendant un jour ou deux. Mais le désagrément s'estompe. À la fin, c'est encore une sorte de soulagement qui prévaut.

L'homme qui a dû éprouver un soulagement sans limites, c'est Edward Jenner, un médecin de campagne, dans le comté du Gloucestershire. Il existe un portrait de lui. Des lèvres charnues, des yeux limpides très ouverts, un grand nez. C'est un visage calme et sérieux, plein de confiance en ses propres capacités.

Le portrait a été peint après 1797. Il avait déjà éprouvé son grand soulagement existentiel, à l'âge de quarante-sept ans.

Jenner était né dans la localité de Berkeley, où il allait œuvrer toute sa vie. Il avait été l'assistant d'un médecin local avant de poursuivre ses études à Londres. Son diplôme en poche, il est retourné dans sa région natale, où son père était vicaire. Il avait alors vingt-trois ans.

Berkeley, c'était la campagne. Par son métier, Jenner entrait en contact avec toutes sortes de gens, parmi lesquels beaucoup d'agriculteurs et d'éleveurs. Il apprit à connaître leurs maladies, mais aussi à les écouter quand ils lui faisaient part de leurs observations et lui racontaient par exemple pourquoi à leur avis certains tombaient malades et d'autres non.

Une anecdote en particulier se grava dans son esprit. C'était l'affirmation souvent répétée selon laquelle les trayeuses, pour la plupart des jeunes femmes, échappaient aux épidémies mortelles de variole dès lors qu'elles avaient déjà été contaminées par la vaccine – du latin *vacca* (vache), soit la variole de la vache, transmissible à l'homme et généralement bénigne. Jenner réfléchit et travailla, de plus en plus convaincu de son fait. Mais comment oser franchir le pas suivant ? Pour valider son hypothèse, il devait la tester sur un être humain, et de préférence sur un enfant car les enfants étaient les premières victimes des terribles épidémies de variole. S'il se trompait, il mettait en jeu, ni plus ni moins, la vie de cet être.

En 1796, il fit le test sur un garçon de huit ans du nom de James Phipps. Il infecta le bras du garçon avec le pus de la vaccine. Quand l'année suivante James fut exposé à la variole, il se révéla être immunisé.

Ce qu'Edward Jenner dut ressentir en voyant que le garçon ne tombait pas malade, qu'il ne mourait pas, n'a pu être qu'une forme suprême de soulagement. Il avait eu raison. Et il avait osé faire ce pas, premier en son genre : réaliser la première vaccination.

Jenner vécut personnellement ce que Schopenhauer décrirait plus tard comme les trois stades de la vérité. D'abord on le tourna en ridicule. Ensuite on s'opposa violemment à lui. Enfin sa vérité fut acceptée comme une évidence ne méritant pas qu'on s'y attarde.

Un dessin satirique du début du XIXe siècle montre des personnages affublés d'une tête de vache après avoir été traités par Jenner.

Dès 1797, Jenner avait envoyé à la Royal Society un rapport consacré au cas James Phipps. On l'éconduisit en déclarant les preuves insuffisantes. Jenner continua ses vaccins, entre autres sur la personne de son propre fils, qui avait à peine un an. En 1798, Jenner soumit une fois de plus ses résultats à la Royal Society. Il allait devoir encore attendre avant que ses recherches révolutionnaires n'ouvrent une brèche dans un mur d'inertie et de préjugés. À la longue, il ne fut plus possible d'ignorer que les vaccinations sauvaient des vies. Jenner devint un homme célèbre. La vérité avait triomphé. De nouveau, il dut éprouver un grand soulagement. Il consacra le reste de son existence à étudier les possibilités mais aussi les risques liés à la vaccination.

Il vécut jusqu'en 1823. J'imagine qu'il lui arriva de revoir James Phipps ou du moins de penser à lui – ce garçon à qui il avait permis de vivre au lieu de mourir de la variole.

Le soulagement est l'une des expériences les plus puissantes qui soient.

42
Perdu

Un jour, je me suis perdu dans une forêt touffue du Västgötland. J'ai dansé un ballet fantomatique tout seul parmi les arbres à la tombée du jour. J'avais treize ans, et j'avais déménagé quelques mois plus tôt avec ma famille de Sveg à Borås, dans l'ouest du pays.

Pour moi, Borås était une grande ville. Le premier dimanche, je suis sorti très tôt, avec deux objectifs : je voulais savoir combien il y avait de cinémas en ville, et aussi être capable de retrouver mon chemin, c'est-à-dire de rentrer chez moi par mes propres moyens. La rue où nous habitions provisoirement s'appelait Södra Kyrkogatan. J'ai découvert six cinémas. Je me rappelle le nom de cinq d'entre eux. Mais pas le sixième. Peut-être était-ce le Palladium ?

Plus tard, ce printemps-là, nous sommes partis en excursion scolaire. On était fin avril ou début mai. Il faisait encore froid le soir, mais le ciel était lumineux. Je me souviens très vaguement du but de la sortie. Nous voyagions en autocar. J'entrevois des visages de camarades plus ou moins effacés par le temps. Nous nous sommes arrêtés devant ce qui était peut-être une ferme reconvertie en centre pédagogique, en pleine forêt. Un homme aux lunettes rondes, très petit de taille et aussi rond que ses lunettes, nous a parlé d'une voix aiguë de l'histoire de la province du Västgötland pendant que passait de main en main, parmi nous, la pointe d'un arc ancien.

Ensuite nous avons pris un sentier forestier pour aller voir une sorte de ruine. Mes souvenirs sont très flous sur ce point. L'homme aux lunettes rondes n'était pas avec nous à ce moment-là. Une femme grisonnante nous a parlé du site historique de Varnhem. Mais nous n'étions pas à Varnhem, de cela je suis certain. Varnhem, c'était plus loin, du côté de Skara et de Lidköping.

Quand ce fut fini, l'un de nos accompagnateurs a dit que nous avions quartier libre. Rendez-vous à la ferme une demi-heure plus tard. Mieux valait emprunter le même sentier qu'à l'aller. Les plus courageux pouvaient se risquer à prendre un raccourci.

C'était une blague. Il n'y avait pas de prédateurs dans les forêts du Västgötland. On n'y avait pas rencontré d'ours ni de loup depuis un siècle.

J'ai opté pour le raccourci. Il y avait peut-être deux kilomètres jusqu'à la ferme. J'avais une idée claire de la direction à suivre. L'idée, plaisante, était d'arriver le premier et d'être là, nonchalant, imperturbable, quand mes camarades arriveraient. J'ai démarré au quart de tour. Cinq secondes plus tard, la forêt m'avait englouti. Elle était bien plus dense et plus accidentée qu'elle n'en avait l'air, vue du sentier. Mais la distance qui me séparait de la ferme était minime. J'ai évité quelques dénivelés et découvert des passages parmi les grands blocs rocheux disséminés au milieu des sapins. J'étais certain de voir bientôt apparaître entre les troncs la tache jaune de la maison.

Or celle-ci n'est jamais apparue. L'intuition m'est venue en catimini, puis avec certitude : j'étais perdu. Je n'avais pas la moindre idée de l'endroit où je me trouvais. Grand silence dans la forêt. Aucune voix familière au loin, aucune voiture, rien. Un vague sifflement, c'était tout. De lourds nuages chargés de pluie obstruaient le ciel et m'empêchaient de me repérer au soleil. J'ai tenté de rebrousser chemin dans l'espoir de rejoindre le sentier. Mais mes traces au sol étaient peu nombreuses. Bientôt je n'ai plus rien vu du tout. Les arbres et les rochers formaient un puzzle varié à l'infini. Impossible de discerner un motif identifiable qui aurait pu m'aider.

Je pouvais être tout près du sentier ou très loin au contraire. Le diable m'avait suivi de son pas silencieux, effaçant tous les indices.

J'ai essayé différents itinéraires en me fiant à tout ce qui pouvait servir de point de repère, rocher de forme remarquable, souche à demi déterrée, etc.

En vain. J'ai soupçonné que je commettais l'erreur habituelle de ceux qui sont perdus. Je croyais me déplacer en ligne droite alors qu'en réalité, je tournais en rond.

Je ne sais combien de temps j'ai erré ainsi. Les autres étaient-ils partis à ma recherche ? Peut-être n'avait-on pas pris la peine de faire l'appel. Dans ce cas, on ne s'était pas nécessairement aperçu de mon absence. Je n'avais pas de meilleur ami à qui j'aurais manqué. Cela faisait trop peu de temps que je vivais dans la nouvelle ville aux six cinémas.

Je ne crois pas avoir eu vraiment peur à aucun moment. Le crépuscule qui tombait était effrayant parce qu'il me laissait de moins en moins de temps pour retrouver mon chemin avant la nuit. Mais je ne suis pas certain d'avoir eu peur. J'ai continué à chercher puisque c'était la seule chose que je pouvais faire.

Soudain j'ai entendu des voix. Je me suis figé sur place. Un homme et une femme. Ils se parlaient en finnois. Les voix se sont rapprochées. Au même moment j'ai aperçu un chemin qui passait tout près de l'endroit où je me trouvais. Je me suis accroupi derrière un arbre abattu et je les ai entrevus, un couple d'une quarantaine d'années portant deux sacs en papier kraft pleins de provisions. Je me suis souvenu que nous étions passés, à l'aller, devant quelques immeubles de construction récente. C'était là que l'entreprise de confection Algots logeait ses ouvrières, dont beaucoup étaient originaires de Finlande.

Après que le couple a disparu, j'ai emprunté le chemin qui m'a ramené à la ferme. Le car n'était plus là. La maison paraissait abandonnée. Mais voilà qu'un homme est apparu sur les marches du perron. Il fumait la pipe. Il avait dû entendre mes pas sur le gravier.

« Tiens, le fils prodigue. Tu t'étais perdu ?

– Faut croire que oui.

– Tu as pris un raccourci ?

– Oui. Ça n'a pas marché.

– Les raccourcis, ça peut être dangereux. Parfois on arrive plus vite. Mais parfois on n'arrive pas du tout.

– Est-ce qu'ils m'ont cherché ?

– Ils ont attendu un peu. Puis je leur ai dit que je me chargeais de te retrouver. »

Ôtant la pipe de sa bouche, il a sifflé doucement. Un chien est apparu, venant de l'intérieur de la maison.

« Je te présente Stella. Elle est capable de pister n'importe quoi, elle a un odorat extraordinaire. Je pensais attendre une demi-heure encore avant de la lâcher. Mais tu vois : tu es revenu tout seul. Je vais prévenir ton professeur, et après on appellera un taxi. C'est l'école qui paie. »

J'ai vite oublié l'incident. Quelques moqueries de mes camarades et un froncement de sourcils de mon professeur : ce fut tout. À mes propres yeux, ce n'était pas non plus une aventure mémorable.

Quelques années plus tard, j'ai soudain commencé à rêver de la maison jaune et de mon errance dans la forêt. Dans le rêve, tout était effrayant. L'homme et la femme qui parlaient finnois sur le chemin devenaient des personnages menaçants prêts à me faire du mal si par malheur ils me découvraient. Les sapins et le sol élastique cachaient des pièges, des trous recouverts de branchages qui risquaient de s'ouvrir à tout moment sous mes pas. Quand j'arrivais à la ferme, il n'y avait personne. Tout était fermé et verrouillé. Impossible d'entrer. Il se mettait brusquement à faire très froid. Comme si le printemps avait disparu et qu'on était en plein hiver, un hiver terrible.

Ce rêve revenait sans cesse. Je me suis dit que son message était que l'expérience avait été traumatisante malgré tout. Maintenant que j'ai un cancer, je comprends mieux cette sensation d'égarement. Je suis dans un labyrinthe qui n'a ni entrée ni sortie. Être atteint d'une maladie grave, c'est être perdu à l'intérieur de son propre corps, où quelque chose se passe qu'on ne contrôle pas.

Il n'y a pas si longtemps, je suis parti à la recherche de la ferme. Il m'a fallu quelques heures pour la localiser, mais elle était toujours là, aussi jaune que dans mon souvenir, bien que la peinture fût écaillée. Elle était désormais la propriété d'une Église évangélique. Je me suis promené un moment dans les environs. Le chemin forestier avait été remplacé par un autre, plus large, qui suivait un tracé différent. Mais les arbres et les rochers étaient les mêmes. Et les immeubles dans la forêt étaient bien ceux que j'avais vus ce jour-là.

Je me demande ce que sont devenus l'ouvrière finlandaise et son compagnon. Sont-ils encore en vie ?

Je n'en sais rien, bien sûr.

Tant de questions reçoivent si peu de réponses.

43

La route de Salamanque, 2

En rêve, il m'arrive encore de filer sur les longues routes rectilignes qui succèdent aux montagnes une fois qu'on a franchi la frontière du Portugal vers l'Espagne. La route de Salamanque est toujours aussi longue. Le rêve ne semble pas réduire les distances.

Les deux nuits passées à Salamanque ne m'ont pas laissé l'unique souvenir du serveur qui en a soudain eu ras-le-bol et a rendu son tablier. Il en existe un autre, tout aussi remarquable à sa manière.

Là encore, la scène se déroulait dans un café-restaurant qui proposait plusieurs plats du jour dans une arrière-salle aux murs couverts de photographies de chevaux de race magnifiques.

Quelques tables étaient alignées sur le trottoir. On était en milieu de matinée, il n'y avait presque personne. Je me suis installé, j'ai commandé un café et j'ai réfléchi à la suite de mon voyage. J'aurais bien aimé pousser jusqu'à Lyon, mais, dans ce cas, j'aurais dû être en route depuis plusieurs heures. Au temps pour moi. J'ai décidé que la frontière française était déjà un but honorable pour ce jour-là. Je n'étais pas pressé.

Soudain, j'ai remarqué une dame d'une soixantaine d'années assise seule à une table un peu plus loin. Un grand verre de lait était posé devant elle. À côté, un verre de xérès. Je l'ai vue verser le xérès dans le lait et remuer le mélange à l'aide d'une longue cuillère.

Elle était vêtue avec élégance. Ses bracelets et ses colliers en or scintillaient. Malgré la distance qui nous séparait, j'ai deviné qu'elle avait peur. Ses mains tremblaient. Ou bien elle était en proie à de vives douleurs. Dans un cas comme dans l'autre, c'était inquiétant.

Elle était entièrement absorbée par ce qui la troublait. Elle ne semblait rien remarquer de la circulation dans la rue, des passants sur le trottoir. Ses mains tremblantes formaient une frontière ; le monde au-delà n'était pas le sien.

Elle n'a pas touché à son verre. Je ne sais toujours pas ce qui me fascinait à ce point chez elle. Peut-être son côté inaccessible, et une curiosité quant à la raison qui l'isolait ainsi du monde ? Une voiture de police est passée, sirènes hurlantes. Cela ne l'a pas distraite un seul instant.

Je l'observais depuis une dizaine de minutes quand un serveur s'est approché de sa table et lui a dit quelques mots. Elle s'est levée avec brusquerie. Le verre a failli se renverser, le serveur l'a stabilisé de justesse. La dame s'est engouffrée à l'intérieur. En me retournant, j'ai vu qu'elle se tenait devant le comptoir et qu'on lui tendait un combiné. Elle l'a pris et a écouté en silence. Quelqu'un est passé derrière la vitre, la faisant disparaître un instant de mon champ de vision.

La conversation téléphonique ne s'est pas éternisée. Après avoir raccroché, elle s'est laissée tomber sur une chaise. Je tenais mon explication : elle avait été dans l'attente d'une information dont la perspective la remplissait d'appréhension et l'annonce s'était révélée aussi catastrophique qu'elle le redoutait.

Mais je me trompais. Là, dans ce café de Salamanque, j'ai appris que l'expression de la joie et celle de la peine sont parfois identiques. La joie peut prendre la forme du soulagement, la peine celle de la résignation. Extérieurement, elles peuvent avoir la même apparence.

La dame est revenue à sa table. Elle s'est rassise. Elle a bu la moitié de son verre de lait au xérès. Ses mains ne tremblaient plus. Ses traits exprimaient un soulagement inouï. J'ai rarement vu un être humain dégager une joie aussi intense et aussi discrète à la fois. Une menace de mort avait peut-être été écartée. L'annonce d'une maladie grave avait peut-être été supplantée par celle d'une guérison.

Soudain elle était pressée. Elle s'est levée, a déposé quelques pièces sur la table et s'est éloignée le long du trottoir sans se soucier de finir son verre.

J'ai agi alors d'une façon qui m'étonne encore. Mais je n'ai aucune honte à l'avouer. La curiosité me pousse parfois à m'intéresser à ce qui ne me regarde en rien. Elle est, dans mon cas, une source d'inspiration essentielle. J'ai fait signe au serveur et je lui ai demandé dans mon mauvais espagnol s'il savait qui était cette dame. Il a hoché la tête.

« Señora Carmen. Elle vient souvent ici avec son mari. Il est très malade, mais elle vient d'apprendre qu'il ne va pas mourir. Elle est allée ouvrir sa boutique. Elle a un magasin de chapeaux. Je suis content pour elle. Ils n'ont pas d'enfants. Il n'a qu'elle, et elle n'a que lui. »

J'ai payé et je suis parti. Une heure plus tard, je réussissais à quitter la ville au réseau routier incompréhensible et j'ai mis le cap vers le nord.

Cette scène se déroulait il y a presque trente ans. Je ne suis jamais retourné à Salamanque. Mais je me dis parfois que je devrais. Comme un pèlerinage. Nous avons tous nos lieux de pèlerinage qui ne sont pas nécessairement liés à des expériences d'ordre religieux.

À Salamanque, j'ai vu un acte de révolte et une rupture.

Mais j'ai vu aussi la joie silencieuse, contenue, d'une femme qui venait d'apprendre que son mari ne l'abandonnerait pas.

J'avais alors trente-cinq ans. J'en ai presque le double maintenant. Beaucoup de choses demeurent incertaines. Il est sûr que j'ai déjà vécu plus de la moitié de mon existence et que les grandes décisions de ma vie ont déjà été prises. Je ne choisirai pas une nouvelle carrière. Des ruptures peuvent encore se produire. Mais je peux dire tout à fait tranquillement : voilà la forme qu'a prise ma vie.

Je ne retournerai jamais à Salamanque. D'autres s'assoiront à une table de café et verront quelqu'un verser du xérès dans un verre de lait. Ou ils dîneront dans un petit restaurant de quartier où un serveur qui en a soudain par-dessus la tête tournera les talons et s'en ira pour ne plus revenir.

Vieillir, c'est regarder en arrière. Le souvenir des événements et des personnes peut être vécu de différentes manières. Comme quand on reprend un livre qu'on a déjà lu plusieurs fois. On découvre toujours de nouveaux éléments.

Depuis que j'ai appris que j'avais un cancer, je distingue de plus en plus souvent un trait inattendu dans les souvenirs qui se présentent à moi. Je vois maintenant très distinctement le serveur et la señora Carmen au verre de lait. Auparavant, les contours étaient flous. Ils ne le sont plus.

Ces souvenirs sont devenus des instantanés d'une extrême netteté. Le tablier du serveur est resté suspendu en l'air, telle une aile arrachée. Les doigts tremblants de la señora Carmen sont écartés comme les serres d'un oiseau.

La vie est un grand tumulte où alternent les sources d'effroi et les sources de joie. Si parfois nous réussissons à créer de bons souvenirs, bien trop de gens dans le monde sont contraints d'oublier pour vivre.

Je ne retournerai jamais à Salamanque. Pourtant, j'ai l'impression d'être toujours en route vers cette destination. Secrètement.

III

La marionnette

44

Le sol en terre battue

Un jour, je me suis trouvé au chevet d'une jeune fille de dix-sept ans dont la vie achevait de se consumer.

Son lit était un simple matelas recouvert d'un drap déchiré. Comme il faisait très chaud, elle n'avait pas de couverture sur elle, juste un bout de tissu. Le matelas était posé à même la terre battue.

Il n'y avait pas d'électricité. Quand je suis entré dans la pièce, j'avais une chandelle à la main.

Sa mère et ses frères et sœurs étaient assis devant la petite maison autour d'un feu où l'on préparait le repas – du riz avec des légumes. Aucun d'entre eux ne semblait avoir vraiment compris que la sœur aînée était en train de mourir. Ils espéraient que je ressortirais de là en disant qu'elle serait bientôt guérie.

Elle avait été contaminée par le VIH et avait contracté le Sida. Dans le pays africain pauvre où nous vivions elle et moi, il n'y avait aucun moyen de la sauver. C'était avant la découverte des antiviraux. Son petit ami travaillait en Afrique du Sud. C'était lui qui l'avait contaminée. Et maintenant elle allait mourir.

Je me suis accroupi dans la pénombre. Elle avait les yeux ouverts, perdus dans le vague. Peut-être ne voyait-elle rien ? Elle était dans un tel état d'épuisement que sa mère et ses frères et sœurs devaient la porter jusqu'aux latrines.

Je me souviens de la première fois où je l'avais vue, trois ans plus tôt. Elle avait quatorze ans. Elle était très belle.

À présent, elle ne l'était plus. Elle était décharnée. Son visage était couvert de plaies dues à l'herpès. Ses cheveux avaient commencé à tomber.

Vingt ans se sont écoulés depuis ce jour où je l'ai vue ainsi, le regard perdu dans une vision mystérieuse. Dans mon souvenir, c'est une photographie en noir et blanc aux nuances pâlies. L'image de son visage se craquelle et s'efface peu à peu.

De temps à autre, au cours de ces années, j'ai pensé à elle. À l'âge qu'elle aurait si elle avait vécu. À ce qu'elle aurait fait, à quoi elle aurait ressemblé.

J'ai pensé à elle comme je pense aux autres disparus. Je n'ai jamais compris pourquoi il fallait cesser de fréquenter les morts ou de les avoir pour amis sous prétexte qu'ils ne sont plus des créatures vivantes. Tant que je me souviens d'eux, ils vivent.

Carlos Cardoso, brillant journaliste mozambicain, a été tué en pleine rue à Maputo il y a quinze ans. Il avait défié le monde mafieux qui travaillait main dans la main avec les responsables politiques au plus haut niveau. Ils ont décidé sa mise à mort et ils l'ont exécuté.

Je parle presque quotidiennement avec Carlos. Ces conversations ont lieu dans ma tête. Mais il est là, il a encore une grande importance pour moi et je le considère toujours comme l'un de mes meilleurs amis.

Ce printemps, pendant que j'affrontais la première phase de traitement contre mon cancer, j'ai aussi souvent pensé à celle qui était morte là-bas, couchée sur la terre battue. Plus souvent que d'habitude. J'ai commencé à me demander si, dans sa mort, je ne voyais pas la préfiguration de la mienne.

Même si j'allais quant à moi finir mes jours très loin d'une cabane faiblement éclairée à la chandelle.

En mémoire, je reviens sans cesse à ce soir où je l'ai vue pour la dernière fois. Peut-être était-ce une scène que j'éprouvais le besoin de me raconter à moi-même ?

Personne ne m'avait demandé de me rendre dans le petit village des environs de Maputo où elle vivait. Je l'avais connue, ainsi que toute sa famille, après avoir rencontré suite à une série de hasards l'une de ses sœurs cadettes, qui avait perdu ses deux jambes en marchant sur une mine. Elle se prénommait Sofia. Plus tard, j'ai écrit plusieurs livres sur elle. Quand je rendais visite à Sofia et à sa famille, Rosa, l'aînée de la fratrie, était le plus souvent absente, occupée à entretenir la lointaine parcelle potagère qui assurait la subsistance de la famille.

Avant de partir pour le village ce soir-là, j'étais resté enfermé dans mon appartement de Maputo attaqué par les moisissures à préparer la répétition qui devait avoir lieu le lendemain au théâtre. Nous faisions une adaptation de *Lysistrata*. Le côté grec avait été gommé, mais le cœur de l'histoire, une grève de l'amour entreprise par les femmes pour contraindre leurs hommes à conclure la paix, était aussi actuel qu'il l'était il y a plus de deux mille ans, quand Aristophane avait écrit cette pièce géniale.

Je travaillais donc chez moi quand l'inquiétude a surgi de nulle part. Soudain, j'ai senti que je devais me rendre au village sans attendre. Le soir même. Et je suis parti.

J'ai fini par comprendre pourquoi je pensais si souvent à elle depuis quelque temps. Je me suis souvenu des détails : assis par terre à côté du matelas, j'avais fixé la chandelle au sol à l'aide de quelques gouttes de cire. Nous ne parlions pas. On n'entendait que le murmure des voix de sa famille autour du feu devant la cabane. Et son souffle haletant, comme si chaque inspiration lui coûtait un immense effort. J'essayais d'imaginer à quoi elle pensait, ce qu'elle voyait, là, dans la pénombre. Ses yeux avaient beau être ouverts, et limpides, ils trahissaient une fatigue extrême.

Quand enfin elle a tourné son visage vers moi et que j'ai pu croiser son regard, je me suis entendu lui adresser cette question :

« Est-ce que tu as peur de ce qui t'attend ? »

J'aurais voulu me couper la langue. On ne demande pas à une mourante de dix-sept ans qui n'a pas même commencé sa vie si elle a peur de la perdre.

Je crois bien qu'elle souriait quand elle m'a répondu.

« Non. Je n'ai pas peur. Pourquoi aurais-je peur ? Je serai bientôt remise. Bientôt guérie. »

Une semaine plus tard, elle était morte. L'une de ses sœurs était venue en ville en stop. Un chauffeur routier l'avait fait monter et, à la fin de la répétition, je l'ai trouvée qui m'attendait devant le théâtre. De sa voix timide, à peine un murmure, elle m'a dit que Rosa était morte.

Ce n'était pas une surprise. Pourtant j'ai fondu en larmes. Quelques comédiens qui quittaient le théâtre par l'entrée des artistes ont pris peur. Ils ne m'avaient jamais vu pleurer. Peut-être croyaient-ils que les hommes blancs ne pleurent pas ?

Maintenant que le cancer m'étreint, je m'adresse à moi-même cette question que j'ai posée autrefois à Rosa. Jusqu'à quel point ai-je peur ? Et est-ce que je nie moi aussi la proximité de la mort, toujours possible dès lors qu'un diagnostic de cancer a été posé ?

Je ne sais pas. Mais je crois que j'essaie d'être honnête avec moi-même. Oui, sans doute, j'ai peur. Soudain d'immenses vagues, des vagues de tempête, surgissent de nulle part et déferlent sur mon rivage.

J'ai tenté d'édifier une résistance. Si le pire se produit, si la maladie se répand et que sa progression ne peut plus être endiguée, je mourrai. Contre cela, il n'y a rien à faire sinon montrer le même courage dont il faut aussi faire preuve si l'on veut vivre dignement. Ce qui dans mon cas peut jouer en faveur de cette tentative de se comporter avec calme et dignité, c'est que je n'ai pas dix-sept ans, et que la mort ne frappe pas à ma porte alors que ma vie n'a pas encore commencé. À soixante-six ans, j'ai vécu jusqu'à un âge que la plupart des habitants de cette planète ne peuvent même pas rêver atteindre un jour. J'ai eu une longue vie, même si on n'est pas vieux à soixante-six ans aujourd'hui comme on pouvait l'être hier.

Quand je feuillette un vieil exemplaire de l'encyclopédie annuelle suédoise *När Var Hur* (Quand Où Comment) de 1964 et que je parcours la rubrique « Ils sont morts cette année », la majorité des individus mentionnés ont entre soixante et soixante-dix ans. Les octogénaires y sont infiniment moins nombreux qu'aujourd'hui.

Ce qui peut me faire peur, c'est naturellement la possibilité d'une mort douloureuse. Cette éventualité est cependant moins à craindre qu'il y a ne serait-ce que dix ans encore. De nos jours, rares sont les douleurs qui ne peuvent être soulagées. Et en cas de douleurs insupportables, en ultime recours, je peux demander à être endormi. Je quitterai alors le monde dans mon sommeil. Plutôt cela que le suicide. Cela, je m'y refuse, par souci pour mes proches. J'aurais pu l'envisager si j'avais été seul, mais ce n'est pas le cas.

Ma peur la plus profonde est d'une tout autre nature. Irrationnelle, puérile. J'ai peur de devoir rester mort si longtemps. Cette peur est absurde, presque embarrassante à confesser. Dans la mort, il n'existe pas de temps, pas d'espace, rien du tout. Ma partie dans la chaîne dansée de la vie est terminée.

J'ai dégringolé l'escalier des âges pour franchir la dernière marche.

Mais peut-être est-ce là au contraire le réconfort ultime ? Ma peur se fonde sur la représentation absurde que la mort ressemblerait à la vie. Qu'elle serait régie par les mêmes lois et la même conscience. Ce qui n'est pas le cas.

Je ne saurai jamais si Rosa, sur son pauvre matelas, avait peur ou non quand elle a répondu à ma question indiscrète et indélicate. Je ne saurai jamais si elle se mentait à elle-même, ou si elle était sincère.

C'est comme si cette jeune fille de dix-sept ans m'aidait à répondre aux interrogations et à naviguer droit dans ces chenaux parsemés d'écueils entre la vie et la mort.

Au moment d'écrire ces lignes, je viens de finir la quatrième série de séances de chimiothérapie du « traitement de base ». Dans quelques jours je saurai si elles ont eu ou non l'effet escompté.

Bien entendu, je suis inquiet et tendu. Parfois, je me réveille la nuit avec une angoisse proche de la panique. Je me lève et je sors dans le froid de la nuit printanière. Une pie de mer qui n'a pas eu la patience d'attendre l'aube criaille depuis la plage.

Je n'ai besoin en général que d'un court moment pour retrouver mon calme – un calme fragile mais apaisant. Et il m'arrive alors de sentir que Rosa est là, tout près. Pas un fantôme ou une revenante, ni une âme inquiète ou sereine. Juste un souvenir et un deuil qui, en ce qui me concerne, reste inachevé.

Et, par-dessus tout, un rappel de ce qui eut lieu autrefois dans cette cabane au sol en terre battue.

45

À pas feutrés de la nuit à la nuit

Nous ne pouvons nous rappeler que le passé. L'avenir ne nous livre pas de souvenirs.

Le temps est une flèche qui vole en sens unique. Nous ne pouvons exiger de cette flèche qu'elle bifurque en arrière. Les machines à remonter le temps n'existent pas. Les mathématiques peuvent traiter cette question d'un point de vue théorique, comme en témoigne le « paradoxe du grand-père » où un voyageur dans le temps tue son propre grand-père avant même qu'il ne rencontre sa grand-mère et démontre ainsi qu'il ne peut lui-même être né ni être remonté dans le temps. Mais ce ne sont que jeux de l'esprit. En pratique, je ne peux me rendre non-né.

Les pensées qui me viennent n'existeraient pas si le voyage dans le temps avait été possible. Mes souvenirs n'auraient pas existé, et ne pourraient donc pas être effacés.

Les questions qui concernent le temps et l'univers sont les plus vastes et les plus difficiles qui soient. Les meilleurs cerveaux sont à l'œuvre, les processus chimiques qui permettent leur activité travaillent à plein régime. De temps à autre une nouvelle percée extraordinaire a lieu.

Je me souviens de ce qu'on ignorait encore quand j'étais jeune et qu'on sait aujourd'hui. Dans une perspective universelle, la théorie des trous noirs est une grande nouveauté, ainsi que la découverte de la structure de l'ADN humain, qui a permis le développement de la génétique.

En dernier recours, toute activité de la pensée consiste à chercher un sens par-delà la simple nécessité biologique de la reproduction. S'il est primordial que l'espèce humaine survive, c'est aussi pour permettre à nos questions non résolues, voire non encore formulées, d'être examinées par les générations suivantes.

Tous, nous nous interrogeons. C'est un trait que nous avons en commun. Je ne connais personne qui n'ait jamais regardé les étoiles par une froide nuit d'hiver en s'interrogeant sur le sens et les aléas de la vie.

Beaucoup renoncent, cessent de poser des questions, haussent les épaules et vaquent à leurs occupations quotidiennes comme s'il n'existait pas d'énigmes. Certains abandonnent dès leur jeunesse, d'autres s'entêtent un peu plus longtemps. Mais le haussement d'épaules philosophique intervient tôt ou tard. Pour des milliards d'êtres humains, on peut comprendre que la simple possibilité de réserver du temps à la réflexion est un luxe inaccessible.

C'est là une des injustices les plus flagrantes du monde dans lequel nous vivons. Que certains aient le temps de réfléchir alors que d'autres n'en ont pas le loisir. Chercher le sens de la vie, cela devrait être inscrit dans les droits fondamentaux de l'homme.

D'aucuns trouvent leur vérité dans les religions. D'autres continuent de tourner leur regard vers les étoiles. Quand j'étais enfant, une nuit – c'était une nuit d'hiver glaciale, je n'arrivais pas à dormir –, j'ai vu apparaître un chien solitaire qui courait dans la rue, éclairé par un lampadaire qui oscillait dans le vent. Puis l'obscurité l'a avalé. Il me semble parfois que toutes mes questions sur la vie et la mort, le passé et l'avenir, ont partie liée avec ce chien filant à pas feutrés de la nuit à la nuit.

Notre faculté de nous interroger fait de nous des êtres humains. Ainsi le ciel nocturne avec ses étoiles est un miroir où nous apercevons notre propre visage.

Dans mon monde, les vérités sont toujours provisoires. Rien de ce que j'ai pu penser au cours de ma vie n'est resté à l'identique. Les vérités sont comme des bateaux. Il faut les piloter en gardant le cap. Éviter les écueils et les récifs. Adapter la vitesse et la voilure. Les vérités voyagent, elles aussi, dans ma tête et dans ma vie. Pour qu'elles survivent, je dois parfois les remettre en question et les modifier.

Quand j'avais une vingtaine d'années, la guerre des États-Unis contre le Vietnam fut un marqueur important, décisif à bien des égards. J'ai pensé, et je le pense toujours, qu'il était juste de s'opposer à cette guerre. Mais une fois les troupes américaines repoussées, le Vietnam a attaqué son voisin le Cambodge. Et de la même manière que je trouvais juste auparavant de blâmer les États-Unis, j'ai pensé qu'il était juste de condamner le Vietnam pour cette agression. À ma surprise, beaucoup ont alors délaissé la raison au profit de la sentimentalité. N'avais-je pas honte de m'en prendre ainsi au courageux peuple vietnamien ? Non, non, assuraient-ils, les Vietnamiens avaient toutes les raisons du monde d'agresser le Cambodge.

Pour moi, cela a été une révélation. Parfois, la vérité doit être mise à l'envers pour être vue à l'endroit.

Bertolt Brecht a écrit que penser était pour lui l'une des choses les plus jubilatoires qui soient. Je suis d'accord avec lui. Chercher une solution à un problème, que ce soit en allant faire un tour ou en restant concentré devant sa table de travail, c'est à la fois libérateur et énergisant. Jouissif.

Toutes les pensées sont possibles. Il n'y a ni clôture ni

fossé ni champ de mines dans le monde de la réflexion. Le paysage est ouvert.

Les tyrans et les dictateurs le savent bien. Ils redoutent la liberté que représente la faculté de penser chez leurs concitoyens. Ils disposent d'un arsenal de méthodes pour les contraindre à une forme plus ou moins consciente d'autocensure. Pour creuser des fossés et construire des barrières dans les cerveaux, là où il n'en existe pas naturellement.

Je sais ce que signifie l'autocensure. Il y a vingt-cinq ans, au théâtre de Maputo, nous avons délibérément choisi de ne pas monter certaines pièces. Pour certaines raisons : le public ne viendrait pas, les comédiens ne correspondaient pas aux rôles, la pièce ou le thème auxquels nous pensions n'étaient peut-être pas si importants tout compte fait. Nous inventions tout un tas d'arguments pour justifier la sagesse de nos décisions. Mais, tout au fond de nous, nous savions que c'était de l'autocensure. Le pouvoir en place risquait de ne pas apprécier nos choix. Nous pouvions avoir des problèmes. Au pire, le théâtre serait contraint de fermer. Je pouvais moi-même être exposé à ce qu'on appelait le « 24/20 », à savoir qu'on avait vingt-quatre heures pour quitter le pays et que le poids des bagages ne devait pas excéder vingt kilos.

Avions-nous fait le bon choix ? Je me pose encore la question. Mais le théâtre existe toujours. Il n'a jamais été fermé, ni menacé de fermeture. Aujourd'hui, nous pouvons faire un constat sans équivoque : à l'époque, c'était l'autocensure qui prenait les décisions et non notre propre volonté créatrice, libre et sans entraves.

Notre plus grand défi est de garder la volonté d'expérimenter des pensées nouvelles. Ne pas hésiter à remettre en question les vérités d'autrui et à prendre d'autres chemins.

Un exemple : si un théâtre me demandait d'écrire une pièce sur une grève, je choisirais vraisemblablement le point de vue d'un briseur de grève. C'est-à-dire que j'aborderais le sujet sous un angle inattendu. Les enjeux soulevés par la grève seront dans le meilleur des cas soulignés par une « voie d'entrée » qui peut à son tour mener à des réflexions différentes. Des pensées neuves, des conclusions inédites.

Dans le monde de l'industrie, les découvertes décisives proviennent souvent des ateliers. Pas des bureaux où l'on paie des ingénieurs pour qu'ils imaginent des solutions aux problèmes qui se posent. Un jour, un ouvrier frappe à la porte du directeur général et propose une amélioration considérable qui va rendre un maillon de la chaîne productive plus efficace et moins coûteux.

Le fait que nous ayons développé notre faculté de penser est naturellement lié à notre survie. En dernier ressort, la survie est notre unique préoccupation. Nous voulons vivre. Nous ne voulons pas mourir. Chaque fois que je vois quelqu'un fouiller dans les poubelles, je vois cet axiome simple : nous voulons vivre. À n'importe quel prix.

Essayons de pousser plus loin l'argument. Quel est le véritable enjeu de notre pensée sinon que nous voulons à tout prix éviter la mort ? La vie, en dépit de tout, nous la connaissons. La mort, elle, nous est étrangère, même si nous savons que les corps pourrissent et qu'il n'en reste, à la fin, rien que des os.

« Rien » et « l'éternité » sont-ils synonymes ?

Ma grand-mère paternelle a vécu jusqu'à près de cent ans. Au cours des dernières années, elle souffrait par périodes d'une intense angoisse de la mort. Alors elle s'allongeait sur son lit et fermait les paupières. Bien fort, comme une enfant qui croit qu'elle peut se rendre invisible.

Je m'asseyais parfois à son chevet. Elle ouvrait prudemment les yeux. Je lui demandais ce qui n'allait pas – en réalité, je le savais très bien.

« La mort, disait-elle. Je la vois devant moi. Dans ces cas-là, il faut éviter de réfléchir. Repousser toutes les pensées, juste essayer de supporter le moment présent en attendant que ça passe. C'est tout ce que je peux faire. Jusqu'à la vague suivante, l'attaque suivante. »

Peut-être est-ce la plus difficile de toutes les formes de pensée ? Celle qui consiste à ne pas penser du tout ?

46

Mantoue et Buenos Aires

Il y a quelques années, je me suis rendu dans la ville de Mantoue en Italie pour participer au festival de littérature. C'était une belle journée de printemps. Je cherchais distraitement un restaurant où déjeuner.

J'ai débouché sur la place centrale. J'ai vu qu'un cercle s'était formé et qu'une représentation de théâtre de rue allait commencer. Je me suis arrêté en pensant que je pouvais au moins regarder le début.

Le spectacle s'est achevé cinquante minutes plus tard. J'étais encore là. Comme la plupart de ceux qui étaient déjà présents à mon arrivée.

Ils étaient aussi enthousiastes que moi. Le chapeau posé sur les pavés s'est rempli à toute vitesse.

La représentation avait été assurée par deux comédiens, un très jeune homme et une très jeune femme. Ils étaient censés figurer des bouffons du Moyen Âge. Cela m'avait inquiété dans un premier temps. J'ai vu trop de pièces où ce thème se limitait à des imitations peu convaincantes.

Mais ces deux-là étaient clairement à la hauteur de leur rôle. Dans une sorte de no man's land intemporel, ils jouaient une histoire d'amour aux résonances multiples, tragiques, comiques… Ils ne parlaient pas beaucoup car le bruit des voitures et la musique dans les cafés couvraient leurs voix.

Mais les deux comédiens déjouaient le vacarme avec beaucoup d'inventivité et réussissaient à créer une étonnante proximité avec leur public. Les rebondissements étaient nombreux. On avait envie de connaître la suite. Je me demandais sans cesse : Et maintenant ? Que va-t-il se passer ? Aucune envie que ça se termine.

Le duo présentait l'amour et toutes ses difficultés d'une façon saisissante, très émouvante. Il n'y avait rien de prétentieux dans leur jeu. Ils étaient remarquablement crédibles.

À la fin, tout en applaudissant, j'ai réalisé que je venais de voir l'un des meilleurs spectacles de théâtre de ma vie. Le public s'est dispersé. Je suis resté là, à regarder les deux jeunes gens rassembler leurs modiques accessoires. Puis ils se sont accroupis à l'ombre d'un arbre pour compter le contenu du chapeau. J'ai compris alors qu'ils formaient aussi un couple dans la vie ; leur joie devant le montant de la recette a pris la forme d'un long baiser.

J'hésitais à m'avancer pour leur dire combien j'avais apprécié le spectacle. Quand je suis allé vers eux, il était trop tard. Ils s'étaient levés et se dirigeaient vers une petite voiture déglinguée stationnée plus loin. Je les ai vus disparaître au coin de la rue.

L'irritation de ne pas les avoir remerciés m'a poursuivi longtemps. Tant de fois j'ai dissimulé mon manque d'enthousiasme au moment de féliciter des comédiens à l'issue d'une représentation. Là, j'étais vraiment sincère, mais leur rapidité m'avait privé de ce plaisir.

J'ignore qui ils étaient, quel était le titre de la pièce et qui l'avait écrite. Je sais seulement qu'ils étaient très jeunes et très doués. Cela reste à ce jour l'une de mes plus grandes émotions théâtrales.

Il existe un autre spectacle dont je garde depuis une quinzaine d'années le souvenir fascinant. Là encore, je suis tombé dessus par hasard.

J'étais à Buenos Aires pour parler de mes livres. Je m'y étais déjà rendu à une occasion, pour une visite bien trop brève. À l'époque, je me documentais pour un ouvrage. Cette fois, j'avais plus de temps et j'ai décidé de prendre une soirée entière pour moi.

Quand j'ai quitté l'hôtel dans le centre-ville de Buenos Aires, c'était un soir d'automne – l'automne sud-américain. Je cherchais un restaurant ouvert.

Je n'ai pas marché longtemps avant de découvrir que des sans-abri étaient recroquevillés partout devant l'entrée des immeubles et sous les vitrines illuminées des magasins. Pas seulement des individus isolés ; des familles entières. Je traversais leur chambre à coucher et leur séjour. J'étais informé de la crise capitaliste en Argentine. Mais je n'avais pas anticipé qu'elle fût aussi brutale, précipitant à la rue ceux dont la vie était déjà précaire.

Une vision pénible. J'ai bifurqué vers une ruelle où les trottoirs étaient si étroits que nul n'aurait pu y dormir. J'ai continué au hasard et je suis entré pour finir dans un petit restaurant fréquenté par les gens du coin.

Je ne me souviens plus de ce que j'ai mangé. Mais la serveuse boitait et travaillait avec une efficacité que je crois n'avoir jamais vue ailleurs.

Vers vingt-trois heures, j'ai payé et je suis sorti. Ayant calculé à peu près où devait se situer mon hôtel, je me suis mis en marche dans cette direction. Après un certain temps, je me suis retrouvé au croisement de l'Avenida Corrientes et de l'Avenida Callao. Un attroupement s'était formé. Je ne pouvais plus avancer. Les gens regardaient quelque chose que je ne distinguais pas. Un haut-parleur diffusait de la musique ;

un tango argentin. J'ai joué des coudes. Soudain j'ai compris pourquoi ils s'étaient tous arrêtés.

Quatre couples dansaient. Ils étaient vêtus selon différents canons de la mode du XXe siècle. Et ils avaient un talent fou. En même temps qu'ils dansaient le tango, ils mimaient habilement des sentiments comme la jalousie ou la passion. Deux danseurs avaient au moins soixante-dix ans. Deux autres en avaient à peine vingt. Ils changeaient sans cesse de partenaire et de style. L'éclairage urbain pourvoyait aux lumières. Ils avaient choisi leur « scène » avec soin. Les spectateurs étaient en dehors des cercles lumineux des lampadaires et eux-mêmes passaient de la pleine lumière à une semi-obscurité selon ce qu'ils souhaitaient raconter à ce moment précis de leur prestation.

Aucune parole n'était échangée. Parfois ils s'immobilisaient, comme pétrifiés, au milieu d'un pas. Puis le mouvement reprenait, ils changeaient de partenaire tout en racontant avec leur corps une histoire sur la malédiction et le bonheur d'aimer.

C'était éblouissant. Des danseurs à la technique accomplie, capables de jouer la comédie sans jamais quitter le paysage mouvant du tango.

L'une des danseuses, la plus jeune, avait un rayonnement particulier. Au début je n'en ai pas saisi la raison. Soudain j'ai compris : elle était aveugle. Elle n'en fermait pas moins les yeux exactement au même moment que son partenaire.

Après la représentation, je me suis approché de l'endroit où elle se tenait, tandis qu'elle essuyait son visage en sueur. Elle était aussi épuisée que les autres, aussi contente d'entendre le bruit des pièces tombant dans les chapeaux qu'ils se relayaient pour faire tourner. Tous sauf elle.

Cette troupe vivait grâce aux dons des spectateurs. J'ai pensé ce soir-là aux milliers de chapeaux que posent sur le sol ou font tourner chaque jour ces artistes de rue dont certains possèdent un talent incroyable. Ce sont parfois de très grands artistes, à l'image des deux comédiens de la place de Mantoue ou de ces danseurs de Buenos Aires.

Il était minuit passé. L'un des danseurs parlait avec sa femme qui tenait un bébé dans ses bras. Ils étaient tous fatigués. Danser le tango pendant plus d'une heure, cela suppose une bonne forme physique, des muscles très travaillés. Je ne sais pas combien de représentations ils avaient déjà données ce jour-là. Deux ? Peut-être était-ce la troisième que je venais de voir ?

Je suis rentré à l'hôtel dans la nuit, en longeant les trottoirs où se nichaient les familles endormies. Il faisait presque froid. J'ai pensé que je me souviendrais de Buenos Aires pour ses danseurs de tango. Et pour ses familles qui dormaient dans la rue.

Le carrefour où les danseurs s'étaient produits avait pris des allures de grotte. Les immeubles dressés vers le ciel dans la nuit noire, la pâle lumière des lampadaires, la musique qui résonnait entre les façades.

Parfois on sait qu'une expérience vous restera gravée à jamais dans la mémoire.

Irremplaçable.

47
L'oiseau stupide

Un jour, au milieu des années 1980, je me suis mis en chasse d'une machine à écrire.

Je vivais alors en Zambie, à la frontière de l'Angola. Je me suis rendu à l'île Maurice dans l'espoir de la trouver.

Elle avait été laissée là-bas par un écrivain norvégien. La mienne était cassée et personne ne savait comment la réparer. On m'avait dit qu'un collègue norvégien en avait laissé une dans un hôtel au nom étrange, *La Noix de coco coloniale*, tenu par un Français qui avait en son temps étudié la philosophie à Paris avec Michel Foucault. Le terrain qui descendait en pente douce jusqu'à la mer, devant l'hôtel, était planté d'un spécimen de chaque variété existante de cocotier.

Le propriétaire, qui est venu me saluer le soir de mon arrivée, s'est déclaré être un ami de l'ordre colonial « à l'ancienne ». Je n'ai jamais réussi à savoir si c'était ironique ou non. Il vivait seul dans une maison voisine de l'hôtel. Il m'a invité chez lui deux ou trois fois, toujours après minuit. Son grand plaisir était de parler philosophie. Nous restions assis jusqu'au petit jour et, pour autant que je me souvienne, nous n'étions d'accord sur rien. Ça ne tournait cependant pas au vinaigre. Ces échanges nocturnes avaient quelque chose de calme et d'irréel.

La machine à écrire, de couleur verte, était bien là. J'avais eu l'intention de la rapporter en Zambie, mais elle était trop lourde. Alors je m'en suis juste servi pendant les dix jours que j'ai passés sur l'île.

J'ai loué une voiture et je suis parti vers le district de Pamplemousses et le grand jardin botanique du même nom. L'île est couverte d'une végétation luxuriante. À maints endroits s'étendent de grandes plantations de canne à sucre. La population est un mélange d'Africains et d'Indiens. Et puis une communauté de Blancs, d'origine française, datant de l'époque coloniale. Cela ne faisait qu'une vingtaine d'années que l'île était une république indépendante.

Ma dernière initiative fut de visiter la capitale, Port-Louis. À part flâner un moment dans les rues et observer la vie des habitants, j'avais un but précis. Je voulais voir le musée où est conservé le squelette d'un oiseau d'une espèce éteinte, le dronte, également appelé dodo.

C'est une expérience étrange que de se tenir devant le représentant d'une espèce disparue. Sauf que le dronte n'est pas mort comme les dinosaures voilà des millions d'années. Il y a trois cent cinquante ans encore, il était possible de voir sur l'île des drontes bien vivants.

Le nom anglais *dodo* vient du portugais *doudo* qui signifie « stupide ». Les marins portugais qui ont débarqué sur l'île Maurice où vivait ce volatile ont constaté qu'il n'avait absolument pas peur des bipèdes, qu'il n'avait jamais encore eu l'occasion de croiser. Il était donc très facile de le tuer. Pas besoin de piège, de lacet ni de fusil de chasse, il suffisait de s'approcher tranquillement et de l'assommer, ou de l'attraper et de lui tordre le cou.

C'était une grosse bête. Un spécimen adulte pouvait peser plus de vingt kilos. En cas de besoin, il n'y avait qu'à débarquer et ramasser des oiseaux en quantité suffisante pour le dîner. La chair n'était pas très fine, mais quand on n'avait rien d'autre à se mettre sous la dent, cela restait malgré tout un repas convenable. De surcroît, on pouvait manger les œufs et récupérer les plumes pour divers usages.

Il vivait uniquement sur l'île Maurice. C'est un phénomène qu'on retrouve partout dans le monde : certaines espèces se développent sur des îles isolées à l'exclusion de tout autre endroit. Le dodo n'ayant pas eu de prédateur avant l'arrivée des hommes, il avait perdu sa faculté de voler.

Cet oiseau fut décimé en très peu de temps. À la fin du XVIe siècle, on rapporte encore la présence de nombreux spécimens sur l'île : deux siècles plus tard, il n'y en a plus. Les rares survivants furent emmenés en Angleterre, d'autres furent peints ou dessinés par des marins qui avaient la fibre artistique.

L'espèce humaine n'est pas impliquée dans le phénomène de l'extinction des dinosaures pour la simple raison qu'elle n'existait pas encore. En ce qui concerne le dodo, l'affaire est entendue. Ce sont les hommes qui ont fait disparaître de la terre l'oiseau « stupide ».

Aujourd'hui, des milliers d'espèces sont menacées d'extinction. On n'organise plus de battues pour décimer grenouilles, cerfs ou tigres. On continue en revanche d'exterminer les rhinocéros puisque les Asiatiques s'imaginent que leur corne a des vertus aphrodisiaques (il faut la réduire en poudre avant de la consommer). Il suffirait de la leur scier pour mettre fin au braconnage. Ce qui serait possible sans les faire trop souffrir. Dans le cas contraire, nos petits-enfants ne pourront voir un rhinocéros vivant que dans les parcs zoologiques.

L'extinction de toutes ces espèces animales est un prix à payer pour notre mode de vie. Le pillage de notre planète se poursuit à un rythme toujours soutenu, bien que nous en ayons pris conscience d'une façon très accrue depuis dix ou vingt ans.

Il existe des mouvements de contestation. Des individus se regroupent et appellent à la défense de la diversité en arguant que nous nous diminuons nous-mêmes en appauvrissant le monde et en nous privant de nombreux compagnons de route.

Un oiseau ou une grenouille de telle espèce peuvent-ils donc avoir une telle importance ? S'agissant de la diversité, la bonne réponse n'est jamais « non ».

La défense de la biodiversité ne justifie cependant pas tout. Beaucoup d'initiatives sont mal pensées et totalement contre-productives. En Suède, la libération en grand nombre de visons d'élevage a entraîné la destruction de populations d'oiseaux de mer de la Baltique, tels la macreuse brune et l'eider. Les visons ne font certes pas partie de la faune naturelle des archipels de l'Östergötland et du Småland, mais on avait oublié que c'étaient d'excellents nageurs et de grands mangeurs d'œufs. On avait beau compatir au sort des visons dans leurs cages, cela ne donnait pas le droit de répandre la mort sur les oiseaux de mer, dont les populations étaient jusque-là régulées entre autres par la chasse à l'automne et au printemps. On ne libère pas un animal pour en détruire un autre. Il faut vraiment appartenir à l'espèce humaine pour avoir une idée pareille.

Tous les étés de mon enfance, et bien d'autres plus tard, se sont déroulés sur une île de l'archipel du Västgötland. L'une de mes principales activités était la pêche à la ligne. La pensée que la perche puisse disparaître un jour de ces eaux était surréaliste. La perche disparue ? Alors la lune pouvait aussi bien cesser d'éclairer nos nuits.

À l'été 2003, j'ai vu une seule perche, longue de cinq centimètres à peine. L'année précédente, je n'en avais vu aucune.

C'est le même cas pour le cerf-volant, le plus grand de nos scarabées. Sur l'île dont je parle, il ne pousse presque que des chênes. Les cerfs-volants n'y ont jamais été très nombreux.

Mais il y en avait. Si on voulait en voir un, on n'avait pas à chercher bien longtemps. Aujourd'hui il n'en existe plus.

Cette extermination d'animaux et de plantes se poursuit à pas feutrés sur toute la planète. Celle des tigres et des rhinocéros bénéficie d'une grande attention, celle des cerfs-volants un peu moins. Mais c'est le même phénomène qui touche de plein fouet tous ces animaux quelles que soient leur taille, leur beauté ou leur rareté. La raison en est notre activité invasive, notre besoin effréné de consommer ce que la Terre ne peut en réalité nous offrir qu'à doses réduites et raisonnées.

C'est un combat qui se livre là. Entre ceux qui essaient de protéger la faune et la flore et d'arrêter le pillage insensé des ressources, et ceux qui détournent leur regard en disant que les gens qui veulent une voiture et qui ont les moyens de l'acheter doivent pouvoir le faire sans entrave où que ce soit dans le monde.

Combien de voitures neuves chaque jour dans les rues de Chine ? Quarante mille ? Davantage ? Et quel usage ces nouveaux propriétaires auront-ils de leur véhicule quand les autoroutes, quel que soit le nombre de voies, seront si encombrées qu'on ne pourra plus avancer ?

De toutes les images qui décrivent si bien le monde effrayant dans lequel nous vivons, il y en a une qui me revient souvent à l'esprit. C'est une vue d'avion qui montre le réseau autoroutier de Los Angeles. On pourrait sûrement prendre la même photo au-dessus de Shanghai, São Paulo ou Mexico City. Les files sinueuses, grouillantes, rappellent la chaîne d'usine des *Temps modernes* de Chaplin. Les voitures ressemblent à des colonnes de fourmis à l'arrêt. Et au-dessus de tout cela stagne le souffle malodorant de la métropole moderne.

D'une certaine façon, ces autoroutes et ces gaz d'échappement ont partie liée avec le défunt dodo.

Nos progrès sont vertigineux. Mais les plateaux – positif

et négatif – de la balance sont toujours plus déséquilibrés. On dit aujourd'hui que grâce aux innovations génétiques on devrait pouvoir recréer des espèces éteintes. Mais qu'est-ce là, sinon un rêve désespérant, destiné à recouvrir d'un voile pudique tout ce qui s'est produit, et qui se produit encore ?

La mort existe. De même que l'extermination. Dans le monde de la raison, nul ne revient jamais d'entre les morts.

Le squelette du dodo est ce qui nous reste de cet oiseau qui n'a pas pu survivre après que les premiers marins ont débarqué sur les plages de l'île Maurice.

Le dodo ignorait ce qu'est un ennemi. Et, bien sûr, il a aussitôt été jugé stupide.

48

Qui reste-t-il à la fin pour écouter ?

Pénétrer dans une grotte, c'est comme disparaître au cœur d'une forêt profonde. La lumière change. L'ombre gagne. Jusqu'à ce qu'il n'y ait plus qu'elle. Les bruits décroissent, à la fin tout est silencieux.

Mais dans la grotte il se produit encore un autre phénomène, qui a de tout temps occupé notre imagination : l'écho. On peut murmurer des paroles inaudibles, l'écho en revient beaucoup plus fort. Quelques pas à gauche ou à droite, et il change de nature. Il peut venir de plusieurs directions à la fois. Ou vous cerner dans un mouvement circulaire. L'écho est vivant.

Il n'est pas étonnant que ceux qui vivaient il y a quarante mille ans aient imaginé que l'écho était la voix du surnaturel. Dans l'obscurité profonde de la grotte, les parois se sont mises à parler. On ne voyait ni les corps ni les visages, mais les voix étaient là. Et elles parlaient la même langue que celle des humains.

L'écho recèle des secrets remarquables. Comme en témoigne une merveilleuse découverte archéologique datant d'une trentaine d'années.

Iégor Reznikoff, spécialiste de musique ancienne et médiévale, s'est rendu seul plusieurs fois en Bourgogne au milieu des années 1980, dans les grottes d'Arcy-sur-Cure. Il s'agit d'un système comportant de nombreuses peintures rupestres vieilles de plus de vingt mille ans. Reznikoff a observé que la très grande majorité d'entre elles se situaient dans les renfoncements les plus reculés, les plus inaccessibles et les plus obscurs. Il a également remarqué que cette configuration se retrouvait dans nombre d'autres grottes. Pourquoi les auteurs de ces peintures ne les avaient-ils pas exécutées là où la lumière et les conditions de travail étaient bien meilleures ?

Il s'est promené dans le noir en parlant à voix haute. Il a murmuré, chuchoté, chanté tour à tour – en prêtant attention à l'écho et à ses variations. À l'endroit où l'écho présentait un caractère très particulier, il allumait sa lampe. Sans exception aucune, il s'est avéré que les peintures étaient les plus nombreuses à ces endroits précis. La coïncidence était systématique. Il ne pouvait s'agir d'un hasard. Il a exploré un système de grottes après l'autre, en cherchant dans le noir les endroits où l'écho était le plus singulier, et allumait sa torche. D'après les résultats qu'il a exposés par la suite, il n'y avait jamais d'erreur.

L'écho et les peintures étaient liés. Il a constaté ensuite que le motif de telle peinture pouvait être rapproché de la forme acoustique de l'écho à cet endroit. Si l'écho était très sonore, ou tissé de nombreux échos provenant de plusieurs directions à la fois, il pouvait être certain en allumant sa torche de trouver un troupeau entier de grands buffles ou de mammouths rassemblés sur une surface réduite comme si le troupeau était en fuite. Quand l'écho présentait d'autres caractéristiques, on pouvait observer par exemple des points de couleur dispersés, ou une ligne pointillée, parfois même l'empreinte d'une main. Ce n'est pas un phénomène réservé à l'Europe. On rencontre le même schéma dans les ravins de l'Utah ou de l'Arizona. Les peintures exécutées à même la roche coïncident avec les caractéristiques de l'écho.

Nous ne savons pas pour quelle raison ces ancêtres peignaient ni pourquoi l'écho jouait un tel rôle. Les peintures pariétales de cette époque sont des représentations de la réalité, animaux, mains, signes. Elles datent de bien avant la création de l'homme-lion. Ces peintres n'étaient pas encore des artistes au sens où nous l'entendons aujourd'hui, c'est-à-dire utilisant leur créativité pour imaginer et donner forme à ce qui n'existe pas. Abstraction qui suppose que le spectateur a lui-même la faculté d'associer des significations à ce qu'il voit.

Mais ces artistes étaient influencés par l'écho. Leurs décisions concernant *quoi* et *où* peindre étaient en relation directe avec les modifications de celui-ci. Cela signifie-t-il pour autant qu'ils le percevaient comme étant de la « musique » ? Nous n'en savons rien. Ce que nous savons, c'est qu'à la même époque où ces peintres écoutaient l'écho, d'autres fabriquaient des flûtes.

Ils ne pouvaient expliquer le phénomène. Ils le constataient seulement. Dans la plaine, par exemple, pas d'écho. Pour en avoir un, il fallait des rochers ou des grottes. Sans doute pensaient-ils que des êtres magiques, des esprits, habitaient la pierre et leur parlaient en leur renvoyant leur propre voix, mais distordue, déformée au point d'être parfois méconnaissable.

Ils ont dû s'apercevoir également que les sons pouvaient voyager sur l'eau. Là aussi, un lien magique unissait des êtres invisibles qui dirigeaient la vie humaine.

L'écho était magie et divinité. Nous n'en avons aucune preuve, mais nous pouvons imaginer que l'écho faisait l'objet d'un culte de la même manière que les esprits des rochers ou des arbres. Il a pu y avoir très tôt dans l'histoire de l'humanité une catégorie de « prêtres » chargés d'adresser des prières à l'écho.

On peut pousser l'hypothèse encore plus loin. Les grottes où l'écho était spécialement spectaculaire ont pu faire office de temples ou même de théâtres. Avec des torches pour animer les animaux peints sur les parois de leurs reflets bondissants, on peut imaginer des rassemblements de prière où l'écho transformait les voix en un chœur d'une puissance irréelle. Il est possible qu'on y dansait, des danses rythmées qui regroupaient l'ensemble des participants ou juste ceux qui étaient chargés de conduire le rituel.

Ces cérémonies n'avaient d'ailleurs peut-être rien de grave ni de solennel. Peut-être étaient-elles pleines de gaieté au contraire ? Il est facile de se représenter nos ancêtres sous les traits de personnages sombres, vu que la vie était dure, la nourriture rare et la survie un enjeu de chaque instant, mais qu'en savons-nous ?

L'écho subsiste dans les grottes au même titre que les peintures. La sensation de magie n'est jamais loin. Nous sommes aujourd'hui capables d'expliquer un phénomène acoustique, mais cela ne réduit en rien la valeur de leur expérience. Peut-être est-ce même le contraire ? Les instants magiques où l'écho roulait le long des parois leur donnaient-ils la force et le courage de survivre d'une manière que nous avons, pour notre part, du mal à imaginer ?

Pour savoir ce qui se passait dans ces lieux, nous ne disposons que d'un mélange de probabilité et de pure conjecture. Ces rituels étaient-ils, par leur nature, proches de ce que nous appellerions aujourd'hui une « fête » ?

Sans doute ces ancêtres n'étaient-ils pas si différents de nous. On peut même retourner la proposition et dire que nous sommes probablement restés très proches de ce qu'ils étaient. Nous formons une seule famille.

Comment voyaient-ils par exemple le contraire de l'écho, c'est-à-dire le silence ? Était-il rassurant à leurs oreilles ou inquiétant au contraire ? Ils vivaient dans un monde infiniment plus silencieux que le nôtre. Peut-être le silence était-il pour eux de l'ordre de l'évidence. Il n'y avait pas de villes, pas de machines, pas de véhicules mécaniques, pas d'amplis. Le monde était silence, peuplé des seuls bruits de la nature. Le bruissement du vent, le hurlement de la tempête, le pépiement des oiseaux.

Aujourd'hui le silence est de plus en plus rare. Je me dis parfois que le silence est, lui aussi, en voie d'extinction.

L'écho nous survivra pourtant. Même quand nos voix ne seront plus là, les pierres continueront de se détacher et de tomber et l'écho répercutera leur fracas.

Qui sera encore là pour écouter ?

49
L'eau salée

Un jour, j'ai fait forer un puits sur une île. Celui qui avait été creusé un siècle auparavant ne donnait plus assez d'eau. Dans la mesure où cette île était au milieu de la mer et non d'un lac d'eau douce, j'ai choisi de faire appel à des spécialistes. Ils se sont révélés très compétents pour ce qui était de lire la géologie de l'archipel et de déterminer le point exact où on trouverait de l'eau douce par opposition à une eau saumâtre, voire carrément salée. Ceci sans équipement technique, en se fiant uniquement à leur expérience.

Ils ont chargé leur foreuse sur un vieux bac à bestiaux et ils sont arrivés un jour au début du mois de septembre. Pas de vent, ciel dégagé, les premières gelées n'étaient plus très loin, les derniers vols d'oiseaux migrateurs quittaient le pays. Ils partaient la nuit. On ne les voyait pas. Mais leurs ailes chantaient. On entendait un grand froissement dans le ciel noir.

Il fallait un peu plus d'une demi-heure pour faire à pied le tour de l'île, qui était divisée par un profond ravin. Quand j'y jouais, enfant, il me semblait que c'était un territoire immense et sauvage où l'imaginaire pouvait se nourrir de tout, rochers, crevasses, grottes, fourmilières, gros scarabées et même à l'occasion une vipère. C'était le pays des Moomins et de Winnie l'Ourson tout en un. Mais par son côté aride et accidenté, il évoquait aussi des continents inconnus, désert australien, savane africaine…

Les deux spécialistes avaient donc choisi le site. Ils allaient à présent creuser la roche, franchir le niveau de la mer et continuer à forer sans savoir à quelle profondeur ils rencontreraient de l'eau douce. Cela pouvait mal tourner. La roche était peut-être fissurée. Il n'y avait aucune garantie de succès autre que leur expérience commune à déterminer le meilleur emplacement où mettre leur machine.

Les heures ont passé. La colonne de forage s'enfonçait peu à peu dans la roche. Dix mètres. Vingt mètres.

Dans l'après-midi, la tête a rencontré de l'eau. Cette eau n'était pas juste saumâtre – elle était salée. Mais cela ne les a pas vraiment inquiétés.

« Une fois la poche vidée, l'eau douce montera. Il suffit de pomper. »

L'un a sorti d'un sac à dos un verre qu'il a essuyé à l'aide d'un mouchoir blanc. Il l'a levé à la lumière du soleil d'automne. Le verre était bien propre. Puis il l'a rempli avec l'eau du trou de forage et me l'a tendu.

« Goûte.

– De l'eau salée ? »

J'étais un peu surpris.

« Vas-y. Tu n'en mourras pas. Après, je te dirai ce que tu as bu. »

J'ai cru qu'il se moquait de moi, comme on dit à ceux qui n'ont pas l'habitude de la mer d'aller « nourrir le cochon de quille[1] ». Mais je sentais bien qu'il s'agissait d'autre chose. J'ai pris le verre et bu une petite gorgée. Saumâtre, effectivement. Il a récupéré son verre.

1. *Kölsvin*, littéralement « cochon de quille », désigne en suédois la carlingue.

« Ce que tu viens de boire provient d'une poche d'eau salée située à quarante mètres de profondeur dans la roche. Cette eau est enfermée là-dedans depuis la dernière période glaciaire. Quand la glace a fondu il y a dix mille ans, une partie de l'eau de mer s'est retrouvée piégée. Dix mille ans. Trois cents générations, si tu préfères. C'est la première fois depuis tout ce temps qu'elle remonte à la surface. »

J'ai souvent repensé à cet instant où j'ai bu quelques gouttes d'eau de l'âge de glace. Mais jamais aussi souvent que depuis que j'ai un cancer. Dans les moments sombres, j'essaie de calculer combien de temps j'ai vécu et combien de temps je peux raisonnablement espérer vivre encore en prenant en compte divers paramètres. Serai-je un survivant longue durée ou n'ai-je que quelques années devant moi ? Combien une année représente-t-elle de jours, d'heures, de minutes ? Combien de secondes ? Ces calculs sont absurdes. Ils ne sont qu'une conjuration dérisoire, comme s'il était possible d'allonger la durée de vie ou de repousser l'instant de la mort en transformant la réalité en formules mathématiques.

Mais la vie pas plus que la mort ne se laisse appréhender en fractales ou en équations du second degré. On peut compter les pulsations cardiaques et les globules rouges et blancs. Mais la vie n'exprime jamais une mesure quantifiable.

Pourtant il y a une sorte de consolation à repenser au verre d'eau de l'âge de glace que m'a fait goûter ce jour-là le technicien. La perspective qu'on peut avoir sur ce qu'est la vie humaine est susceptible d'être rétrécie ou élargie de tant de manières. Depuis la dernière période glaciaire, trois cents générations ont arpenté la presqu'île scandinave. Par-delà mon propre temps de vie, trois cents autres générations vont l'arpenter en attendant le moment où les glaciers recouvriront une nouvelle fois notre pays en comprimant l'écorce terrestre. De nouvelles poches d'eau salée se formeront, d'autres foreurs de puits creuseront peut-être la roche après la fonte des glaces…

De l'autre côté de la fenêtre près de laquelle j'écris se dresse un frêne. Ses bourgeons s'ouvrent en dernier, après ceux du chêne tardif. Je me figure le frêne en berger des autres arbres, veillant à ce que les feuilles de chacun soient vertes avant d'éclore à son tour.

Cet arbre, comme presque tous les autres arbres d'ici, mis à part quelques jeunes bouleaux chétifs, était déjà là au moment de ma naissance. Et il sera encore là après que j'aurai disparu.

Les petites gouttes d'eau salée que j'ai avalées ce jour-là contenaient une éternité. Chaque vie a son temps. Vouloir compter, mesurer ce temps, que ce soit pour soi-même ou pour les autres, est dérisoire. Certains vivent plus longtemps que d'autres. On peut déplorer les jeunes qui meurent avant d'avoir eu la possibilité de vivre leur vie. Mais pour les morts, le temps n'existe pas. Quand on est mort on est mort, à moins de croire en la résurrection de la chair ou en la réincarnation sous une forme ou sous une autre.

La mort est le plus grand mystère. Je peux m'interroger aujourd'hui sur ces foreurs de puits et sur la manière dont leur fréquentation des poches d'eau glaciaire influait sur leur vision de la vie. Je me méfie de ceux qui disent que la plupart des mortels refoulent toute pensée relative à la mort inéluctable qui les guette. Je ne pense pas que ce soit vrai. Je n'étais pas le seul, à huit ou neuf ans, à penser parfois à la mort qui m'attendait quelque part derrière l'horizon. Tous les enfants le faisaient, tous les enfants le font.

En revanche, que l'on puisse, aujourd'hui en Suède, passer une vie entière sans jamais voir un mort autrement qu'à la télévision ou au cinéma m'inquiète. Si on oublie la perspective de la mort, la vie devient à la fin inconcevable. Je ne veux pas dire par là qu'il faille organiser des sorties scolaires à la morgue. Mais comment obtenir des jeunes qu'ils respectent la vie si la mort est cantonnée aux hôpitaux et aux entreprises de pompes funèbres ? Le fait que la mort ait disparu dans un pays tel que la Suède est une grande défaite culturelle. Cela n'augure rien de bon pour l'avenir.

Les foreurs de puits ont quitté l'île avec leur machine. Le bac à bestiaux a disparu, remorqué par un bateau de pêche au vieux moteur Säffle pétaradant. Ils m'avaient laissé des instructions sur la manière dont je devais pomper l'eau salée et la laisser couler jour et nuit jusqu'à ce que le réservoir ait complètement perdu toute trace de sel.

« Ça va prendre combien de temps ? »

Le plus âgé avait l'habitude qu'on lui pose cette question.

« On ne sait pas. Ça dépend. Mais goûte. Quand l'eau sera vraiment buvable, tu pourras arrêter la vidange. »

Ça a mis à peu près une semaine. Depuis, l'eau a toujours eu bon goût. Et elle n'a jamais manqué, même dans les périodes où le lave-linge tournait sans arrêt.

Je ne sais pas pourquoi mais, quand la grande inquiétude m'empoigne, la pensée des foreurs de puits, de leur machine et du verre d'eau glaciaire est parfois la seule capable de m'apaiser. Il n'y a pas d'argument rationnel, ou sentimental, qui puisse l'expliquer. C'est comme ça, c'est tout. L'eau est restée prisonnière de la roche depuis l'époque où la couverture de glace a fondu, libérant l'écorce terrestre qui a pu émerger de la mer une fois de plus. Beaucoup de ces poches d'eau salée se rouvriront seulement lorsqu'une nouvelle couche de glace recouvrira notre partie de l'Europe.

Je peux écrire que je vis entre deux périodes glaciaires. Les arbres qui étaient là avant ma naissance et qui seront encore là après ma mort ne sont pas éternels. Un jour ils disparaîtront eux aussi, de même que toutes les formations insulaires, tous les hauts-fonds, toutes les plages de sable que j'ai connues au cours de mon existence.

La vie, c'est juste ça : quelques gouttes d'eau salée dans un verre.

50

Le bison à huit pattes

À quoi pensaient ceux qui peignaient des images dans les recoins inaccessibles des grottes ? Dans ces lieux où ils se réfugiaient à l'abri des intempéries et des prédateurs qui menaçaient leur existence même. Et où ils œuvraient à l'embellissement de ces cathédrales formées par la nature.

Espéraient-ils que leurs images survivraient et seraient jugées par les générations à venir ? Ou bien n'avaient-elles pour objet que de remplir une fonction dans leur propre vie ? Le développement du cerveau humain a permis d'élaborer des projets, d'envisager l'avenir. Cela a pu jouer un rôle chez ces artistes. Mais lequel ? Leurs peintures étaient-elles des messages et des salutations, d'une époque à une autre ? Ou rêvaient-ils que les animaux qu'ils avaient peints se libéreraient un jour, bondiraient hors de la grotte vers une réalité où ils redeviendraient chair comestible, et ne seraient plus seulement de sombres images avec lesquelles des chamanes en transe communiquaient afin d'éloigner famines, maladies et prédateurs ?

Peut-être s'agissait-il d'une forme d'offrande ? Au lieu d'égorger un taureau ou un renne, on en offrait les représentations, ce qui permettait de conserver les animaux réels pour les manger.

Dans la grotte Chauvet, en Ardèche, il existe un animal qui

se distingue des autres. Il semble n'avoir aucun équivalent dans aucune autre grotte quelle qu'elle soit.

C'est un bison à huit pattes.

Sa reproduction est aussi précise que celle des autres animaux qui l'entourent. À cet ahurissant détail près qu'il a huit pattes.

Les intentions du peintre sont très claires. Il a voulu représenter un animal en mouvement. À sa façon, trente mille ans avant l'invention du cinématographe, il a tenté de rendre l'image d'un animal au galop. Comme au ralenti, où la distance entre deux pattes et le changement d'angle rendent visible la fraction de seconde qu'aurait exigée le mouvement dans la réalité.

Il n'existe au monde qu'une seule peinture pariétale qui montre cela. À moins qu'il n'y en ait d'autres dans des grottes non encore explorées – on ne peut exclure cette hypothèse, mais à ce jour en tout cas on ne connaît qu'elle.

Comme mû par une intuition, le peintre a voulu explorer une technique inconnue. À laquelle il ne s'était peut-être jamais essayé auparavant. Capter un mouvement à l'intérieur du mouvement. Qui va si vite, dans la réalité, que l'œil humain ne le voit pas.

Que s'est-il passé une fois que le peintre a eu fini son travail ? Qu'ont dit ceux qui sont venus ensuite et qui ont vu ces huit pattes ? Qu'ont-ils pensé ? Ont-ils été curieux, ou furieux au contraire ? Le peintre avait-il brisé un tabou ? La seule certitude que nous ayons, c'est qu'ils ne l'ont pas détruite. Elle n'a pas été grattée, on n'a pas peint un autre animal par-dessus.

L'image nous raconte cependant encore autre chose. Si on l'observe attentivement, les pattes tourbillonnantes et les yeux du bison révèlent qu'il est en fuite. Un prédateur invisible est là. Peut-être des chasseurs. Le bison galope. Cette peinture tente de montrer l'énorme effort instinctif que consent l'animal pour échapper à la mort.

Qui qu'il soit, l'artiste qui a peint ce bison égaré, paniqué, en fuite, a fait un travail extraordinaire. Les pattes captées dans leur mouvement et les yeux suggèrent la peur de manière incroyablement expressive. L'image tout entière est sur le point d'exploser sous l'impact de la puissance libérée par la terreur de la mort. C'est d'une force énorme. Le bison semble prêt à s'arracher à la paroi pour accélérer encore et laisser le fauve, ou les humains, loin derrière lui.

Pas un trait n'a changé depuis sa création. La couleur n'a pas été recouverte. L'artiste savait ce qu'il voulait montrer ; sa main n'a pas hésité.

Ce n'est pas le fait d'un débutant. Les êtres humains vivaient rarement au-delà de trente ans à cette époque. Mais cet artiste peignait déjà depuis longtemps.

Chacune de ces visions a demandé du temps et de l'effort. Tout comme le créateur de l'homme-lion, celui-ci a dû être aidé par les autres membres du groupe afin qu'il puisse se consacrer à la peinture.

Dans la même grotte, on trouve également un groupe de chevaux et de rhinocéros. Quand je contemple ces images, j'ai le sentiment que toutes les peintures de cette galerie sont l'œuvre de la même personne. Dans d'autres cavernes, on peut voir qu'il s'agit de plusieurs auteurs différents. Mais dans la grotte Chauvet, c'est apparemment un seul artiste qui a accompli tout ce que nous admirons aujourd'hui.

Voilà que des ombres de l'Histoire émergent les premiers individus. Ils ne dessinent pas des personnes, mais des animaux. Bientôt naîtront les premières sculptures de visages humains individuels. Et nous, mille générations plus tard, nous les regardons.

Dans l'actuelle Slovaquie, on a retrouvé voilà quelques années une sculpture d'ivoire haute de cinq centimètres représentant une tête de femme. On l'appelle parfois « la Mona

Lisa des origines ». Elle a environ trente-cinq mille ans. C'est une sculpture où apparaît une personnalité individuelle avec ses traits singuliers. Son œil gauche est saisissant : la paupière pend, elle a été blessée à l'œil. Elle semble esquisser un sourire. Nous pouvons imaginer l'existence d'un modèle vivant. Sans doute quelqu'un de la famille de l'artiste. Peut-être était-elle sa mère, sa sœur, ou une femme avec laquelle il vivait ?

Elle est l'un des premiers êtres humains dont nous possédions le portrait.

Qu'a-t-elle pensé en voyant la sculpture qui représentait son visage ? Elle a dû s'émerveiller qu'on puisse en faire une copie si petite. Elle a dû se demander s'il existait à l'intérieur de ce bout d'ivoire un esprit qui ressemblait au sien.

L'ombre de son sourire m'accompagne depuis le jour où je l'ai vue pour la première fois. Son visage suggère un caractère introverti. En même temps elle se sait à l'évidence observée…

Quand je suis arrivé en Afrique pour la première fois, voilà quarante ans, c'était avec l'idée fausse que j'allais trouver beaucoup de différences entre les Africains et moi. Or tout ce que j'ai constaté, ce sont des ressemblances. J'ai compris que nous appartenions tous à la même famille. Dans la mesure où l'espèce humaine dans son ensemble est originaire du continent africain, cela signifie que notre mère originelle à tous avait la peau noire.

Quand je vois cette sculpture réalisée voilà plus de trente mille ans, je peux me dire que cette femme fait partie de ma famille. Ce n'est pas une étrangère. Dans son sourire, j'entrevois un message que je comprends et que je reconnais. Nous avons les mêmes raisons de rire et de pleurer.

Je suis chez moi en compagnie des peintres des grottes. Et ils sont chez eux en ma compagnie.

51

Le secret des peintres des grottes dévoilé

La veille du jour où je devais commencer une nouvelle série de séances de chimiothérapie, je suis allé acheter quelques livres dans une librairie. En guise de consolation, ou peut-être de récompense anticipée pour ce que je m'apprêtais à subir.

Quand je me suis allongé dans la chambre n° 1 pour la dernière séance, je tenais entre les mains un petit ouvrage au titre trompeur : *La Plus Vieille Énigme de l'humanité*.

Je l'ai ouvert avec scepticisme. Mais après l'avoir fini, mon opinion était faite : seul le titre était idiot et racoleur. Le livre lui-même était fascinant. Il jetait une lumière radicalement neuve sur les enjeux liés à la forme d'art la plus ancienne que nous connaissions, celle qui se dissimule au fond des grottes.

Bertrand David, un dessinateur français, a posé quelques questions décisives sur la technique de ces artistes. Ils se rendaient la vie impossible en choisissant des endroits inaccessibles qui exigeaient d'eux de ramper à travers des boyaux obscurs. Pourquoi ?

Une autre question le taraudait : pourquoi les yeux des animaux étaient-ils souvent placés au mauvais endroit alors que le reste de leur anatomie était représenté correctement ? À un moment, Bertrand David a cru détenir la réponse. Il s'est livré à des expérimentations dans sa cave, et il a invité ses amis, y compris des enfants, à y participer. Le résultat est à la fois sidérant et convaincant. Il a conclu que les peintres avaient choisi les recoins les plus sombres pour leur obscurité même.

Ils posaient devant une flamme des petites sculptures des animaux qu'ils souhaitaient dessiner. À l'aide des ombres projetées sur le mur, ils en traçaient ensuite le contour sans difficulté. Mais l'œil du bison, du lion ou du cheval ne projetait aucune ombre. L'artiste devait l'ajouter à main levée.

Tout le monde peut utiliser cette technique. Il suffit de sortir par une nuit d'hiver bien noire en laissant la porte de la maison ouverte pour faire apparaître une grande ombre. Selon qu'on s'éloigne plus ou moins de la source lumineuse on devient un géant plus ou moins impressionnant.

Bertrand David et Jean-Jacques Lefrère, chercheur en médecine et historien des lettres, avaient écrit ensemble le livre que je lisais pendant que les substances chimiques pénétraient goutte à goutte dans mon organisme. Je levais à peine les yeux quand Marie ou une autre des infirmières entrait pour changer la perfusion.

De retour chez moi, je suis descendu à la cave avec un petit éléphant sculpté rapporté d'Afrique. J'ai fixé une feuille de papier blanc sur le mur, allumé une lampe à pétrole et installé mon éléphant, qui s'est aussitôt transformé en un géant dont les contours s'étendaient bien au-delà de ma feuille de papier. En éloignant la lampe de la sculpture, j'ai pu reporter son ombre sur le papier à l'aide d'un feutre. Puis j'ai allumé le plafonnier – le dessin de l'éléphant était là, à mi-hauteur sur le mur, comme ceux des grottes. J'ai ajouté un œil à main levée – peut-être pas tout à fait au bon endroit.

Pour moi, c'était une grande découverte. Un pas de plus dans ce monde dont nous ne savons presque rien et qui nous a laissé ces magnifiques peintures.

Le dessinateur français et son collègue formulent dans le livre une hypothèse audacieuse quant à ce que ces animaux représentent en réalité. Peut-être s'agit-il des ancêtres. On ignore si les individus avaient un nom en ce temps-là, mais on peut imaginer que oui. Dans ce cas, il est possible qu'ils aient eu des noms d'animaux. Les images peintes sur les parois pouvaient être alors une sorte de tombeau, images des morts dont le groupe désirait conserver la mémoire ? Cela expliquerait pourquoi beaucoup d'entre eux ont été pendant des millénaires recouverts par d'autres images. Un peu à la manière dont on réaménage parfois les cimetières, faisant disparaître au passage croix et pierres tombales anciennes.

Cette explication, pour fascinante qu'elle soit, n'est qu'une hypothèse. Contrairement à la découverte de la technique de projection lumineuse qui dévoile le secret des peintres des grottes avec un fort coefficient de probabilité.

Comme les autres enfants, j'ai eu ma période où je calquais intensément divers motifs. Je n'avais pourtant pas de talent pour le dessin. La seule évaluation artistique possible du travail de ces dessinateurs concernerait alors la part réalisée à main levée. Certains yeux sont par exemple mieux exécutés que d'autres. Non seulement leur emplacement est plus correct, ils ont aussi une expression plus vivante. Il n'existe pas deux yeux semblables. Dans tous les cas, le peintre a fait un choix artistique.

Cette découverte ne diminue en rien la valeur de ces dessins qui nous captivent encore tant de millénaires plus tard, que ce soit sous forme de reproductions, sur une vidéo ou dans la réalité en visitant les grottes.

Au cours de l'évolution de l'humanité, l'art a toujours été en route vers ce qu'il est aujourd'hui.

Et vers ce qu'il sera demain. Neuf. Inattendu.

52

Le bonheur de l'arrivée au printemps d'une camionnette déglinguée

Au début du printemps dans le Härjedalen, quand j'étais enfant, on rêvait au retour prochain du cirque.

Ceux de ma génération qui sont nés dans une petite ville où il se passe rarement quoi que ce soit se souviennent de ce moment où la neige avait fini de fondre et où la caravane se matérialisait enfin. Au cours de l'interminable hiver, on avait parfois dans la tête la vision des roulottes colorées et décorées, des gros balèzes armés d'une masse, enfonçant les pieux destinés maintenir piste et chapiteau, des mystérieuses langues étrangères qui résonnaient entre les roulottes où les artistes menaient leur existence quotidienne énigmatique et inaccessible.

Bien sûr, c'était naïf et romantique, et ce l'est toujours. Le monde nous rendait visite. Comme si venaient nous saluer les représentants d'un étrange lointain s'étendant par-delà les forêts infinies qui entouraient de toutes parts la petite vallée où je vivais, au bord d'un fleuve glacé.

Cela commençait toujours par l'arrivée d'une camionnette déglinguée dont le pot d'échappement traînait au sol. Des hommes armés de longs balais-brosses et de seaux remplis d'une épaisse colle blanche en descendaient et couvraient les murs d'affiches aux couleurs éclatantes. Ils étaient toujours pressés d'en finir. La colle giclait de tous côtés.

Quelques jours plus tard, la caravane s'annonçait. Les plus grands cirques empruntaient le chemin de fer. La localité où j'ai grandi était trop petite. Nous devions nous contenter de cirques modestes qui arrivaient par la route avec leurs roulottes, leurs camions et autres véhicules tirés par des tracteurs fumants.

Le monde avait des pots d'échappement en mauvais état.

L'un de ces cirques s'appelait « Scala ». Il y en avait d'autres, dont j'ai oublié le nom. Les programmes se ressemblaient tous, à croire qu'ils avaient été inspirés par le même modèle.

Pour ceux qui avaient la chance d'y aller, c'était la perspective d'un moment magique. Toute normalité disparaissait. Les trapézistes planaient en apesanteur sous le toit du chapiteau. Leur exclamation au moment de se jeter dans le vide et de se laisser rattraper par leur partenaire – je l'entends encore.

En bas, sur la piste, d'autres artistes jonglaient avec des balles, des quilles, à deux, à trois, à plusieurs. Toujours cette façon de défier la normalité, de la pousser dans ses retranchements. Les clowns étaient ce qui se rapprochait le plus d'une humanité ordinaire. Ils trébuchaient, se cassaient la figure, criaient, pleuraient, s'éclaboussaient mutuellement. Avec leur maladresse et leur ridicule, ils étaient semblables à nous. Moins bons que Chaplin, mais tout de même…

Des chiens évoluaient, juchés sur le dos de chevaux, des otaries rampaient sous nos yeux, le directeur exigeait tour à tour notre silence ou nos applaudissements. Il tenait sa petite troupe d'une main de fer. Et le public, tel un animal dompté, suivait docilement la moindre indication de sa main gantée de blanc brandissant le fouet.

C'était un homme effrayant, le seul que je redoutais pendant toute la durée du spectacle. Alors que les autres transformaient la vie en un paradis illuminé, il était le maillon vers la réalité qu'on avait provisoirement quittée et qu'on retrouverait immanquablement à la sortie du chapiteau. Il était le maître d'école sévère, il était l'ivrogne qu'on voyait parfois tituber dans les rues de la ville et qui détestait les enfants qui l'approchaient trop.

Je ne sais pas si ces cirques qui une fois l'an, au printemps ou à l'été, sillonnaient les patelins pour anéantir les lois de la pesanteur et de l'ennui existent encore. Sinon, c'est une preuve supplémentaire que la prospérité et la tourbillonnante révolution technologique recèlent une misère rampante. Même si on peut voir le nec plus ultra de l'art circassien sur internet ou à la télévision, ce ne sera jamais qu'une pâle copie du cirque. Pour assister à la métamorphose, il faut être là, en chair et en os. On doit se trouver dans le même espace physique que les acrobates et les jongleurs.

Alors seulement on est inclus, complice, prêt à défier la loi de la gravité, on abolit le temps, on se fond ensemble dans ce que j'appellerais faute de mieux un vertige de bonheur.

La grande aventure, c'est de voir que ce que réalisent ces artistes est *possible*. L'homme-caoutchouc a un squelette comme vous et moi. La femme aux yeux obliques réussit vraiment à faire tourner ses assiettes sur de fins bâtons sans qu'aucune d'elles vole en éclats sur la piste.

Le cirque n'est rien d'autre que la démonstration de facultés apprises et entretenues au prix d'un entraînement et d'une discipline sévères.

Chaque jour, d'avril à octobre, la troupe déversait des tonnes de sciure et ratissait la piste en prévision du spectacle. Le chapiteau se dressait, les pieux s'enfonçaient, la toile se tendait.

Tout cela continue d'exister.

Un été, il y a bien longtemps, je me trouvais à Albufeira, dans l'extrême sud du Portugal. Je louais un appartement dans un immeuble sans charme. Un cirque itinérant était installé non loin de là. Chaque soir, j'entendais la musique, les applaudissements, je voyais le public arriver et repartir.

C'était un cirque à l'ancienne. On était à Albufeira, mais on aurait tout aussi bien pu être à Sveg.

L'art du cirque ne cesse d'évoluer. Il y a vingt ou trente ans, on a vu arriver ce que l'on a appelé « le nouveau cirque ». Son vaisseau amiral était, et demeure, le Cirque du Soleil, qui ne cesse de tourner dans le monde avec des troupes différentes. Les ingrédients ne changeaient pas : acrobates, jongleurs, clowns. La nouveauté : ils racontaient une histoire. Ce n'était plus un enchaînement de numéros indépendants et le salut final de tous les artistes sur la piste.

Dans le nouveau cirque il y a toujours une histoire, par exemple une histoire d'amour, dont le récit est fait non en parole par des comédiens, mais en action par des circassiens. Or les circassiens *sont* des comédiens. Pour nous séduire, ils font preuve du même art que celui que déploient les acteurs sur une scène de théâtre. Parfois, je me dis que seule la sciure les distingue.

Quand je vois un très bon spectacle de cirque, j'ai tout de suite envie d'y participer. Je ne saurais pas voler sous le toit du chapiteau ni jongler avec dix massues mais je me glisserais volontiers dans un rôle d'assistant, apportant et remportant les accessoires.

Pareil pour le théâtre. Quand je vois une mise en scène qui ne me touche pas, je n'ai qu'une envie, c'est de me lever et de partir. Quand elle m'émeut, j'ai l'envie irrésistible de me lever, mais pour grimper sur le plateau et m'asseoir à la table où les comédiens font semblant de dîner.

Les représentants du nouveau cirque ont fait évoluer la discipline de façon spectaculaire en peu de temps. Ils peuvent créer sous nos yeux des histoires bouleversantes. Le talent déployé par ces artistes souvent très jeunes m'émerveille et achève de me convaincre qu'il n'y a pas de limites à la faculté humaine de *créer*. La distance n'est peut-être pas si grande entre ces acrobates volants et celui ou celle qui sculpta autrefois son homme-lion à partir d'un bout d'ivoire.

Les dauphins volent par-dessus la pointe des vagues sur la fresque du palais de Cnossos. Les trapézistes planent sans fin sous le toit du chapiteau du cirque Scala de passage dans une petite localité du Grand Nord.

Nous, le public, nous regardons. Mais nous participons aussi d'un même élan.

53

L'invalide de guerre de Budapest

Un soir au début du printemps 1972, Eyvind et moi nous sommes retrouvés à la gare centrale de Copenhague. Nous étions collègues, deux jeunes metteurs en scène de théâtre qui écrivions également. Nous allions prendre le train jusqu'à Milan, où l'on nous avait promis que nous serions accueillis au théâtre La Comune afin d'y suivre le travail de Dario Fo et de sa femme, Franca Rame. Nous avons traversé l'Allemagne de l'Ouest pendant que nous dormions, avalé notre petit déjeuner en Suisse et débarqué le soir à Milan. La première nuit, nous avons pris une chambre pour deux à l'hôtel. Dès le lendemain matin, nous nous sommes mis à la recherche d'un logement. Nous étions assez fauchés. On nous a proposé un box de parking dans un immeuble promis à la démolition. Il n'y avait pas de lits, mais quantité de rats. Nous avons continué à chercher.

Le même jour, nous avons rencontré Dario Fo. Il avait complètement oublié que nous devions venir. Tout paraissait très chaotique dans son théâtre, où il fallait d'ailleurs franchir un impressionnant contrôle de sécurité avant d'être autorisé à entrer. Dario Fo et Franca Rame recevaient en permanence des menaces de mort. Ils répétaient alors la pièce qui prendrait plus tard le nom de *Mort accidentelle d'un anarchiste*.

Le soir, nous sommes allés boire un café à une terrasse.

Notre préoccupation était de trouver un logement bon marché dès le lendemain, faute de quoi notre projet d'un séjour prolongé à Milan serait vite financièrement intenable. Un homme s'est approché de notre table. Il voulait nous vendre une montre. Nous avons décliné son offre. L'un de nous a peut-être souri, je ne m'en souviens pas, mais soudain plusieurs copains du vendeur de montres ont surgi de l'ombre. Des types d'une vingtaine d'années, qui nous ont accusés de nous être moqués de lui. Ils ont tordu le nez d'Eyvind et m'ont donné un coup de pied dans le bas-ventre qui m'a fait mal pendant quelques jours.

Après une nuit d'insomnie, Eyvind a décidé de rentrer en Suède en avion. On lui a remis le nez à l'endroit à l'hôpital de Malmö. Je me suis retrouvé seul à Milan, ne sachant que faire. Dario Fo s'est peut-être demandé fugitivement où étaient passés ces deux Suédois enthousiastes qui envisageaient de rester à Milan un mois entier.

Je suis parti. J'ai pris le train pour Vienne, puis pour Budapest. Je n'y étais jamais allé, alors c'était l'occasion. En plus, j'aurais trouvé embarrassant de revenir en Suède sans avoir fait quoi que ce soit d'intéressant.

À la gare de Budapest, j'ai vu un homme qui était vraisemblablement un invalide de guerre. Il était ivre. Il mendiait. Est survenu alors un gars en uniforme – clairement un garde employé des chemins de fer hongrois. D'un coup de pied il a renversé l'infirme, faisant voler ses béquilles et la menue monnaie de son chapeau qui se sont répandues en tintant sur le sol en pierre.

Pendant que l'infirme rampait dans la crasse pour récupérer son bien, le garde a rajusté sa casquette et s'est éloigné.

Tout s'était passé si vite que c'en était irréel. J'ai regardé autour de moi. Les gens circulaient, les haut-parleurs diffusaient des annonces incompréhensibles aux allures d'ordres aboyés ou d'explosions de rage dont l'écho se répercutait dans l'espace caverneux de la gare. Personne n'était venu en aide à l'invalide qui, toujours à terre, ramassait à présent ses béquilles.

C'était une expérience paralysante. La brutalité semblait complètement admise, comme une évidence, par ceux qui avaient été témoins de la scène. Pas même l'infirme n'avait protesté. Il se comportait comme si ce qui venait de lui arriver était tout naturel.

Le fait qu'il se retrouve à ramper ainsi était à ses yeux légitime, une question de droit. Mais lequel ? Un droit qu'il aurait bafoué en se livrant à la mendicité ?

Personne ne l'a secouru, moi y compris. C'était affreux. Le garde est revenu. L'espace d'un instant épouvantable j'ai cru qu'il allait recommencer. Mais non, l'invalide a quitté la gare en sautillant sur ses béquilles. Son crime était donc d'avoir mendié dans l'enceinte de la gare. Ce qu'il pouvait faire dehors était une autre affaire, qui ne concernait pas le garde.

J'ai passé quelques jours à Budapest de la même manière que dans bien d'autres endroits, quand je voyageais dans ma jeunesse et atterrissais quelque part où je n'avais pas prévu d'aller. J'ai erré dans la ville, je me suis assis dans les cafés, j'ai fait une promenade en bateau sur le fleuve, j'ai écumé les librairies, j'ai tenté de déchiffrer les affiches des théâtres devant lesquels je passais. En réalité, j'attendais surtout la date prévue de mon retour.

Un soir, j'ai payé le prix d'une communication internationale pour appeler mon père à Stockholm et lui dire où j'étais. Je lui ai donné le numéro de l'hôtel, au cas où quelqu'un chercherait à me joindre.

La conversation fut très brève. C'est la dernière fois que nous nous sommes parlé. Nous ne le savions naturellement ni l'un ni l'autre. Il est mort dans la nuit. Quand on a commencé à me chercher, on ignorait que mon numéro était griffonné sur un bout de papier dans la poche de son pantalon.

Je n'ai jamais oublié l'invalide et le fait qu'aucune des personnes présentes, moi le premier, ne soit intervenue pour l'aider. C'était comme un jeu de rôles où chacun, y compris l'invalide lui-même, connaissait sa partie et s'y conformait.

C'était une violence brutale, sans fard. Je n'avais sans doute encore jamais vu une scène semblable dans la réalité. La violence par écran interposé, au cinéma ou à la télévision, ce n'est absolument pas pareil. À l'écran, le jeu de rôles est transporté dans une autre dimension, où l'on tue les gens en échange de fortes sommes.

Bien des années après, j'ai vécu une autre forme de brutalité qui m'a renvoyé à l'invalide de la gare centrale de Budapest. C'était à Maputo, à la fin des années 1990. Il m'est encore désagréable d'évoquer ce souvenir.

J'habitais une maison de trois étages dans le centre-ville. C'était un bâtiment construit à la hâte au début des années 1970 alors que les combattants du Frelimo, le mouvement de libération nationale, approchaient par le nord. Quelques mois plus tard, le mouvement des officiers ferait tomber la dictature au Portugal, accélérant en retour la déroute portugaise dans ses colonies africaines. On continuait de construire, mais on n'avait pas le temps de bien laisser sécher le ciment. Quand j'y ai emménagé, les murs suintaient en raison des infiltrations d'eau.

Dans la même rue vivait un couple de Portugais qui habitaient depuis longtemps le pays. Ils occupaient une vieille villa.

Parmi leurs serviteurs, il y avait une jeune fille noire d'une vingtaine d'années. Elle commençait sa journée à six heures pour le service du petit déjeuner. Elle s'était alors levée à quatre heures et demie pour faire la route à pied depuis le lointain bidonville où elle vivait. Une longue journée de travail en perspective, et puis le parcours en sens inverse pour rentrer et dormir quelques heures. Des minibus circulaient sur une partie du trajet, mais son salaire ne lui permettait pas d'en payer le prix.

Un jour, elle a annoncé à sa patronne qu'elle était enceinte. Celle-ci a voulu la congédier sur-le-champ. Le mari a objecté qu'elle était propre et faisait du bon café. Elle a été autorisée à rester.

L'enfant est né. Après une semaine, pas davantage, la jeune femme a repris ses longues journées de travail. Elle a amené son bébé avec elle, mais sa patronne n'a pas voulu qu'elle le fasse entrer dans la maison. Elle a dû le laisser sur les marches du perron et l'allaiter dehors au moment des tétées.

Ce sont des voisins indignés qui m'ont alerté. De tels comportements racistes ne pouvaient plus être tolérés, disaient-ils. Le Mozambique n'était-il pas indépendant depuis bientôt vingt-cinq ans ? Ces attitudes étaient aussi vieilles que les colonies elles-mêmes. Comment pouvait-on accepter qu'elles se perpétuent ?

Nous nous sommes organisés, nous avons rédigé une lettre et menacé le couple d'aller trouver la police si la jeune femme n'était pas autorisée à garder son bébé avec elle à l'intérieur la maison.

Résultat, elle a été congédiée séance tenante. Conscients du risque, nous avions assuré nos arrières, de sorte qu'elle a pu avoir un autre emploi dans la foulée.

Par la suite, il m'est arrivé d'être témoin de réalités pires encore.

Pourtant, c'est l'image de l'invalide de Budapest et celle de la servante de Maputo qui figurent dans mes archives personnelles en première liste des expériences de l'enfer.

54

Une visite où quelque chose commence et prend fin

Dans la province de l'Östergötland, tout au bout de l'archipel de Gryt, juste avant la haute mer, il existe une île du nom de Lökskär. J'essaie de m'y rendre une fois par an. Le plus souvent, cette visite a lieu à l'automne. Impossible d'accoster ; je dois prendre mon élan et sauter du bateau de Tommy Ljung en priant pour que mes semelles ne dérapent pas. Il repasse me chercher quelques heures plus tard.

C'est un îlot solitaire qui émerge de l'eau à l'endroit précis où la Suède commence ou s'achève, selon la direction d'où l'on vient.

L'île est silencieuse, muette. La pierre ne parle pas. Elle couve son histoire en secret.

Il est interdit d'y poser le pied pendant la période de couvaison des oiseaux. L'île est si isolée, si éloignée du continent qu'ils n'y sont pas dérangés par les visons, leurs ennemis mortels, qui sont bons nageurs et font des ravages sur d'autres îles plus proches de la côte.

Là, dans la solitude et le silence, vivaient autrefois des êtres humains. Qu'ils aient réussi à survivre dans cet endroit inhospitalier reste pour moi un mystère. Pour sauver les filets en cas de tempête, il fallait affronter la mer déchaînée à bord de frêles esquifs à rames. Les noyades étaient nombreuses. Parfois on découvrait un corps entortillé dans les mailles, comme si la mort voulait exhiber le fruit de sa pêche. D'autres corps disparaissaient simplement, on ne les retrouvait jamais.

Ces pêcheurs étaient arrivés au XVIIIe siècle. C'est du moins à cette époque qu'ils font leur apparition dans les registres paroissiaux sous la rubrique « Gens de Lökskär ». Jusque vers 1850, on trouve quelques rares habitants à l'année. Par la suite, l'île redevient un désert. Ses hôtes provisoires ont disparu aussi discrètement qu'ils étaient venus.

Peut-être a-t-elle levé sa main de pierre pour leur souhaiter bon vent ?

Pour moi, c'est un pèlerinage. Je traverse l'île dans le vent et le froid, en pensant à l'année écoulée et à celle qui va venir. Parmi ces rochers austères il n'y a plus de faux-fuyant ni d'excuse. On ne peut s'y mentir à soi-même. La pierre affûte toutes les vérités, les taille en pointes aiguës.

Il me semble deviner l'ombre de ceux qui vivaient là autrefois. Ils sont présents. Ils veillent sur mes pas. Leurs visages sont gravés dans la pierre grise, qui prend à certains endroits une légère nuance de rouille.

On peut encore tomber sur les vestiges des cabanes où vivaient ces pêcheurs. Tout ce qui était en bois a depuis longtemps fini de pourrir. Mais on distingue des pierres angulaires dans la petite combe du nord-ouest protégée de tous les vents. Les maisons ont à peine la taille d'une remise de pêcheur, voire d'un de ces chalets en miniature qu'on construit pour les enfants dans les jardins. Ils vivaient là, entièrement tributaires de ce que la mer acceptait de leur céder. Vu le peu d'herbe subsistant au milieu de la bruyère violette immangeable, on pouvait difficilement nourrir plus d'une vache sur l'île.

Je m'arrête pour contempler ces pierres qui furent autrefois posées par ces pionniers contraints de venir chercher là leur subsistance en raison de la surpopulation des îles à l'intérieur de l'archipel. Quand je reste suffisamment longtemps, j'ai parfois l'impression que ces pierres retournent lentement au lieu, inconnu de moi, où elles ont été prélevées un jour pour être apportées jusque-là.

Des buissons épineux descendent jusqu'au rivage de la petite baie où les pêcheurs rangeaient leurs bateaux, à l'abri du vent.

Il n'existe pas d'autre trace de leur existence. Rien n'est gravé où que ce soit. Aucun crochet de fer, aucun anneau d'amarrage n'est fixé aux rochers qui donnent sur la baie la plus profonde. Si des spécialistes armés de détecteurs de métaux ont écumé ce lieu, j'ignore s'ils ont découvert quoi que ce soit.

Il ne reste rien de ces gens, pas même une tombe. Quand la mer était calme, ou la glace solide, les morts étaient emmenés par bateau ou par traîneau jusqu'à l'église de Gryt. On les enterrait là-bas. Mais, dans le cimetière de Gryt, il ne subsiste aucune pierre tombale au nom d'un habitant de Lökskär.

Dans les archives paroissiales, en revanche, il arrive qu'on tombe sur une notice les concernant : par exemple, un jour de 1837, un petit garçon est grièvement brûlé après avoir renversé par mégarde une marmite d'eau bouillante. Il meurt « très vite ». L'écriture du pasteur est désordonnée. Quelques lignes plus bas, on apprend qu'Emma Johannesdotter s'est noyée.

La vie sur l'île était très rude. Malgré tout, il devait leur arriver de penser en regardant autour d'eux : « C'est ici que je vis. Je dois bien pouvoir y trouver mon bonheur… » Il a dû y avoir des moments de grande joie aussi sur cette île inhospitalière. Des nuits où l'on a pu s'aimer et dormir sereinement. Parfois je crois voir une femme allongée dans une faille de rocher, laissant le soleil chauffer ses bras nus.

De courts instants de paix. L'espoir que la vie sera peut-être meilleure un jour. À condition de partir pour une île plus fertile. Ou un autre pays. Un autre monde. Mais lequel ?

Les habitants de la côte n'ont qu'exceptionnellement quitté la Suède pour tenter l'aventure américaine. Les grandes vagues d'émigration du XIXe siècle ne les concernent pour ainsi dire pas. Contrairement aux paysans du Småland, ils pouvaient au moins toujours compter sur le poisson même lors des pires années de famine.

Un jour, alors que je faisais le tour de l'île à la rame par une claire matinée du début de l'automne, j'ai aperçu un filet qui s'était détaché de son ancrage et dérivait lentement vers le large. Dans la lumière du soleil, qui éclairait la mer en profondeur, j'ai vu quelques poissons morts et un canard plongeur entortillés dans ses mailles.

J'ai pensé que c'était ainsi que je me représentais la liberté.

La liberté. Toujours en fuite. Loin de ceux qui cherchent à la réduire.

Je ne sais pas qui a été le dernier être humain à quitter Lökskär. Certains affirment que c'était une vieille femme. Le jour de son départ, elle a emporté la dernière trace des générations qui avaient enduré en ces lieux une vie de labeur incessant pour assurer leur précaire subsistance.

De ce labeur, il ne reste rien. Je marche parmi les rochers en ce jour d'automne venteux et froid. Je me dis que l'île devait avoir exactement le même aspect il y a cent cinquante ans. La pierre, la broussaille épineuse, la bruyère et la rumeur de la mer qui ne cesse jamais. Des oiseaux planent dans les courants d'air ascendants, guettant les miettes de nourriture que je pourrais leur abandonner.

Arrivé au point culminant, je m'imagine au sommet d'un clocher. En me tournant vers la droite, j'aperçois les îles et les îlots qui finissent par former, au loin à l'horizon, une ligne de terre continue. Dans les autres directions, on ne voit que la mer.

Difficile d'imaginer que tout cela disparaîtra un jour. Non pas dans des millions d'années mais d'ici quarante ou cinquante mille ans, quand la prochaine glaciation aura pulvérisé le paysage, écrasé les rochers et solidifié la mer. Ce qui aujourd'hui est d'un gris de plomb sera blanc ou beige selon la propreté de la glace. La rumeur de la mer sera remplacée par les bruits de la glace qui pousse et se tord avant de trouver enfin sa place. L'endroit où je me tiens, au sommet de l'île, sera recouvert par un manteau gelé épais de plusieurs milliers de mètres.

La glace fondra un jour, mais Lökskär ne redeviendra jamais Lökskär. Un autre paysage dont nous ne pouvons même pas deviner l'aspect aujourd'hui aura pris sa place.

Mer ou pas mer ? Terre ou îles ? Grand large ou lagunes d'eau douce ? Impossible de le savoir. Les mouvements de la glace ne sont pas prévisibles.

Au bord d'une falaise, sur la côte est de l'île, il existe une formation rocheuse qui a la forme d'un fauteuil à dossier haut. Je vais toujours m'y asseoir un moment, en me tassant pour échapper au vent glacé.

Au loin, j'aperçois un voilier qui se dirige vers un port d'attache inconnu. Un plaisancier tardif qui a pris la mer alors que l'hiver approche.

Bientôt cette île va elle aussi fermer pour l'hiver. Un musée s'apprête à entrer en hibernation.

55

La femme au sac de ciment

Je ne saurais pas quantifier la part de ma vie que j'ai consacrée aux relations avec les femmes. Dans mon cas, il faut dire que les choses avaient plutôt mal commencé. J'ai rencontré ma mère pour la première fois à quinze ans. Elle avait fait ce que font beaucoup d'hommes : elle était partie. Une attitude rare chez une femme. En Suède, dans les années 1950, c'était même très inhabituel. Les pères, par contre, disparaissaient fréquemment pour ne plus reparaître. Notre monde est encore aujourd'hui plein de pères absents. Absents au sein des familles qu'ils ont pourtant contribué à créer.

Mais l'absence de la mère, dans le petit coin nordique où j'ai grandi, c'était plutôt suspect. J'étais conscient de l'originalité de ma situation. Ma grand-mère paternelle – une femme âgée qui se déplaçait sans bruit et passait l'essentiel de son temps à repriser des chaussettes – créait une sorte d'équilibre dans la maisonnée. Mais ma mère absente habitait toujours mon esprit.

Il existe un portrait réalisé je crois par le photographe Fåhraeus, où l'on me voit à un an sur ses genoux. Quand je la regarde, j'ai l'impression que cette belle femme, ma mère, n'a qu'une envie : m'ôter de ses genoux et s'en aller. Ce qu'elle a fait d'ailleurs peu après. Je n'ai aucun souvenir d'elle du temps de mon enfance.

Être rejeté par sa mère, c'est sans doute ce qui peut arriver de pire à un enfant. Quelqu'un de moins coriace que moi aurait sûrement endossé la culpabilité de son départ, jugeant que, si sa mère était partie, cela voulait dire qu'il ne méritait pas mieux.

Je ne me souviens pas que cette pensée m'ait traversé l'esprit. J'étais surtout surpris, je crois. Pour une raison obscure, cet étonnement m'apparaît semblable à celui de l'enfant qui voit soudain son ballon multicolore éclater et se transformer en un pauvre chiffon de latex. Le beau ballon a cessé d'exister. Perplexité devant cette mère qui ne daigne plus être présente quand on se réveille le matin ni quand on se couche le soir.

Quand je l'ai rencontrée pour la première fois, à quinze ans, c'était à Stockholm. Un restaurant du centre-ville, sur Stureplan. Ce restaurant n'existe plus. Mais lorsque je passe dans le coin, je me remémore cette rencontre. Elle était assise à une table isolée près de la fenêtre. J'avais vu des photos d'elle et je savais que je lui ressemblais beaucoup – le visage, les cheveux, les yeux. Je me suis approché. Grande curiosité, grande expectative. À l'instant où elle m'a identifié, venant vers elle, elle a levé les mains comme un bouclier et elle a dit :

« Ne t'approche pas, je suis enrhumée. »

Je ne l'oublierai jamais. Chaque fois que j'écris une pièce de théâtre ou un scénario de film, j'essaie de surpasser cette scène, cette réplique. Je doute d'y parvenir.

Au cours des dix ans à peine qu'il lui restait à vivre, nous avons développé une amitié hésitante, pleine de réserve. Je crois que nous dissimulions notre méfiance l'un comme l'autre. Deux ou trois fois j'ai essayé de l'interroger sur ce qui s'était passé quand j'étais petit. Elle se levait alors et disparaissait. Quand elle revenait de la cuisine un peu plus tard, l'odeur du whisky était plus perceptible qu'avant. J'ai renoncé. Nous n'en avons jamais parlé ensemble. Elle avait probablement honte. Pas la force d'affronter le fait d'avoir abandonné ses enfants.

Aujourd'hui que sa trahison n'est plus que poussière, je suis capable de penser à elle et de la comprendre. Elle a eu quatre enfants en tout, mais la maternité ne lui convenait sans doute pas. Elle était trop inquiète, trop impatiente. Elle voulait toujours être ailleurs. Je me reconnais en elle sur beaucoup de points. Sa vie a été une tragédie qui aurait pu être évitée dans d'autres circonstances. Mais, à l'époque, une femme mariée et mère de famille n'avait pas beaucoup de marge de manœuvre. Aujourd'hui je peux même lui témoigner du respect pour avoir osé prendre cette décision, car le fait de partir a dû être pour elle difficile et douloureux de bien des façons.

Lorsque je l'évoque, je pense à une autre femme et à un sac de ciment. Le destin de ma mère et celui de cette femme africaine n'ont absolument rien à voir. Un monde les sépare dans le temps et dans l'espace. Pour moi, pourtant, elles se font signe d'une rive à l'autre du fleuve de la vie et de la mort.

J'observais la scène depuis une voiture. Cela se passait dans les environs de Lusaka. Une femme était agenouillée au bord de la route. Unissant leurs forces, deux hommes ont soulevé un sac de ciment et l'ont placé sur sa tête. Le sac pesait sûrement cinquante kilos. Ils l'ont aidée à se relever. Je l'ai vue s'éloigner, vacillant sous l'énorme fardeau. C'était comme si elle entrait droit dans le soleil. La poussière de la route tournoyait autour d'elle.

Alors seulement j'ai réagi. Je me suis approché des deux hommes, qui s'étaient entre-temps rassis à l'ombre d'un hangar en tôle, et je leur ai demandé s'ils se rendaient compte que cette femme n'allait pas tarder à avoir le dos cassé s'ils continuaient à agir comme ça. J'ai dû leur apparaître comme un Blanc particulièrement arrogant et moralisateur.

L'un m'a répondu, sans l'ombre d'une ironie dans la voix :

« Nos femmes sont solides. Elles le supportent très bien. »

Il était fier.

L'obéissance de cette femme dévoilait une vérité concernant le monde dans lequel nous vivons. Son fardeau, elle le portait non seulement *sur* la tête mais *dans* la tête.

Adolescent, je ne peux pas dire que ma vision des femmes ait brillé par sa dignité. Mes premières expériences érotiques ont été marquées par ce qui était à mes yeux une évidence : toute responsabilité liée à une éventuelle grossesse incombait entièrement à la femme. Ça ne me regardait pas.

Aujourd'hui je réalise que l'un des mouvements politiques les plus importants de l'après-guerre concerne la place des femmes dans le monde. On ne peut nier les grands changements qui ont eu lieu dans ce domaine, même s'il demeure un problème majeur dans les pays en développement. Le défi à relever est de démanteler les convictions qui trouvent encore leur alibi dans une lecture aberrante des grands textes religieux, principalement ceux de l'islam et du judaïsme. Si les orthodoxes avaient le pouvoir en Israël, les femmes seraient encore assises à l'arrière du bus. Dans le monde musulman, nombreux sont les pays où les femmes luttent pour faire respecter leurs droits fondamentaux, à commencer par celui de disposer de leur propre corps.

Un jour, j'ai rencontré dans une petite localité du Norrland une très vieille femme qui m'a raconté un événement qui avait été pour elle absolument décisif. Elle avait grandi dans une famille pauvre et s'était mariée jeune avec un bûcheron. À vingt-six ans, elle avait déjà sept enfants. Elle n'en pouvait plus mais l'idée de refuser à son mari sa seule joie lui était impossible.

C'est alors qu'elle a entendu parler d'une femme étonnante qui sillonnait le pays en parlant d'amour. Ce n'était pas un mot qu'elle-même avait eu beaucoup l'occasion d'utiliser. Éventuellement une fois ou deux en s'adressant à ses enfants, ou en parlant d'eux, à la rigueur. Mais pour son mari et pour elle, ce mot-là sonnait d'une façon trop belle et trop étrangère. Il aurait été gênant de le prononcer. Et puis il ne fallait pas donner l'impression qu'on se croyait supérieur aux autres.

Un soir, elle s'est donc rendue à la Maison de la Culture – c'était en plein hiver, il faisait un froid de gueux, dix kilomètres aller et autant pour le retour – pour écouter la femme qui parlait d'amour et qui était de passage dans la région. Elle s'appelait Ottar et son dialecte était un drôle de mélange de norvégien et de suédois, mais on la comprenait quand même. Son message était multiforme. En substance, il disait qu'on pouvait éviter que les longues nuits d'hiver se soldent par de nouveaux enfants non désirés. Après la conférence, dans les toilettes glaciales, Ottar lui a fait essayer un diaphragme qui lui a permis de ne pas avoir d'autres enfants et de ne pas priver son mari d'une joie qu'elle-même pouvait enfin goûter à son tour.

« Ottar a changé ma vie, m'a confié cette vieille femme. Ce qui n'était qu'une souffrance continue est devenu pour moi une vie digne de ce nom. Auparavant, l'amour entre nous avait toujours été teinté de désespoir. »

L'un des plus grands défis qui se posent aujourd'hui est de donner plus de pouvoir aux femmes. Alors que ce sont elles qui, partout, portent la responsabilité de la production alimentaire et de la sauvegarde de la famille, leur pouvoir politique et économique est inexistant.

Je ne crois pas que les hommes et les femmes aient une manière foncièrement différente de penser. C'est une idée répandue mais fausse qu'il existerait un modèle de pensée

« masculin » et un modèle de pensée « féminin ». Le monde souffre en revanche de la domination masculine unilatérale et du fait que les voix des femmes ne s'entendent pour ainsi dire pas.

Cela conduit à une situation insensée. Comme si le monde entier adoptait une vieille habitude bourgeoise européenne : après le dîner, les hommes allaient d'un côté, les femmes de l'autre, et celle qui tentait de rompre cet ordre immuable était aussitôt remise à sa place et ramenée dans le droit chemin.

Mais pour qu'un nouvel ordre voie le jour, il faut que les hommes fassent un pas en arrière et qu'ils laissent la place aux femmes. Si l'on pense que c'est une vue de l'esprit, c'est qu'on n'a rien compris à l'évolution en cours.

La lutte continue entre ceux qui chargent les sacs de ciment sur la tête des femmes et celles qui portent le fardeau.

56

Un hiver à Héraklion

L'hiver 1978, j'ai passé quelques mois dans un hôtel à Héraklion, principale ville de Crète. C'était la dernière fois que j'entreprenais un long voyage en train. J'étais parti de la gare d'Oslo par une matinée glaciale et je suis arrivé à Athènes quelques jours plus tard. En Yougoslavie, les wagons étaient tractés par une locomotive à vapeur. Au matin, alors que nous approchions de la frontière grecque, j'ai passé la tête par la vitre baissée et j'ai inspiré profondément cet air qui échappait enfin à l'étau de l'hiver. J'ai reçu une poussière de charbon dans l'œil et cela m'a rendu quasi borgne pendant la première semaine de mon séjour.

L'hôtel était rudimentaire et dépourvu de charme. J'étais à peu près l'unique client. Le petit déjeuner se composait d'un semblant de café, de pain sec et d'une minuscule ration de confiture. La réception était gérée par un homme qui passait son temps plongé dans d'étranges équations mathématiques qu'il alignait sur du papier à en-tête de l'hôtel.

J'étais venu en Crète car je voulais voir Cnossos et la maison où avait vécu le grand écrivain Kazantzakis. Mais, par-dessus tout, je voulais qu'on me laisse tranquille.

J'avais un sac à dos et une mallette. Les deux étaient bourrés de livres. J'avais arraché la reliure de certains pour pouvoir les emporter tous.

Ils traitaient principalement de l'histoire de la culture, généraliste et spécialisée, de l'aube de la civilisation européenne classique jusqu'à notre époque actuelle. Au cours de l'automne, j'avais eu l'occasion de mesurer l'étendue de mes lacunes en matière d'histoire européenne. Tout ce qui existait avant Voltaire, Diderot et Rousseau était flou et dissocié dans mon esprit. J'étais décidé à étudier tout cela à fond, comprendre les principaux événements qui avaient façonné le monde où je vivais et que j'espérais contribuer à changer.

Le rôle important de la Crète dans cette évolution n'avait pas pesé lourd dans mon choix de me rendre à Héraklion. L'argument principal, c'était ce que m'avait dit un ami, que les hôtels en Crète ne coûtaient presque rien en basse saison.

Le matin je sortais pour une promenade qui me conduisait en général au bout de la jetée du port. Après un arrêt dans un café pour compenser le famélique petit déjeuner de l'hôtel, je m'installais dans ma chambre, suspendais une chemise devant le miroir de la table de toilette et me plongeais dans mes livres. Je me rappelle encore la sensation d'émerveillement chaque matin à la perspective de m'instruire un peu plus. Je ressortais quand la femme de chambre frappait à la porte sur le coup de onze heures. Souvent, il pleuvait. J'avais acheté un parapluie. Je marchais pendant des heures.

Je mangeais dans les restaurants les moins chers. Presque toujours du poisson. Puis je rentrais et je reprenais mes lectures, m'interrompant seulement pour dîner avant de continuer à lire jusque tard dans la nuit.

Chaque jour j'apprenais quelque chose de neuf. Je crois n'avoir jamais aussi bien dormi que dans cette chambre, dans ce mauvais lit. Se cultiver, c'est bon pour le sommeil.

Le soir du nouvel an, je me suis attardé dans un bistrot et j'ai tellement bu que je suis rentré à l'hôtel en zigzaguant.

Le réceptionniste dormait, mais j'ai réussi à aller jusqu'aux casiers et à décrocher ma clé.

Le lendemain je me suis réveillé de bonne heure, avec une méchante gueule de bois qui me vrillait les tempes et me donnait des haut-le-cœur. Tous ceux à qui il est arrivé de boire trop de retsina savent de quoi je parle.

Je n'ai rien lu ce jour-là. À la place, j'ai noté dans mon journal de bord (qui semblait ne jamais vouloir dépasser une ambition avortée) mes dernières ruminations en date sur la notion de civilisation. En dépit du mal de crâne, ou grâce à lui, j'ai réussi à formuler mes idées d'une façon qui me paraissait à peu près satisfaisante.

Déjà, c'était une notion floue. Les textes étaient imprécis. Tantôt on parlait de « culture », tantôt de « tradition », sans nuance, comme s'il s'agissait de termes interchangeables. Je commençais à me demander si ce n'était pas la notion même de « civilisation » qui posait problème. En général, dans les définitions et les analyses que j'avais lues, on l'utilisait par opposition à la notion de barbarie. L'être civilisé était celui qui avait laissé derrière lui l'être primitif.

Mais était-ce bien vrai ? La Grèce antique était esclavagiste. Que ce soit à Sparte ou à Athènes, la liberté de penser et d'agir était réservée à une élite qui remplissait les critères définissant la qualité de citoyen. De grandes pensées, de grandes actions ont distingué des sociétés qui étaient tout sauf civilisées. Partout, toujours, c'était une autre personne qui préparait la nourriture, gardait les enfants, nettoyait le sol. Le plus souvent, ces êtres-là étaient maltraités. Pas seulement méprisés et considérés comme des êtres inférieurs, mais soumis à un régime de terreur physique et psychique.

De plus, on ne pouvait pas dire que cela relevait d'un chapitre clos de l'histoire. Aujourd'hui encore, une armée invisible, dépourvue de nom et de visage, est contrainte de servir dans l'humiliation et la peur. Le phénomène se retrouve sur tous les continents sans exception.

Quand on voyage par exemple dans les pays arabes, on devine les ombres asservies derrière la blancheur des façades. Le temps de les entrevoir, elles ont déjà disparu. Toutes ces personnes sont originaires de pays pauvres d'Afrique ou d'Asie. Elles travaillent sans relâche. Souvent très jeunes, elles sont privées de contact avec leur famille et exemptes de droits. La moindre protestation, le moindre relâchement dans le labeur quotidien et c'est le renvoi. Le retour à la misère.

Comment définir le concept de civilisation ? Qu'est-ce qu'un être civilisé ? Les réponses ont beaucoup varié au cours de l'histoire. Elles se sont toujours fondées sur le présupposé que la civilisation est le fruit d'un apprentissage, voire d'un dressage, auquel les non-civilisés – par infériorité naturelle ou par manque d'opportunité – n'ont pas le bonheur de prétendre.

La notion de civilisation a souvent servi de paravent à l'exploitation pure et simple. Au XIXe siècle, quand le pillage des richesses de l'Afrique a vraiment commencé, cette notion s'est révélée extraordinairement utile. Les pays européens qui participaient à la ruée vers le continent noir avaient à leur disposition trois armes prêtes à l'emploi qui commencent toutes par la lettre « c ».

La première arme, c'était le canon – la puissance armée. Toujours présent, au moins à l'état latent de menace et promptement utilisé en cas de besoin de façon souvent arbitraire. Parmi les droits de l'être civilisé figurait celui d'exterminer les individus qui s'opposaient à leur propre bien tel que défini par lui.

Entre la civilisation et la barbarie, il n'y avait que la mort. Rien d'autre.

La deuxième arme était la croix. Au cours de la colonisation de l'Afrique, on a enfoncé un casque sur la tête de

Jésus et on lui a glissé un sabre dans la main. Toute tentative pour élever les Noirs, ces sauvages, jusqu'aux hauteurs de la civilisation passait nécessairement par la juste foi. Les dieux et les enseignements animistes que la majeure partie des Africains suivaient depuis des siècles devaient être éradiqués ni plus ni moins. Les missionnaires se voyaient comme les soldats de Dieu. Ils étaient des guerriers coiffés de casques de safari, armés de bibles au lieu de canons mais prêts à en faire le même usage, sans discrimination.

La troisième arme était la comptabilité. Impossible d'atteindre à la noble civilisation sans se soumettre aux lois de l'économie occidentale et à la brutalité inscrite au cœur du marché capitaliste.

Quant à l'arme cachée du colonialisme, c'était le mensonge. Celui-ci n'a jamais été pratiqué de façon aussi inventive et aussi systématique que lors de l'annexion de l'Afrique par les puissances européennes au XIXe siècle. Certes beaucoup d'Européens étaient sincèrement convaincus de la justesse de chaque mot du discours civilisateur. Mais ceux qui menaient sur le terrain une oppression cynique sans merci voulaient en premier lieu se faciliter la tâche. Ils souhaitaient seulement que le calme règne pendant que l'on dépouillait le continent de ses matières premières de la même manière qu'on l'avait précédemment vidé d'une partie de ses habitants afin de les vendre.

J'ai beaucoup réfléchi à ces questions dans ma chambre d'hôtel au cours de cet hiver 1978 en Crète. Était-il possible de créer une civilisation digne de ce nom tant que l'exploitation et la privation de liberté dirigeraient le monde ? Une véritable civilisation sans esclaves ni autres formes masquées d'asservissement peut-elle fonctionner si elle n'existe que dans une petite partie du monde ?

Est-ce un rêve outrancier que d'imaginer une civilisation à

l'échelle mondiale qui ne soit pas fondée sur l'oppression ? Outrancier ou non, c'est un rêve nécessaire. Il est clair que la prochaine génération ne sera sans doute pas beaucoup plus avancée que la nôtre. Mais il est possible que ceux qui viendront plus tard soient moins stupides que nous.

Dans les mers nagent des baleines, toujours plus désorientées par les ondes radio et les impulsions électriques émises par les humains. Sur terre circulent des milliards d'êtres qui osent à peine croire qu'il puisse exister quelque part une autre vie plus digne que celle qu'ils sont contraints de mener.

Je me souviens de cet hiver en Crète. Une période de lecture intense. Et une grande solitude que rien n'est venu déranger.

57

Catastrophe sur une autoroute allemande

Un printemps, au milieu des années 1980, j'étais en route vers ce qui était encore à cette époque la Yougoslavie. On approchait de la Saint-Jean et j'avais pris le ferry tôt le matin de Malmö à Copenhague, plus exactement de Limhamn à Dragør. Ma voiture était quasiment une épave.

Ce n'était pas une bonne période de ma vie. Je dirigeais un théâtre en Suède et je comprenais, trop tard, que j'avais été à la fois naïf et présomptueux de croire que je pourrais occuper ce poste tout en continuant à écrire des pièces et des romans. De plus l'année avait été ponctuée d'incessants conflits de personnes qui m'avaient obligé à prendre une série de décisions nécessaires mais désagréables. Là, sur la route du sud, j'avais plus ou moins pris la fuite. J'avais décidé de conduire sans m'arrêter le plus longtemps possible avant de dormir quelques heures à l'arrière de la voiture, où j'avais retiré la banquette pour y installer un matelas.

La sensation de fuite diminuait à chaque kilomètre parcouru. Ma vieille Citroën n'était pas puissante, et je me faisais doubler sans arrêt. Mais je n'étais pas pressé. Tôt ou tard je parviendrais bien à la frontière yougoslave. Ce qui arriverait ensuite, je l'ignorais. Peut-être avais-je la vague idée de me rendre sur l'île de Krk et d'y rester jusqu'au moment où il faudrait faire demi-tour pour rentrer en Suède. D'ici là, j'aurais décidé comment aborder ma deuxième saison à la tête du théâtre. Je ne voulais pas revivre ce que j'avais enduré au cours des derniers mois, où j'avais commis toutes les erreurs possibles.

Au sud de Hanovre, j'ai commencé à éprouver un grand soulagement. J'avais devant moi au moins trente jours où personne ne se présenterait à ma porte pour me jeter à la tête de nouveaux problèmes. Pas de comédien furibard après une empoignade avec un metteur en scène, pas de porte-parole syndical souhaitant protester contre de nouvelles règles relatives aux tickets-restaurant. J'avais tout à coup l'esprit léger. Je me suis rappelé un aphorisme : « Ne prends pas la vie trop au sérieux, de toute façon tu n'en sortiras pas vivant. »

Un autocar m'a dépassé. J'ai vu qu'il était rempli de jeunes. Peut-être un voyage scolaire, ou une équipe de sportifs. Le car s'est rabattu devant moi. Soudain j'ai vu la tête et le haut du corps d'un adolescent émerger d'une lucarne ouverte sur le toit. Il a agité la main vers moi. J'ai souri. Je ne sais pas si j'ai agité la main moi aussi. Il s'est hissé encore un peu. Il n'y avait aucun risque qu'il bascule.

Il regardait vers l'arrière. À l'intérieur du car, ni le chauffeur ni les autres jeunes n'ont vu ce qui se préparait.

Le viaduc était bas. Le car passait sans problème. Mais personne n'avait imaginé qu'un garçon se lèverait au même moment sur son siège pour regarder par la lucarne. Le bord cimenté du viaduc lui a éclaté la tête. Os, peau, cervelle ont giclé. Une partie a atterri sur mon pare-brise. Je n'avais plus de visibilité, mais comme je ne roulais pas vite j'ai pu m'arrêter aussitôt sur la bande d'arrêt d'urgence. Le car s'est arrêté lui aussi dans un hurlement de freins. Partout, des voitures s'arrêtaient. Beaucoup de conducteurs ignoraient ce qui s'était produit. J'ai compris après coup que j'étais le seul à avoir vu comment le garçon avait trouvé la mort.

Le corps décapité pendait encore par le trou de la lucarne. Je me souviens que j'ai levé la main par réflexe, prêt à actionner l'essuie-glace de ma voiture. J'ai suspendu mon geste. Je suis resté assis. En état de choc, le cœur battant à tout rompre. J'ai fondu en larmes. Ce que je venais de vivre était incompréhensible. Pourtant totalement réel. Le plus douloureux, c'est qu'il n'ait pas vu ce qui allait se passer. Pas une seconde il n'a réalisé que sa vie allait s'arrêter là. Il était mort en toute inconscience.

Ambulance et police sont arrivées en même temps que les pompiers. Je suis sorti de la voiture. J'ai fait signe à un agent, qui a sursauté en comprenant ce qui maculait mon pare-brise. Dans un allemand approximatif, j'ai expliqué ce que j'avais vu. Il a pris ma déposition, puis il a appelé un technicien de la police scientifique qui a gratté la vitre pour prélever un échantillon dans un petit tube en plastique. Puis il m'a autorisé à nettoyer mon pare-brise.

J'ai continué ma route. Quand je me suis arrêté, il était quatre heures du matin. J'avais couvert une distance bien plus importante que prévu. Je me suis garé sur le parking d'un des nombreux *Raststätte*, tous semblables, qui bordent les autoroutes allemandes. Entre deux poids lourds aux rideaux tirés d'où sortaient des ronflements, je me suis pelotonné à l'arrière de ma voiture. La rumeur de l'autoroute dominait tous les autres bruits. Deux personnes sont passées tout près de moi. L'une d'elles riait.

J'ai fini par m'endormir. Alors seulement s'est effacée l'image du garçon souriant et agitant la main par la lucarne de l'autocar.

Arrivé sur l'île de Krk, j'ai trouvé un hôtel bon marché où les cafards se carapataient en tous sens chaque fois que j'allumais dans les toilettes. J'y suis resté tout le mois de juillet. Je n'avais pas la force de reprendre la route à la recherche de je ne savais quoi. Ce fut un été perturbé. Je me suis adressé beaucoup de critiques. Mais j'ai réussi à prendre une décision. Lors de la saison à venir, j'assurerais mieux mes fonctions de directeur. Quand j'ai quitté l'île et repris la direction du nord fin juillet, j'avais réussi à me forger une humeur combative, du moins le croyais-je.

La deuxième saison s'est beaucoup mieux passée que la première. J'ai continué un an encore avant de remettre les clés du théâtre à mon successeur. Entre-temps, à ma grande surprise, on m'avait instamment demandé de rester, et j'avais reçu d'autres propositions pour diriger un théâtre ailleurs. J'ai décliné, car ce qui m'importait désormais c'était de me remettre à écrire après cette interruption involontaire de plus de trois ans.

Mon contrat prenait fin le 30 juin. Cet été-là, je n'ai pas fui à l'étranger. J'ai vendu ma voiture. Le théâtre était fermé jusqu'au début de la saison suivante ; mais le jour de la date officielle de mon départ je m'y suis rendu et je me suis assis une dernière fois à mon bureau. C'était le soir. J'avais fait le ménage, jeté tout ce qui ne serait pas utile à mon successeur. La table de travail était vide, en dehors d'une lettre que j'avais rédigée à son intention. Mon successeur était une femme ; je lui souhaitais bonne chance, et je lui rappelais la règle non écrite selon laquelle le meilleur jour pour un directeur de théâtre qui prend ses fonctions est le premier. Dès le lendemain, il peut être sûr que quelqu'un aura déjà une raison d'être mécontent. Quand on le sait, il est plus facile de faire face.

J'ai déposé une petite bouteille de champagne à côté de la lettre. Puis j'ai posé ma montre devant moi, j'ai éteint la lumière et je suis resté là, dans la pénombre claire de la nuit d'été. Mon contrat expirait à minuit. Je n'y pensais pas comme à une sortie de prison. Cela n'avait pas été terrible à ce point, surtout pendant la seconde moitié de mon mandat. Le théâtre avait même reçu un prix pour l'un des spectacles qu'on y avait montés. J'étais presque embarrassé par ce pèlerinage dans un bureau vide. En attendant j'étais là, à guetter l'approche de minuit.

C'est alors que j'ai repensé au garçon décapité sur l'autoroute. Je n'avais presque plus songé à lui depuis mon retour de Krk. À présent je le revoyais, souriant, agitant la main dans ma direction pendant les dernières secondes de sa vie.

Pourquoi pensais-je à lui à cet instant précis ? Mystère. Minuit était passé. Ce garçon était désormais mon seul compagnon, une ombre dans l'obscurité, près de moi.

Mon contrat avait expiré. Je ne ressentais rien, ni soulagement, ni libération, ni joie à la perspective de l'avenir. Ma seule pensée était que j'allais maintenant tout devoir reprendre de zéro une fois de plus. Soudain je doutais d'être encore capable d'écrire. Peut-être cette faculté s'était-elle atrophiée pendant ces années où j'avais joué au directeur de théâtre ?

Je me suis levé, j'ai éteint la lumière, j'ai fermé la porte à clé, j'ai glissé la clé dans la fente.

C'était comme si j'enfermais le souvenir du garçon de l'autocar dans le bureau vide.

Je suis remonté dans ma voiture de location et je suis parti. Sans un regard en arrière, comme on le dit en parlant des ruptures définitives.

Un mois environ après qu'on m'a annoncé que j'étais atteint d'un cancer grave, probablement incurable, j'ai reçu par la poste une enveloppe épaisse. Impossible d'identifier l'expéditeur. Les deux initiales ne m'évoquaient rien. Lieu d'expédition : Stockholm. Pas d'adresse, pas de code postal ou de boîte postale, aucune précision.

L'enveloppe contenait une série de lettres adressées à Henning Mankell. Mais il ne s'agissait pas de moi. Ces lettres, au nombre de onze, avaient été rédigées entre 1899 et 1901. Elles avaient été envoyées à Henning Mankell, mon homonyme et grand-père paternel. En 1899, il était âgé de trente ans et vivait à Cardellgatan à Stockholm. Quelques années plus tard, après son mariage avec Agnes Lindblom, il emménagerait à Floragatan, où il vivrait de 1905 jusqu'à sa mort survenue en 1930.

J'ai lu les lettres. Elles étaient signées d'un certain Harald, qui ne précisait jamais son nom de famille. Il vivait à Uppsala et étudiait à l'université. Il était âgé de vingt ans. Ils avaient donc une dizaine d'années d'écart. Rien n'indiquait plus précisément la nature de leurs relations.

C'étaient des lettres inhabituelles. Aucune information ordinaire, salutations cordiales à des amis communs, vœux de bonne santé, bonne continuation, etc. Harald écrit à Henning pour lui raconter son angoisse de vivre, ses difficultés à trouver un sens à l'existence et ses constantes ruminations sur des questions d'ordre moral. Il revient souvent sur l'attirance sexuelle qu'il éprouve pour certaines femmes en l'absence totale de sentiment amoureux. Parfois une lettre s'achève au beau milieu d'un raisonnement ; la suivante reprend la réflexion depuis le début avec les mêmes interrogations.

Rien, dans ces lettres de Harald, ne permettait d'induire ce que Henning avait répondu à la précédente. On pouvait les lire comme le monologue intérieur d'un jeune homme qui menait des études indistinctes à l'université d'Uppsala et traînait le soir au café à boire du punch avec ses camarades[1]. Souvent d'ailleurs leur vulgarité finissait par le lasser, et il rentrait

1. Le *punsch* suédois est une liqueur parfumée à base d'arak qui se consomme traditionnellement chaude.

écrire une nouvelle missive nocturne à Henning. J'ai rangé les lettres après les avoir lues. Mon grand-père est mort dix-huit ans avant ma naissance. Personne ne serait aujourd'hui en mesure de me révéler *qui* était ce Harald. Pas de nom de famille, aucune photo. Rien que ces lettres qu'un inconnu m'a adressées de façon anonyme.

À ma propre surprise, j'ai réalisé que je n'avais pas pensé une seule fois à mon cancer pendant que je lisais ces lettres. Je découvrais chez ce garçon bien des traits auxquels je pouvais m'identifier. Je reconnaissais des pensées qui m'ont traversé moi aussi à son âge.

L'instant d'après, j'ai repensé au garçon du car. Dans mon souvenir, il mourait encore et encore – cet ultime geste amical de la main juste avant l'effroyable catastrophe. Il avait dû s'évader du bureau où je croyais l'avoir enfermé une fois pour toutes. Je le comprenais à présent : en lui aussi, je me reconnaissais. L'inquiétude de Harald et le garçon mort avec son sourire font tous deux partie de moi. Ou peut-être suis-je une partie d'eux.

Nous sommes fin mai quand j'écris ces lignes. Les terribles matins de janvier et de février quand je me levais bien avant l'aube pour me rendre à l'hôpital de Sahlgrenska, où je devais subir une foule d'examens avant d'entamer la chimiothérapie, me semblent aujourd'hui lointains. La première grande phase du traitement est désormais terminée. Je n'ai pas trop souffert des effets secondaires. Pas de nausées. De la fatigue, oui, mais pas paralysante. Je n'ai pas perdu beaucoup de poids. Par deux fois, mon taux d'hémoglobine a baissé au point de nécessiter une transfusion. Mais mon système immunitaire a tenu le coup.

Maintenant on m'administre une petite dose de chimiothérapie toutes les trois semaines. La visite à l'hôpital se limite à une heure à peine. La durée de ce traitement va dépendre de la manière dont se comportent les tumeurs. Si elles continuent de régresser ou si elles restent stationnaires il pourra se poursuivre ainsi pendant des mois, voire des années.

En écrivant cela, je me souviens soudain d'une photographie. Je dois chercher longtemps dans les albums et les cartons, mais à la fin je la retrouve. C'est une image en noir et blanc de la classe de CM1 de l'école élémentaire de Sveg. On est en 1957. Je suis au dernier rang, au milieu, et j'ai l'air très sérieux.

En bas à droite, trois garçons sont assis côte à côte. C'est un pur hasard. Ils n'étaient pas copains, ne restaient pas ensemble aux récréations, ne se voyaient pas en dehors de l'école. C'est une coïncidence qui les a réunis sur la photo de classe.

Tous trois sont morts aujourd'hui. L'un à force de boire (les derniers temps, d'après ce qu'on m'a dit, il carburait à l'éthanol). L'autre s'est tiré une balle en plein visage avec un fusil de chasse. Le troisième a succombé à une maladie, j'ignore laquelle.

Au moment de poser pour le photographe scolaire, ils ignorent qu'ils seront les premiers de la classe à partir. Rien, sur cette image, ne dévoile quoi que ce soit à ce sujet.

En eux aussi, je me reconnais. Je porte en moi les vivants et les morts et je suppose que j'existe moi aussi, de la même façon, chez d'autres qui se reconnaissent en moi.

Ou qui s'y reconnaissaient du moins tant qu'ils étaient vivants.

58
Jalousie et honte

Par une nuit de printemps dans une petite ville du Norrland, il y a bien des années, j'errais dans les rues en proie à une jalousie torturante.

C'était comme si la réalité autour de moi avait perdu sa substance. Elle était devenue vitreuse. Le trottoir oscillait. Partout des chausse-trappes prêtes à s'ouvrir sous mes pas.

J'avais rencontré une femme dans un autre pays. Je m'étais mis à l'aimer passionnément. Nous nous parlions au téléphone tous les soirs.

Ce jour-là, elle n'avait pas décroché. L'inquiétude m'avait poussé dehors, dans les rues, de cabine en cabine. Toutes les dix minutes, je composais son numéro. Pas de réponse.

Je n'avais jamais connu une telle malédiction. Trahisons de camarades dans l'enfance, promesses non tenues des adultes, tout cela n'était rien en comparaison de ce que j'ai vécu cette nuit-là.

Cela fait plus de quarante ans. Mais c'est encore à ce jour l'un des instants de ma vie que je suis capable de reconstituer dans les moindres détails. L'un de ces instants où la vie n'a soudain plus qu'un enjeu : que l'autre décroche son téléphone et dise que l'amour n'est pas mort.

La nuit de printemps était claire malgré la pluie intermittente. Trois heures du matin. J'étais trempé. J'ai continué mon errance humiliante d'une cabine à l'autre. À intervalles réguliers je croisais une voiture de police. Les hommes à l'intérieur me jetaient à chaque passage un regard méfiant. Mais je ne titubais pas, je n'avais rien dans les mains. Ils m'ont laissé en paix.

Maintenant que j'y repense avec une certaine distance, je me vois comme une ombre noire sortie tout droit d'un roman de Dostoïevski. Ce n'était pas une petite ville suédoise où je rôdais ainsi. C'était Moscou ou Saint-Pétersbourg.

La jalousie se révélait mériter son nom[1]. J'étais littéralement malade. Malade mental, et malade tout court. L'estomac tordu, noué, chaque inspiration était une souffrance. Dans ma tête, la recherche fébrile d'une explication à son silence. Pourquoi ne décrochait-elle pas ? J'étais obsédé par l'image d'un inconnu excité pressant son corps nu contre le sien au moment même où j'essayais désespérément de la joindre.

Je suis arrivé au grand pont qui enjambe le fleuve. Je l'ai traversé. Soudain je me suis immobilisé et j'ai hurlé dans le vide. Le tableau d'Edvard Munch qui s'intitule *Le Cri* correspond à une profonde vérité humaine.

La réponse m'a été donnée au petit jour. Quand enfin elle a décroché, j'ai fondu en larmes. L'explication était toute simple. Elle avait mal raccroché son téléphone la veille au soir. Et elle avait dormi tranquillement jusqu'au matin.

Le soulagement était bouleversant. La jalousie s'est dissipée, ses nœuds se sont dissous en minces filaments qui ont disparu à leur tour.

La jalousie est revenue quelquefois dans ma vie. Mais jamais avec l'intensité de cette nuit-là. En revanche, j'ai appris à en reconnaître les symptômes chez les autres. Le plus souvent il s'agit d'amour, d'infidélité, de terreur à l'idée

1. En suédois *svartsjuka*, littéralement « maladie noire ».

d'être abandonné. On en trouve une description inégalée dans l'*Othello* de Shakespeare. Mais la jalousie peut surgir dans les contextes les plus inattendus. Au théâtre, une simple distribution des rôles peut engendrer une haine qui n'est au fond rien d'autre que de la jalousie.

La liste est longue. Chez les écrivains, elle est partout présente : depuis les critiques, bonnes ou mauvaises, jusqu'aux chiffres de vente. J'ai vu des agriculteurs contempler, le regard noir, la récolte du voisin parce qu'elle était meilleure que la leur.

Un jour, j'ai vu deux chauffeurs de taxi se battre devant une borne. Cette bagarre avait éclaté – je l'ai appris un peu plus tard – parce qu'une voiture était plus belle que l'autre et que le chauffeur lésé en avait conçu du ressentiment.

Mais d'où vient la jalousie ? Quelle est sa fonction ?

Je me souviens des années 1980, quand le Sida constituait encore une nouveauté effrayante. J'ai demandé à quelques amis comment ils réagiraient s'ils devaient apprendre qu'ils avaient contracté le virus, sachant qu'à l'époque une telle annonce était synonyme d'arrêt de mort. Les antiviraux n'existaient pas encore et les chercheurs ignoraient tout de la manière dont le virus fonctionnait dès lors qu'il s'était introduit dans un nouvel organisme, qui devenait alors son hôte jusqu'à son dernier soupir.

Comme on peut s'y attendre, j'ai obtenu des réponses très variées. Une d'entre elles est revenue à plusieurs reprises, et elle était effrayante. Leurs auteurs n'auraient jamais répondu ainsi s'ils avaient été interrogés publiquement par un journaliste ou un médecin. Mais devant moi ils l'ont admis ouvertement :

« Je m'arrangerais pour transmettre le virus. Je ne veux pas mourir tout seul.

– Mais ça ne changerait rien pour toi. On meurt toujours seul.

– Je ne supporterais pas l'idée que les autres continuent à vivre et pas moi. »

Cette réponse renfermait la quintessence de la jalousie. D'autres vivront encore quand je serai mort. Certains auront même l'outrecuidance de n'être pas encore nés quand je pousserai mon dernier soupir.

C'est à la fois grotesque et inhumain. Mais j'ai rencontré des gens qui ont du mal à masquer la jalousie que leur inspirent leurs propres enfants. Ces enfants qui continueront à vivre après qu'eux-mêmes auront disparu. Il n'est pas rare de voir des gens qui, à la cinquantaine, enfilent un jean moulant à la façon des ados pour conjurer l'ombre de la mort qui approche.

Certains s'accrochent au rêve de l'éternelle jeunesse. Pour eux, ce n'est pas suffisant de vivre plus vieux que leurs parents. Notre bagage génétique, nous ne pouvons rien y faire. Pas pour le moment. Mais cela viendra sans doute plus tôt que nous ne le pensons. Le temps où d'aucuns préféreront engendrer, plutôt que des enfants, des clones qui soient des répliques d'eux-mêmes sans les éventuelles imperfections du profil ADN.

La jalousie des femmes et celle des hommes sont différentes par nature. Quand un lion s'assure la suprématie auprès d'un groupe de lionnes, il commence par tuer d'un coup de dents les rejetons de son prédécesseur afin de faire de la place pour ses propres rejetons. Ce n'est pas, ou rarement, le cas de l'homme qui épouse une femme ayant déjà des enfants. Il ne les tue pas, mais il arrive qu'il les chasse de la maison. Beaucoup d'enfants des rues qu'on rencontre dans les grandes villes d'Afrique ont été mis à la porte quand leur mère, peut-être veuve, a trouvé un nouveau mari capable de la nourrir. Il serait plus juste d'écrire « quand leur mère s'est vue obligée de trouver un nouveau mari ». Dans les pays pauvres, ce qui manque en priorité aux femmes, c'est la liberté de choix.

L'amour est une invention moderne. Les générations précédentes se préoccupaient surtout d'assurer à leur progéniture un contexte viable socialement et économiquement. Nombreuses sont encore les cultures où l'on marie les enfants dès leur naissance. Ainsi, ce que nous appelons amour ne peut fleurir, dans le meilleur des cas, qu'après coup.

Que la jalousie de l'homme et celle de la femme soient d'une nature distincte n'a rien d'étonnant dans un monde où le pouvoir revient aux hommes et la responsabilité aux femmes. Les hommes réagissent par la jalousie dès qu'ils soupçonnent que leur femme pourrait porter l'enfant d'un autre. Tandis qu'eux-mêmes se permettent sans scrupule d'être infidèles. Les femmes en revanche réagissent par la jalousie si elles soupçonnent qu'une autre femme est susceptible de leur voler leur homme, ce qui les conduirait à se retrouver seules avec l'entière responsabilité des enfants.

Ce sont des simplifications bien sûr. Pour moi, la seule jalousie que j'aie éprouvée dans ma relation avec les femmes est celle que j'ai vécue en cette lointaine nuit de printemps dans une ville du Norrland.

Les affres de la jalousie sont insupportables. Les Français, dans leur code pénal, accordent une place particulière au crime passionnel. C'est légitime. C'est humain. D'autres pays n'ont pas une législation aussi explicite en la matière, mais les tribunaux tiennent presque toujours compte du rôle éventuel de la jalousie dans le mobile d'un crime.

Souvent, les gens ont honte d'être jaloux. On dit que la jalousie témoigne d'un étrange besoin de possession, d'une faiblesse de caractère, d'une forme d'envie douteuse et méprisable. Je ne comprends pas ces arguments. Pourquoi aurais-je honte de me conduire de façon simplement humaine ? Dans son sens le plus profond, la jalousie signifie que je suis en état de ressentir des émotions qui sont humaines au plus haut degré.

J'ai connu autrefois un homme prénommé Olof. À l'âge de quatre-vingt-sept ans, il a soupçonné sa femme Irma, âgée de quatre-vingt-six ans, de le tromper avec un autre pensionnaire de la maison de retraite où ils vivaient. Sa jalousie était aussi déchaînée et aussi humiliante que l'avait été la mienne cette nuit-là il y a quarante ans.

Ils se sont réconciliés par la suite. Il avait fini par admettre qu'elle lui était toujours restée fidèle.

Olof a vécu jusqu'à quatre-vingt-dix-neuf ans, et Irma jusqu'à cent un ans. À la mort d'Olof, Irma a pris une décision inouïe : obtenir la réponse à une question qui la taraudait depuis soixante ans. L'avait-il trompée à l'époque où elle attendait leur deuxième enfant ? Alors elle a fouillé, elle a cherché, et elle a trouvé la preuve qu'elle cherchait.

Elle a raconté ce que cette découverte avait provoqué en elle. Comme un raz-de-marée. Un raz-de-marée noir, épais, visqueux. La jalousie.

Mais ça a fini par passer. Olof était resté auprès d'elle, tout compte fait. Elle pouvait lui pardonner sa trahison. Elle a vécu encore deux ans après cela. Et un beau jour elle s'est endormie pour de bon, un journal ouvert sur la poitrine à la page d'une grille de mots croisés inachevée.

59

Le vingt-huitième jour

En 2013, par une journée inhabituellement fraîche à Maputo, je partage un repas avec un médecin venu de Suisse. Il s'appelle René, il a la cinquantaine et depuis le début de sa carrière il a opéré du cœur quatre mille enfants. C'est un homme calme, discret. Ce matin-là, il a pratiqué une intervention de trois heures sur un *blue baby* qui, sans lui, serait décédé sinon tout de suite, du moins avant l'âge de cinq ans.

Je lui demande quel effet ça lui fait de se rendre chaque jour au travail pour sauver, littéralement, des petits qui sans lui n'auraient jamais la possibilité de grandir et de s'étonner de ce que la vie a en réserve. Un brin hésitant, il répond que c'est naturellement une grande joie. Mais qu'il se contente de faire son travail, comme tout le monde.

Puis il me parle de trois échecs qu'il a connus. Ces enfants n'avaient pas survécu et, bien qu'il n'eût commis aucune erreur directe, il en portait néanmoins la responsabilité.

Lorsqu'il me décrit chaque cas, je suis incapable de voir de quelle manière il pourrait être tenu pour responsable. Il me semble que ce sont des circonstances malheureuses et des complications imprévues qui ont causé la mort de ces enfants.

Puis il me parle de sa rencontre avec les parents. Des parents choqués, désespérés, qui l'ont accusé à grands cris et ont déversé sur lui leur colère. Il dit qu'il peut comprendre qu'ils aient eu besoin d'un bouc émissaire. Pourtant, il a encore du mal à cohabiter avec cette douleur.

Malgré sa fatigue, notre conversation se prolonge. Avec son équipe volante d'infirmières spécialisées, il vient de pratiquer quatorze interventions en huit jours. Il doit rentrer à Lausanne ce soir. Dans deux jours, il reprend le travail dans son hôpital habituel.

Quatre mille opérations. Souvent de très petits cœurs auxquels il a offert la possibilité d'assumer leur fonction pendant une vie entière.

Soudain il se met à évoquer son amour pour le cœur. À mes oreilles, son discours a des accents lyriques. En réalité, il est très factuel.

Le cœur est un muscle. Rien d'autre. Comme n'importe quel autre muscle, par exemple de la cuisse ou du dos, il a une fonction précise. La sienne est de pomper le sang.

René enchaîne sur les secrets du cœur. Un sujet fascinant dont j'ignore tout.

« Quand un enfant naît, son cœur bat depuis longtemps déjà. Il a un long entraînement. Il commence vaguement à palpiter vingt-huit jours après la fécondation. Trois jours d'échauffement et puis au trente et unième jour c'est parti, il commence à battre.

– C'est aussi précis que cela ?

– Oui. Dans de rares cas, cela se produit au trente-deuxième ou trente-troisième jour. Mais si le cœur n'a pas commencé à battre au trente-cinquième jour, l'enfant ne vivra pas. »

Autrement dit, quand un enfant naît, son cœur bat depuis huit mois déjà. Tous les processus physiologiques sont conditionnés dès l'origine par ce muscle opiniâtre qui pompe le sang sans jamais s'arrêter.

Après son intense semaine de travail, René se détend en sirotant un verre de vin. Il sourit, l'air bienveillant. Le cœur est un muscle qui l'amuse et auquel il pense chaque jour. Son cœur, mon cœur, ton cœur. Je ne serais pas étonné qu'il ait calculé le nombre de battements de cœur dans le monde en l'espace d'une minute ou d'une heure. Pour une personne qui aurait vécu quatre-vingts ans, une rapide estimation donne un résultat à douze chiffres.

Je l'interroge sur les tortues, qui peuvent atteindre l'âge de cent cinquante ans. Et j'apprends que leur cœur est d'une construction plus simple que le nôtre. Et qu'il est capable de continuer à travailler très longtemps parce que les tortues vivent et se déplacent à un rythme lent. Tandis que d'autres animaux, qui ont un rythme cardiaque intense, ne vivent pour certains qu'un an ou deux.

René évoque un autre fait remarquable concernant ce merveilleux muscle. En réalité, il est programmé pour fonctionner pendant une durée comprise entre trente-cinq et quarante ans. Ce qui représentait en Europe, il y a quelques générations encore, un âge élevé et reste la durée de vie moyenne dans bien des pays pauvres. Or le cœur s'est révélé avoir une résistance et une endurance insoupçonnées. On lui demande de travailler deux fois plus longtemps que prévu et il l'accepte sans faiblir.

Selon René, le cœur est parfait en ce sens qu'il ne règne jamais le moindre doute quant à ce qu'il est censé faire. D'autres muscles sont capables de mouvements variés à l'infini, ils exécutent des tâches complexes, des prouesses artistiques, sportives, etc. Le cœur, lui, n'a qu'une tâche, qui est de faire circuler dans l'organisme, heure après heure, sans trêve ni repos, le sang chargé en oxygène.

Pourquoi la nature a-t-elle choisi ce système-là pour accomplir cette fonction, alors qu'aux premiers temps de l'évolution il devait exister bien d'autres solutions possibles ?

Pour René, tout l'intérêt du cœur tient à sa simplicité. C'est cette simplicité qui explique sa robustesse. C'est elle qui le rend capable de fonctionner de façon fiable sur des durées aussi longues. Et c'est grâce à elle que nous savons tout ce qu'il est possible de savoir sur l'anatomie et la physiologie du cœur tandis que le cerveau, plus complexe, reste encore en grande partie inexploré.

Que le cœur soit devenu le symbole et l'étendard de tant de choses, depuis le patriotisme jusqu'à l'amour brûlant, n'a pas de quoi le surprendre. Il parle de ce « cœur merveilleux », cette « unité de mesure de la vie », ce « tic-tac horloger » qui persiste, y compris dans les circonstances les plus éprouvantes, famine, terreur, difficultés extrêmes, de la manière la plus fidèle qui soit, avant d'être contraint d'abandonner la partie.

Le cœur est le serviteur loyal.

Le cœur est la mesure de l'amour. Dans la passion, le rythme des battements s'accélère et les joues rosissent.

Le cœur est ce que vise le peloton d'exécution. Un bout de papier ou de tissu blanc épinglé sur le cœur, telle est la cible lorsque quelqu'un doit mourir.

Dans les temps anciens – et peut-être encore aujourd'hui –, on mangeait le cœur de son ennemi pour incorporer la force qui avait été la sienne de son vivant.

Quand un individu devient obèse ou grabataire, le cœur luttera jusqu'au bout pour continuer de faire circuler le sang dans le corps informe ou inerte. Le cœur est notre ultime héros. Un muscle très ordinaire. Aux ressources inouïes.

René s'apprête à retourner à l'hôpital pour rassembler ses instruments et prendre congé de ses collègues mozambicains. Il sera bientôt de retour – dès qu'il aura réuni de quoi financer une nouvelle série d'opérations. Avant de le quitter, je lui demande à quoi ressemblera le cœur humain dans un million d'années. Aura-t-il évolué ?

Il ne le pense pas. Le cœur est la pompe parfaite. Chaque

cœur humain, au cours d'une vie, pompe autant de sang que les chutes Victoria déversent d'eau en l'espace d'une seconde. D'autres muscles au contraire évolueront sûrement sur une longue durée. La généralisation du mode de vie sédentaire y contribuera.

« Dans cent mille ans ?

– Dans cent mille ans, si ce restaurant est toujours là, clients et serveurs seront identiques à nous, sous leur enveloppe de peau. Cent mille ans, c'est très court. »

Après son départ, ces dernières paroles résonnent encore à mes oreilles.

« Cent mille ans, c'est très court. »

On a du mal à se le représenter. Mais c'est la pure vérité, bien sûr.

60
Rencontre dans un amphithéâtre

J'étais plein d'attente en ce jour d'août 1982 quand j'ai embarqué sur le vol de la compagnie Balkan Bulgarian Airlines à destination d'Athènes. Si ma mémoire est bonne, nous avons fait escale à Berlin, Prague et Sofia. À chaque étape, du retard. On nous faisait patienter à coups de sandwiches desséchés. Mais cela m'était égal. Je n'étais pas pressé. J'allais passer une partie de l'automne à Kavala, dans le nord de la Grèce, où l'Institut suédois gère une résidence d'artistes. Mon ambition était d'écrire une pièce de théâtre que l'on m'avait commandée.

Au cours de ce séjour, il m'a été donné de comprendre ce que peut être le sentiment d'appartenir à une communauté à la fois historique et hors du temps. Comme presque tous les grands événements de l'existence, c'est venu de façon tout à fait inattendue.

De Kavala, qui se trouve dans le nord de la Grèce, j'avais pris un ferry pour me rendre sur l'île de Thasos. Il faisait encore très chaud. Mais tout le monde autour de moi disait que l'automne était en route et que le temps n'allait pas tarder à changer.

Je m'étais accordé un jour de congé après avoir fini d'écrire le premier acte de la pièce.

Il y avait aussi une autre raison. Ma chambre disposait

d'un balcon. La veille, un dimanche, j'étais sorti sur ce balcon. En baissant les yeux vers l'église en contrebas, j'avais aperçu un cercueil ouvert. À l'intérieur, un jeune homme en costume sombre. Autour de lui, des personnes pleuraient. Il avait mon âge.

Je suis rentré dans la chambre. J'ai fermé la porte du balcon. J'avais déjà eu l'occasion de voir des défunts. N'empêche. J'étais très mal à l'aise.

Je n'avais pas encore bien élucidé ma relation à la mort à cette époque. J'étais en bonne voie mais c'est plus tard seulement, au cours de mes premières années en Afrique, que j'ai pu inclure la mort dans la vie au lieu de la voir comme un élément extérieur et effrayant.

J'ai mal dormi cette nuit-là. Le soir, je suis descendu jusqu'au port de Kavala et j'ai regardé les ferries qui appareillaient pour se rendre à Thasos. Le lendemain, je me suis levé à l'aube. Le ferry est parti à l'heure prévue avec moi à bord.

J'ignorais qu'il existait à Thasos un théâtre antique. Lors d'une précédente visite, j'avais vu celui qui est adossé à l'Acropole d'Athènes et, bien sûr, le grand ancêtre de tous les théâtres, qui est celui d'Épidaure. Quand, après avoir remonté la route pavée et dépassé les ruines du temple de Dionysos, le vieux théâtre s'est ouvert à mes pieds, l'apparition m'a laissé sous le choc. Peu de souvenirs égalent pour moi ce que j'ai alors ressenti.

Une émotion égale à celle que j'ai ressentie devant la Maison de la Culture de Sveg quand j'avais compris que j'étais moi et personne d'autre, unique, non échangeable.

Ce jour-là, je m'étais vu moi-même. À présent, à Thasos, je découvrais cette évidence : mon identité était liée à celle d'autres individus qui avaient vécu avant moi et de leurs successeurs.

Ce n'était pas une pensée originale. Mais son implication la plus profonde m'est apparue clairement en cet instant. J'ai vu ce qu'auparavant je voyais sans vraiment le voir ou qui m'avait effleuré sans que j'en comprenne la véritable portée. C'était la première fois que je saisissais réellement ce que signifie la chaîne des générations.

Le théâtre était ceint d'une ligne clairsemée de grands arbres. Au-delà : la mer. Du haut des gradins, les spectateurs pouvaient voir le soleil se coucher au moment où la pièce atteignait son dénouement.

Quand je suis arrivé là-haut, c'était le matin. Je suis resté toute la journée, hormis une courte parenthèse, le temps de déjeuner dans une taverne. J'ai déambulé sur la scène. J'ai essayé différentes places sur les gradins.

Un petit garçon m'a aidé à tester l'acoustique. Il est allé sur la scène. À ma demande, il murmurait, ou il s'exprimait d'une voix normale, ou il élevait la voix jusqu'à presque crier. Je ne parle pas le grec, mais j'ai réussi à lui faire comprendre que je voulais aussi qu'il chante une chanson. Je me suis assis tout en haut des gradins. Le garçon était comme un point sur la scène, très loin en contrebas. La chanson me parvenait distinctement. Pourtant, il ne chantait pas très fort.

L'audition a été interrompue par sa mère, inquiète ou agacée, visiblement à sa recherche. La dernière chose que j'ai entendue, ce sont les protestations du garçon tandis qu'elle l'entraînait en le tirant par l'oreille.

Un court instant, j'ai participé à la scène moi aussi, car la mère, m'ayant repéré, m'a adressé une salve de questions furieuses que je n'ai pas comprises. J'ai secoué négativement la tête en écartant les mains.

Après coup, je me suis renseigné. Je sais donc que des pièces d'Aristophane et d'Euripide ont été jouées dans ce théâtre, il y a plus de deux mille ans. Il semblerait aussi, à certains indices, qu'Aristophane y soit venu en personne.

Mais ce jour-là, en découvrant le théâtre de façon tout à fait impromptue, j'ai usé de mon imagination pour me représenter ce décor de pierre tel qu'il avait dû être autrefois. Le visage, le corps des comédiens, leur voix, leur tempérament, leurs masques, leurs gestes... J'ai joué à imaginer mes voisins, tantôt au sommet des gradins, tantôt aux places d'honneur, tout en bas, face à la scène.

La continuité humaine. Voilà à quoi elle ressemble. Nous faisons tous les mêmes gestes pour nous procurer de quoi manger et survivre. Nous exerçons les mêmes métiers et nous cultivons les mêmes secrets, dissimulés à l'intérieur de la forme d'art que constitue le théâtre.

La pensée qui me venait était très simple : des comédiens se sont tenus autrefois à cet endroit pour jouer dans des pièces qui continuent à être montées aujourd'hui. Des pièces qu'il m'est arrivé moi-même de mettre en scène ici ou là. Entre eux et moi court un fil invisible mais si solide qu'il ne saurait être rompu. Si je tends la main, je peux saisir celle de l'un des comédiens qui se produisaient alors. Si je tends l'autre main, je peux saisir celle d'un comédien du futur.

Ce fut un instant magique. Soudain, tous les gradins étaient bondés. Sur scène, le chœur antique était là avec ses masques.

Tous me regardaient. Et je les regardais.

Et le soleil avançait vers le point d'où il ne tarderait pas à disparaître dans la mer, et le public applaudissait, puis chacun se levait pour redescendre la colline vers la ville de Thasos.

Après cela, assis à l'ombre d'un grand pin parmi ceux qui entouraient le théâtre, j'ai éprouvé un soulagement qui ne ressemblait à rien de ce que j'avais pu connaître avant ce jour. J'étais exalté, heureux, j'avais envie de chanter.

Je suis redescendu jusqu'à la scène. Le chœur était revenu.

Tous les moments de ma vie sont devenus accessibles en cet instant unique. Puis il s'est mis à neiger. Le petit matin d'hiver était de retour.

Mon soulagement venait de ce que l'existence me semblait soudain douée d'une cohérence, d'un sens nouveau. Il y avait une signification très claire à ce que je venais de vivre. La communauté des mains tendues, par-delà le temps et l'espace. Je devinais qu'un membre de ce chœur, à des milliers d'années de distance, avait très bien pu se poser les mêmes questions que moi. Bien avant l'invention du théâtre grec, le jeu existait déjà, les comédiens existaient déjà.

Qui fut le premier comédien ? Question sans réponse, qui se perd dans les brumes du temps. Mais nous savons, avec cette certitude fragile qui caractérise tout ce qui ne peut être prouvé, que le comédien est issu du monde rituel. Quelqu'un savait, mieux que d'autres, interpréter les dimensions magiques de l'existence telles que le groupe se les représentait. La naissance, la mort. Les catastrophes naturelles. Le cheminement perpétuel du soleil d'est en ouest.

Je m'imagine que le premier comédien ressemblait à Allan Edwall. Je ne cite pas une femme, car je crois que les premiers comédiens étaient tous des hommes. Croyance confortée par l'hypothèse qu'ils étaient issus de la prêtrise. Mais je peux me tromper. Allan Edwall avait la faculté de donner corps au tragique comme au comique. Il pouvait passer du cri au rire sans transition marquée. Il pouvait se transformer à l'envi, se métamorphoser sans cesse, mais il ne perdait jamais de vue son public. Le public, en sa présence, se transformait lui-même.

La continuité m'est apparue ce jour-là sur l'île de Thasos. Juste avant de partir, alors que le soleil finissait de se coucher, j'ai eu l'impression qu'Allan Edwall était là, sur la scène, parmi les ombres grandissantes.

J'ai passé la nuit à Thasos dans une pension de famille. Le lendemain, je suis retourné à Kavala et j'ai continué d'écrire ma pièce.

Depuis ce jour, je vis avec les mains tendues.

61
Voleur et policier

Vivre avec le cancer, c'est vivre sans garantie. De même que l'on ignore les chemins qu'empruntent les chats la nuit, les cellules cancéreuses progressent loin des sentiers éclairés.

Nous croyons savoir tant de choses. Mais nous sommes sans cesse contraints de réviser nos représentations du monde. Si la vérité est toujours provisoire, ce que je crois, notre perception de l'Histoire l'est également.

J'ai consacré beaucoup de temps de mon existence au crime et aux enquêtes criminelles. Si j'ai écrit sur le crime, c'est parce qu'il éclaire de façon aiguë les tensions et les contradictions qui sont à la base de toute vie humaine.

Tous nos actes se fondent sur le fait qu'il existe en nous des forces contradictoires. Entre rêve et réalité, entre connaissance et illusions, entre vérité et mensonge, entre ce que je désire et ce que je fais. Et entre moi et la société dans laquelle je vis.

Cet intérêt s'est éveillé de bonne heure chez moi. J'ai grandi au premier étage d'une bâtisse dont le rez-de-chaussée était un tribunal. Les audiences avaient lieu le jeudi. Bien que trop jeune pour être autorisé à assister aux procès, je me faufilais parfois dans la salle. Svensson, le gardien, faisait semblant de ne pas me voir. Il faut dire que le juge n'était autre que mon père.

Un jour ont comparu deux voleurs qui avaient accompli

une longue tournée de cambriolages depuis Stockholm jusque dans le nord du pays. Ils avaient été arrêtés à Älvros, près de chez nous. Je me souviens encore de mon étonnement en écoutant la longue liste des objets volés, notamment des crayons fauchés dans un kiosque.

Ils reconnaissaient être les auteurs de ce vol. Mais ils en contestaient vivement un autre, celui de deux ceintures dans un magasin d'habillement pour hommes. L'enseignement, très simple pour l'enfant qui écoutait tout cela, c'était que le crime entraînait des conséquences.

Il y a des milliers d'années, des écrivains tentaient déjà d'élucider les tensions inhérentes aux êtres humains – entre eux et en leur for intérieur. Si l'on veut créer des personnages crédibles, la seule méthode est d'exploiter ces contradictions.

Le miroir du crime le permet tout particulièrement.

Nous croyons savoir ce qu'est un policier, homme ou femme, en uniforme ou en civil, toujours prêt à intervenir ou absorbé dans des réunions. J'en ai une autre vision. Un incident survenu il y a vingt-cinq ans a complètement changé ma perception.

La scène se passait au coin d'une rue, dans le centre de Lusaka. Il avait plu toute la nuit, la chaussée était trempée, les trottoirs aussi. J'attendais quelqu'un qui était en retard, et je scrutais Chachacha Road à sa recherche. Peut-être avais-je mal compris ? Peut-être devions-nous nous retrouver plutôt dans Cairo Road ? Ou Katondo Road ? J'ai pris la direction de Cairo Road et, de nouveau, j'ai attendu.

C'était un dimanche. Même si les magasins étaient fermés, on voyait étonnamment peu de monde dans les rues. Après la nuit pluvieuse, le ciel était encore masqué par un lourd écran de nuages.

Soudain j'ai vu approcher un policier en uniforme qui

traînait un autre homme, sûrement un voleur. Il y avait non loin de là un marché illégal dont l'activité ne cessait jamais et où les voleurs avaient leurs habitudes.

Le pantalon du policier était trop long, la veste trop étroite. Cela n'avait rien de comique de voir qu'un jeune homme qui avait choisi de rentrer dans la police devait s'accommoder d'un tel uniforme, faute de moyens. Sa matraque et son arme de service étaient tout aussi inadaptées. La matraque était trop grande, le pistolet trop lourd.

Le voleur, lui, avait une vingtaine d'années à peine. Pieds nus, le pantalon déchiré, le crâne couvert d'eczéma. Un signe de malnutrition, avais-je appris.

Le policier le tenait fermement par le col de sa chemise.

Malgré eux, ils offraient une image touchante. Comme s'ils ne savaient pas bien ce qu'ils devaient faire à présent.

J'ai supposé qu'ils se dirigeaient vers le poste de police, tout proche. Je m'y étais rendu une fois pour signaler le vol de ma voiture. Je me souviens encore d'un mur couvert de photos de criminels. Au-dessus, ce message en écriture scripte : « Individus dont nous n'avons plus à nous soucier. »

J'avais demandé au policier de garde ce que cela signifiait. Il m'avait regardé, surpris. C'était pourtant évident, non ?

« Morts, m'avait-il répondu. Bon débarras. »

Le policier s'était entre-temps arrêté à ma hauteur. Il tenait toujours le voleur par le col, mais il avait baissé les yeux. Ses chaussures marron étaient poussiéreuses. À côté de nous, il y avait un cireur de chaussures que j'avais déjà eu l'occasion de voir en ville, un type paralysé des jambes qui se déplaçait à quatre pattes, genoux écorchés, mains protégées par des gants en caoutchouc. Il était capable, au besoin, d'avancer extrêmement vite.

Le policier a dit quelques mots au voleur et il l'a lâché. Puis il a posé le pied sur le bloc de bois du cireur.

La scène devenait vraiment intéressante. Le voleur ne bougeait pas. Le cireur s'était mis au travail. Le policier ne regardait pas le voleur. J'attendais que celui-ci démarre au pas de course et disparaisse dans Chachacha Road.

Soudain, le policier a paru revenir à lui. Se tournant vers le voleur, il a prononcé une phrase que je n'ai pas comprise car sa voix s'est perdue à cause d'un bus qui passait au même moment. À ma stupéfaction, il lui a tendu un billet de banque.

Le voleur est parti. D'un pas tranquille, il a tourné le coin de la rue.

Le policier contemplait de nouveau sa chaussure, qui commençait à avoir bien meilleure allure. À ce stade, j'avais complètement oublié que j'attendais quelqu'un. J'étais fasciné par le spectacle qui se déroulait sous mes yeux.

Au bout de quelques minutes, incroyable mais vrai, le voleur est revenu. À la main il tenait un exemplaire du *Times of Zambia* qu'il a remis au policier. Celui-ci a posé l'autre pied sur le bloc tout en commençant à lire le journal. Le voleur avait repris sa place initiale. Il ne semblait pas avoir la moindre intention de filer.

Une fois ses chaussures bien brossées et brillantes, le policier a payé le cireur. Celui-ci n'avait pas l'air satisfait, mais le policier a rugi et fait mine de saisir sa matraque – le différend a été tout de suite réglé. Il a rangé le journal dans sa poche. Puis il a empoigné le voleur par le col et a recommencé à le traîner en direction du poste. Ils ont disparu au bout de la rue.

Ce que je venais de voir était parfaitement naturel en réalité. Dans un pays qui n'avait connu jusque-là que la police coloniale anglaise, tout restait à apprendre. Cela valait pour le voleur autant que pour le policier. La scène à laquelle j'avais assisté était un travail de répétition afin d'assimiler la bonne manière de se comporter dans ces deux rôles inédits.

On peut penser que la police a toujours existé, mais ce n'est pas le cas. Il y a eu très tôt des soldats, des valets, des geôliers chargés de ramener les malfaiteurs qui étaient ensuite condamnés à une amende, voire à la peine capitale.

La prison était réservée à des condamnés très particuliers. Ce n'est qu'avec le développement de villes toujours plus vastes et peuplées qu'on a vu naître le besoin d'un corps de police destiné avant tout à contrôler les pauvres et à protéger le pouvoir en place. Des corps de police se sont ainsi constitués dans la plupart des pays européens au XVIIIe siècle alors que dans d'autres parties du monde la police au sens où nous l'entendons aujourd'hui n'existait pas encore.

Nous vivons dans un monde de plus en plus morcelé, où la richesse augmente mais où l'écart entre ceux qui y ont accès et ceux qui n'ont rien s'accroît en proportion. C'est pourquoi les forces de police sont appelées à être toujours plus nombreuses et plus spécialisées.

La police reste un métier d'avenir.

C'est peut-être le principal enseignement que j'ai tiré de cette vision du jeune agent de police zambien, avec son uniforme à la Chaplin, traînant par le col un jeune homme qui apprenait au même moment à jouer son rôle de délinquant.

Il n'était pas juste un « voleur ». Il jouait dans une pièce dont nous autres, sur le trottoir, étions les spectateurs.

62
Jeunesse

C'était une époque libératrice.

J'avais tout juste vingt ans, j'écrivais des poèmes ; la nuit, je me baladais dans Stockholm et je les collais sur les façades des immeubles et sur les piliers de béton que je croisais.

Parfois, quelqu'un en arrachait un. Cela me faisait plaisir. Un lecteur avait manifesté une réaction, positive ou négative peu importe.

C'était la fin des années 1960. Je devais partir en tournée fin août avec la première pièce de théâtre que j'avais écrite, dont j'assurais également la mise en scène. Elle s'appelait « Le parc d'attractions[1] », une histoire bizarre sur l'état de la Suède et du monde, vu de mon horizon. Y figuraient entre autres Gunnar Sträng, le ministre des Finances de l'époque, un certain Joao, ouvrier agricole sud-américain, et la Panthère rose jouée par Björn Gedda.

Notre tournée se compliquait du fait que nous étions très critiques vis-à-vis du gouvernement social-démocrate et que les salles qui nous recevaient étaient précisément, dans bien des cas, gérées par des organisations sociales-démocrates. J'ai appris plus tard que certains avaient même envoyé des espions pour assister à nos représentations et s'informer des réactions du public.

1. *Nöjesfältet*, inédit en français.

Pour ma part, j'étais censé m'occuper du son et de la lumière. Je n'étais vraiment pas doué. Parfois mon doigt glissait sur les touches du magnétophone et je lançais la mauvaise musique, ou pas de musique du tout. Le rideau tombé, les comédiens me jetaient souvent des regards noirs. Je les comprenais.

En plus, dans mes efforts désespérés pour obtenir des dates, je m'étais engagé à me rendre disponible pour des débats à l'issue du spectacle. Je l'ai bien regretté par la suite, car ces débats se prolongeaient tard dans la nuit et se terminaient quelquefois en pugilat. À Karlstad, le désordre a atteint de tels sommets que nous avons dû donner une représentation supplémentaire pour satisfaire le subit intérêt du public pour notre travail.

J'ai essuyé beaucoup de critiques de la part des médias au cours de ma vie. Mais jamais pour la raison invoquée alors, à savoir que j'avais de vilaines chaussures. Avec un trou dans la semelle, preuve définitive, selon un chroniqueur, de mon appartenance à l'extrême gauche.

Pour l'heure, on était début août, la tournée n'avait pas encore commencé. Le soir du nouvel an de l'année précédente, je m'étais retrouvé à une fête chez des gens que je ne connaissais pas du tout et j'y avais rencontré G., qui était danseuse et chorégraphe. Son compagnon, J., était là également, mais je n'avais pas enregistré ce détail. Nous avons engagé la conversation, le courant est passé et nous avons échangé nos adresses. Le lendemain, un 1er janvier particulièrement glacial, j'ai déniché l'immeuble où elle vivait, dans Regeringsgatan, à peu près à l'endroit où se dresse aujourd'hui la Maison de la Suède. C'était un bâtiment condamné, promis à la démolition. Quand elle m'a ouvert, l'homme dont j'avais zappé l'existence s'est matérialisé derrière elle. Il m'a lancé une chaussure à la tête avant de tordre le bras de G. Je suis parti, assez choqué mais surtout en colère. Il ne s'était pourtant rien passé entre nous ! La colère montait. J'ai fait demi-tour et je lui ai demandé ce qu'il s'imaginait au juste. Sa jalousie était tout à fait palpable.

Ma colère aussi.

Cela s'est terminé par une sorte de trêve bizarre. G. est partie à l'hôpital pour soigner son bras. J. et moi sommes sortis dans le froid glacial.

« Il y a une densité bizarre dans cette ville, ai-je dit.

– Quelle putain de densité ? »

J. était peintre. Il peignait des voitures. Dans mon souvenir, il était très doué.

Voilà à peu près à quel degré d'intimité nous sommes parvenus, lui et moi. Il était clair pour l'un comme pour l'autre que G. et moi allions devenir un couple.

C'est ce qui s'est produit.

Ce n'était pas mon premier amour. Auparavant, il y avait eu L. Mais là, c'était une vraie grande histoire d'amour passionnée. Une dimension supplémentaire. Qui allait chercher plus profond, et qui prenait au dépourvu.

Sept mois plus tard, quelques semaines avant que je ne parte pour ma longue tournée, G. a proposé que nous allions en Norvège marcher quelques jours dans la montagne. Nous avions tous deux lu Sandemose. Le comté de Telemark n'était pas vraiment sa patrie, mais l'écrivain a tout de même été notre compagnon invisible au cours de ce voyage.

Nous avons pris le train de nuit au départ de Stockholm. À la gare, quelqu'un lui avait volé son portefeuille, ce qui diminuait considérablement nos ressources communes. Elle pleurait, ne voulait plus partir. Nous sommes partis malgré tout.

À un moment donné, non loin de la frontière norvégienne, le train s'est arrêté en rase campagne. Nous étions seuls dans le compartiment. G. dormait sur la banquette. J'étais assis en face d'elle. Je regardais par la vitre la nuit au-dehors, qui sentait le début de l'automne. Parfois je tournais mon regard vers G. Pour la première fois de ma vie d'adulte, je ne me sentais pas seul. Là, dans la pénombre du compartiment, j'ai ressenti une joie qui était totalement neuve, inconnue.

À Oslo, nous avons changé de train. Direction le nord et la ville de Rjukan. Nous sommes arrivés un samedi après-midi. Nous avons mangé dans le seul endroit ouvert. Ensuite nous sommes partis à pied. Nous avons installé notre duvet commun devant une grange et nous nous sommes couchés. La soirée était belle.

Un peu plus tard, il s'est mis à pleuvoir. Nous avons forcé la porte de la grange ; notre première effraction au cours de cette randonnée. Nous avons parlé de Sandemose et des chorégraphies qu'elle répétait, la nuit, dans les locaux de l'Institut chorégraphique de l'île de Blasieholmen, à Stockholm. Elle s'était procuré dans le plus grand secret un double des clés. J'ai parlé de ma tournée imminente. La première représentation aurait lieu à Trollhättan, près de Göteborg, et la dernière à Malmberget, dans l'extrême nord du pays.

À l'aube, la pluie s'était transformée en bruine et nous avons entamé l'ascension jusqu'au plateau. La pente était raide. Pour moi, la montagne avait toujours été synonyme de neige et de froid. Là, il y avait de la bruyère et de l'herbe jaune qui poussait entre les pierres. Le sol était spongieux. Le brouillard glissait sans bruit sur l'horizon.

Nous avons suivi un sentier de randonnée sans savoir où il nous conduirait. Nous étions mal équipés, n'avions presque rien à manger et aucune protection au cas où la météo se détériorerait sérieusement.

Nous marchions la plupart du temps en silence, suivis par un oiseau, un courlis.

Nos souffles ne faisaient plus qu'un. L'amour que nous

ressentions était si vaste qu'il en était presque effrayant. Il n'y avait pas de place pour les mots. Nous étions dans un infini qui était, à sa manière, semblable à celui de l'univers.

Dans l'après-midi, la météo a empiré. Il pleuvait à torrents. Le vent s'était levé. Aucun endroit où s'abriter de la bourrasque. Nous ne pouvions rien faire, sinon continuer de marcher. Mais, comme il ne faisait pas froid, nous n'avions pas peur.

Au bout de quelques heures, nous avons enfin entamé la descente. Nous avons aperçu une centrale électrique en construction. On était dimanche. Il n'y avait personne. J'ai réussi à défaire le crochet de la fenêtre d'une cabane de chantier. Nous avons pu l'enjamber et mettre nos vêtements à sécher. Il y avait des couvertures. Nous nous sommes emmitouflés dedans.

C'est dans cette cabane glacée que j'ai découvert pour de vrai ce qu'est l'érotisme. Nous étions gelés, dans un endroit gelé, tout se liguait contre nous. En réalité tout était avec nous.

Je me souviens d'avoir pensé sur le moment : Je n'oublierai jamais cet instant. Et, de fait, je ne l'ai jamais oublié.

Le soir, un gardien de nuit a surgi. Nous avions allumé la lumière, de sorte qu'il savait déjà au moment d'ouvrir la porte qu'il découvrirait des intrus. De notre côté, nous étions rhabillés et présentables. J'ai dit la vérité. Nous n'étions ni des voleurs ni des clochards mais des randonneurs frigorifiés qui s'étaient mis à l'abri dans la cabane. Il nous a dévisagés avant de prendre le parti de nous croire. Il est quand même passé dans le bureau voisin pour vérifier que nous n'avions rien pris.

Il y avait une pension de famille vingt kilomètres plus loin. Il nous y a conduits. On nous a donné une chambre, et un repas. Le lendemain, avec l'argent qui nous restait, nous avons pris le car jusqu'à Oslo, puis le train de nuit jusqu'à Stockholm.

De nouveau : G. endormie sur la banquette et moi, en face, éveillé. Cela ressemble à une construction *a posteriori*. Mais ce n'est pas le cas. J'ai réellement pensé que l'expérience que je vivais là, tous les humains l'avait sûrement vécue (du moins je le leur souhaitais). Pas seulement nos contemporains, mais tous les autres, à travers les âges, nos ancêtres dans leurs grottes ou les mineurs de l'Angleterre du début du XIXe siècle, pour ne citer que deux exemples qui m'ont traversé l'esprit – ils avaient dû éprouver des sensations du même ordre.

Je n'ai pas pensé sur le moment que l'amour était une grâce, peut-être la plus grande que puisse connaître un être humain. Cette intuition-là ne m'est venue que plus tard.

Par une nuit d'août à la fin des années 1960, ce compartiment de train s'est transformé en cathédrale.

Par la vitre, j'entrevoyais une vie qui commençait à me dévoiler des secrets fantastiques.

63
Une charogne sur le banc des accusés

L'atroce est parfois tentant. Effrayant, menaçant, mais attirant. Comme lorsqu'on se penche sur quelqu'un qui sent mauvais et qu'on ne peut s'empêcher d'inspirer son odeur.

Au musée des Beaux-Arts de Nantes, on peut voir un étrange tableau peint en 1870 par l'artiste français Jean-Paul Laurens. C'est une toile habile, sans plus. Exécutée dans la tradition qui cherche à illustrer un fait historique. Par son style, elle évoque un autre tableau peint par von Rosen à peu près à la même époque, où l'on voit le roi Eric XIV de Suède entouré de la reine Karin Månsdotter et du méchant Jöran Persson qui tente de lui extorquer la signature d'un arrêt de mort. Dans les deux cas, on a affaire à une perspective romantique. Les détails sont réalistes, alors que l'histoire que raconte l'image est sujette à caution.

Sur le tableau de Nantes, on voit un pape en costume d'apparat assis sur son trône. À ses côtés, vêtu de noir, se tient un jeune prêtre barbu écoutant un homme visiblement en colère diriger des accusations contre le pape.

C'est une représentation de ce qu'on a appelé « le concile cadavérique », qui se tint en l'an 897 au cours de quelques jours d'hiver particulièrement rigoureux, à la basilique Saint-Jean-de-Latran à Rome, qui s'appelait à l'époque la basilique du Saint-Sauveur. L'événement est relaté dans les annales sous le nom de *Synodus Horrenda*, ce qui peut se comprendre quand on connaît les faits.

À y regarder de plus près, en effet, le pape représenté sur la toile de Laurens est un macchabée. Il s'agit du pape Formose – seul dans la longue lignée des papes à porter ce nom-là. Neuf mois après sa mort, il a été exhumé pour être confronté aux accusations de son successeur, Étienne VI. L'homme barbu tout de noir vêtu, dont l'histoire n'a en revanche pas retenu le nom, est un diacre chargé de le défendre, même si l'issue du procès est connue d'avance.

Après neuf mois de décomposition, on imagine quelle puanteur régnait dans la basilique ces jours-là. Les corps n'étaient pas embaumés à cette époque. L'héritage des Égyptiens en ce domaine s'était perdu. La tradition romaine était de placer le corps dans un sarcophage sans l'inhumer. Le mot sarcophage signifie étymologiquement « mangeur de viande ». Il était taillé dans le calcaire afin d'accélérer la transformation du cadavre en un squelette bien nettoyé par les vers.

Au bout de neuf mois, le corps aurait dû être dans un état de putréfaction accomplie. Mais dans son sarcophage hermétiquement scellé, malgré l'effet supposé du calcaire, quand on a soulevé le couvercle on l'a trouvé encore à peu près d'un seul tenant. Le climat sec de Rome avait tanné la peau, la rendant dure comme une écorce noire presque semblable à du cuir. Mais la bouillie d'organes pourrissant sous cette enveloppe devait diffuser une pestilence insoutenable, même pour des gens mieux habitués que nous aux odeurs fortes. Le pauvre diacre a dû souffrir tous les maux de l'enfer, debout à son poste à côté du trône pour réfuter les chefs d'accusation lancés à la tête de la charogne.

À l'arrière-plan, on aperçoit les prêtres et les évêques formant le jury de ce procès macabre. De quoi s'agissait-il ? Comment le chef désigné de millions de fidèles avait-il pu ordonner la tenue d'un procès qui révélait surtout sa propre folie ?

En réalité, l'histoire fourmille d'exemples de ce qu'on pourrait appeler les « contes de l'incompréhensible ». Je n'aurais aucun mal à remplacer ce concile cadavérique par un autre exemple. C'est une constante chez l'humain, animal rationnel, que de se comporter soudain comme si ses actes obéissaient à tout sauf à la raison.

Dans le cas du défunt pape Formose et de son successeur Étienne VI, les actes du procès ayant disparu, on ne sait pas vraiment ce qui a pu pousser le pape en exercice à exhumer le corps de son prédécesseur et encore moins pourquoi il l'a fait revêtir de ses plus beaux atours, tiare comprise, avant de l'asseoir sur son trône. Certes Étienne VI était réputé avoir un psychisme instable, mais les fous déclarés accédaient rarement à la papauté. Si corruption et autres signes de cynisme ne constituaient pas un obstacle, la folie, elle, était crainte. Car elle pouvait pousser un pape sur des chemins incontrôlables.

Issu de l'aristocratie romaine, Étienne VI était ambitieux et cynique au plus haut point. Il vouait à son prédécesseur une haine farouche car celui-ci avait attribué la couronne impériale de l'empire à un Carolingien et non à la famille des ducs de Spolète, dont il était un farouche partisan. Il accusa Formose dans ce simulacre de procès d'être devenu pape par des moyens illégitimes et demanda que tous ses actes pontificaux soient annulés. Ce procès tenu en grande pompe dans la basilique a dû être un spectacle à la fois terrifiant et absurde. Au cours de ces journées, il faisait à Rome un froid à pierre fendre. Malgré cela, la puanteur est restée, paraît-il, incrustée dans les murs pendant longtemps.

À cause de cette puanteur, ou parce que tout était combiné d'avance, ou les deux, il n'a fallu que quelques jours au synode pour déclarer Formose coupable des faits qui lui étaient reprochés et pour invalider son règne.

Deuxième châtiment, plus macabre encore : le cadavre fut déshabillé. On dut lui laisser son cilice, car il avait adhéré aux chairs et ne pouvait être retiré. On détacha de la main droite les trois doigts utilisés lors les bénédictions papales. Puis le corps fut ré-enterré dans un cimetière dédié aux pèlerins. On ne sait pas bien ce qui se passa ensuite. Des documents attestent qu'Étienne VI le fit exhumer une fois de plus et jeter dans le Tibre. Lui-même se rendit vite insupportable, au point qu'il fut jeté en prison et étranglé dans sa geôle en juillet ou août de la même année. Son pontificat avait duré moins d'un an.

Cette sinistre comédie paraît bien sûr délirante d'un bout à l'autre : Étienne VI vociférant, index brandi, dans la basilique, évêques et prêtres alignés sur le banc des jurés, l'acte d'accusation insensé et, enfin, le verdict. Comment des individus censés incarner la conscience religieuse de millions de fidèles et les principaux représentants terrestres d'un Dieu aussi redouté que révéré ont-ils pu se comporter de la sorte ? Que la vanité, la haine et autres forces destructrices puissent conduire les humains à commettre des actes aberrants, nous le savons. Malgré tout, on se dit qu'il devrait exister certaines limites infranchissables.

Le diacre anonyme posté à côté du cadavre pestilentiel, que pensait-il ? Qu'a-t-il fait ensuite de sa vie ? Comment a-t-il pu continuer après avoir été contraint de participer à cette mascarade organisée par ses plus hauts supérieurs hiérarchiques ?

Il est certains personnages historiques que j'aurais aimé rencontrer. Cet homme en fait partie.

Quand enfin il a été autorisé à s'échapper de la basilique, il a dû se précipiter dehors avec une seule idée en tête, se débarrasser de tous ses vêtements et se récurer de fond en comble. Comme s'il avait séjourné longtemps dans un marécage en fermentation et parvenait enfin à se hisser sur la terre ferme. Je le vois se rasant cheveux et barbe d'un seul mouvement pour se débarrasser de cette pestilence.

L'image renvoyée par l'être humain est et demeure étrange. L'incompréhensible semble toujours l'accompagner comme son ombre.

64
Tempête de nord-ouest

Tout au bout de la pointe septentrionale de l'île de Jylland au Danemark, là où les bourrelets de sable s'étirent à l'infini jusqu'à la mer, est enterrée une vieille église. Seul le clocher émerge des dunes, comme si l'édifice s'était doté lui-même d'une pierre tombale.

Je me souviens de ma première visite à cet endroit. Je roulais en voiture. Soudain ce clocher a surgi du sable. Je me suis arrêté. En m'approchant, j'ai vu qu'il appartenait réellement à une église enfouie.

Je me suis attardé un long moment. Il me semblait comprendre intuitivement, pour la première fois, le sens du mot « périssable ». Jusque-là, c'était pour moi une notion confuse, à caractère religieux, une périphrase pour éviter d'appeler la mort par son nom, de dire que « le nom de la mort est la mort ».

À présent, je voyais ce clocher solitaire. Le sable qui volait, la végétation rabougrie, la présence insistante de la mer, son fracas assourdi. Et puis cette tour obstinée dans sa lutte contre l'assaut insidieux du sable.

Les pauvres gens de Skagen, un village de pêcheurs, remplissaient autrefois cette église le dimanche. Le sable menaçait déjà le mur d'enceinte. Au début du XVIIe siècle, les dunes approchaient, telle une infanterie hostile se regroupant avant l'assaut final. En 1775, au cours d'une grosse tempête de nord-ouest, le sable atteignit pour la première fois le bâtiment et pénétra à l'intérieur. Vingt années suffirent ensuite pour consolider sa victoire. En 1795, le roi du Danemark décréta qu'il fallait abandonner l'église. Tous les biens qui pouvaient être transportés devaient être acheminés par charrette à cheval jusqu'à la chapelle d'Österby afin d'y être entreposés, le temps qu'on construise un nouveau lieu de culte. Ce qui fut fait. Après quoi l'ancien lieu fut désacralisé, et le portail se referma pour la dernière fois.

L'église qui se dressait là depuis le XIVe siècle fut sacrifiée et donnée en pâture au sable.

Aujourd'hui donc, seul le clocher reste visible. L'église est intacte à l'intérieur. Ses fonts baptismaux en pierre de taille ne furent pas retirés car ils étaient trop lourds.

Le seul bruit qui doit résonner dans le noir du bâtiment enseveli, c'est le crissement du sable qui se déplace quand des poches d'air se forment dans les dunes. Celles-ci ne sont jamais tout à fait immobiles. Elles bougent sans cesse. Elles colonisent de nouveaux territoires.

Mais je n'étais pas venu à Skagen pour voir l'église ensablée. J'étais venu parce que j'avais l'intention d'y envoyer l'un de mes personnages romanesques, l'inspecteur Kurt Wallander, pour un travail de deuil qui l'amènerait à quitter sa vie ordinaire pendant une longue période.

Je marchais sur les plages infinies en imaginant de quelle façon réagirait mon personnage confronté à un paysage pareil. C'était la fin de l'automne. Il faisait froid, le vent soufflait. De temps à autre un flocon de neige annonciateur de l'hiver tombait en voltigeant.

J'avais pris une chambre dans une pension de famille. J'étais le seul client. Skagen, à l'automne, était désertique. Je traversais une période de grande fatigue, à la limite de l'épuisement, ce qui est inhabituel pour moi. Le soir venu, il m'arrivait de me demander si ce n'était pas moi, et non mon personnage, qui aurais eu besoin de passer plusieurs semaines à cet endroit et d'arpenter ces plages.

À côté de mon lit, il y avait contre le mur une petite bibliothèque contenant de vieux bouquins lus et relus. Un soir, j'en ai pris un au hasard.

L'ouvrage était imprimé à Skagen. Il évoquait l'histoire du lieu, la mer, le destin des uns et des autres, l'église ensablée. Je suis resté éveillé toute la nuit à lire de la première à la dernière page ce livre dont j'étais, curieusement, le premier lecteur. (J'avais dû descendre l'escalier à tâtons pour chercher un couteau afin de couper les pages.)

L'aube approchait quand soudain : panne d'électricité. Cela arrive souvent à Skagen, à cause du vent. On m'avait prévenu à mon arrivée ; on m'avait même donné une lampe à pétrole. J'ai donc pu poursuivre ma lecture.

Le souvenir le plus net que j'en garde est l'histoire d'un navire, le *Daphne*, qui s'était échoué sur les bourrelets de sable qui forment au large de Skagen des hauts-fonds extrêmement dangereux. Sans le courage héroïque d'un certain nombre de pêcheurs qui étaient intervenus au péril de leur vie, l'épisode serait resté dans les annales comme un naufrage tragique, un bateau englouti « corps et biens ». Au lieu de cela, ce furent les sauveteurs improvisés qui payèrent un lourd tribut.

Le 27 décembre 1862, vers six heures et demie du matin, la tempête qui avait fait rage toute la nuit s'éloignait. Des nuages déchiquetés couraient dans le ciel. L'un des guetteurs d'astreinte venait d'arriver sur la plage pour scruter l'horizon dès que la lumière le permettrait afin de voir s'il y avait eu des naufrages. On ne pouvait jamais savoir ce qui se passait au cœur des tempêtes quand celles-ci se déchaînaient en pleine nuit.

Ce fut alors qu'il découvrit le grand vaisseau échoué au large. Le vent ayant molli, il estima qu'il devait être possible de sortir avec une barque dans l'espoir de ramener l'équipage à terre. Une heure suffit aux pêcheurs de Skagen pour constituer une équipe de volontaires et mettre l'embarcation à l'eau. Mais ils eurent beau ramer énergiquement, les courants étaient trop puissants et ils échouèrent par deux fois à approcher le navire. On tenta à plusieurs reprises d'envoyer un filin à l'aide d'une fusée rudimentaire. Cela finit par réussir. Mais la courte journée d'hiver s'était entre-temps écoulée, il faisait de nouveau nuit et les pêcheurs étaient trop épuisés pour continuer.

Le lendemain, le vent était complètement retombé, mais les vagues restaient hautes et les courants forts. L'équipe de sauvetage réussit cette fois à se placer bord à bord, mais une vague plus forte que les autres fit basculer l'embarcation. L'urgence avait changé de camp ; il fallait maintenant sauver les sauveteurs.

Un autre bateau de volontaires fut mis à l'eau. On réussit à sauver Niels Andersen et Jens Jensen Norsk, qui avaient pu se maintenir à la surface et n'étaient pas encore morts de froid dans l'eau glaciale. Contrairement aux autres. Une dalle commémorative dressée à Skagen quelques années plus tard porte leurs noms :

Jens Christian Jensen
Niels Christian Simonsen
Iver Andreasen
Anders Christensen Bruun
Christen Thomsen Knep
Jakob Tønnesen
Jens Pedersen Kjelder
Thomas Pedersen

Tous étaient des pêcheurs miséreux. Jeunes, mariés, pères de famille pour la plupart. Certains visages se laissent entrevoir sur des photos floues en noir et blanc où ils se tiennent debout, alignés à côté de leurs bateaux. Leurs traits se distinguent difficilement sans l'aide d'une loupe.

Des gens timides, sans prétention, croyants, durs à la tâche.

Entre-temps on avait enfin réussi à ramener à terre l'équipage du *Daphne*. Mais le prix à payer avait été exorbitant. Les huit sauveteurs volontaires furent enterrés la veille du nouvel an, le 31 décembre 1862. Laissant huit veuves et vingt-cinq enfants mineurs privés de père.

Les huit tombes furent creusées côte à côte. Sur les cercueils, des fleurs et, pour certains, les médailles qu'ils avaient reçues après avoir fait preuve de courage lors de précédentes interventions.

Le naufrage du *Daphne* n'était qu'un exemple parmi beaucoup d'autres. Les eaux de Skagen étaient réputées être un grand cimetière marin. De tout temps, les bateaux avaient été piégés par les écueils ou entraînés trop près des côtes au cours des tempêtes de nord-ouest.

Pour les pêcheurs, le fait de s'engager dans les équipes d'intervention était une évidence. Aucun d'entre eux n'aurait refusé de risquer sa vie pour des inconnus en détresse luttant au milieu des vagues. Cela faisait partie de la vie de pêcheur, voilà tout – risquer sa vie chaque jour pour soi et les siens et, au besoin, la risquer aussi pour d'autres.

Cette évidence qui consiste à se mobiliser pour prendre place, de son plein gré, dans une équipe de sauvetage est l'un des traits fondamentaux de notre civilisation. Même si les actions aussi spectaculaires et coûteuses que celle du 27 décembre 1862 sont moins fréquentes de nos jours, il arrive encore que des volontaires s'engagent et le paient de leur vie.

Je me demande souvent comment je réagirais si un petit enfant s'élançait sous mes yeux sur une chaussée à grande circulation et si je me trouvais tout près de lui. Un enfant que je n'aurais jamais vu auparavant, avec lequel je n'aurais strictement aucune relation.

Je ne peux pas le savoir, car ça ne m'est jamais arrivé. Je peux seulement espérer que je n'hésiterais pas à m'élancer pour le sauver, quoi qu'il m'en coûte.

Cela devrait aller de soi. Mais ce n'est pas le cas. Quelqu'un s'effondre dans la rue – malaise, maladie, que sais-je. En général, un passant finit par s'arrêter. Mais la plupart d'entre nous se dépêchent de continuer leur chemin en feignant de n'avoir pas vu l'homme ou la femme à terre.

Cette interrogation me poursuit depuis cette nuit dans la pension de famille de Skagen. Était-ce le courage qui les poussait ? Se considéraient-ils comme « courageux » ? Ou bien avaient-ils la perception instinctive que c'était là l'essence même de l'appartenance à la communauté ? Celle qui s'instaure spontanément quand les gens ont conscience d'un grave danger ?

Aujourd'hui, ce lointain voyage à Skagen me paraît presque un rêve. J'ai écrit mon livre. Kurt Wallander a pu promener son chagrin sur les plages jusqu'au jour où quelqu'un a surgi dans le brouillard et qu'a retenti le mugissement de la corne de brume – et il a réintégré sa vie d'avant.

Je rêve de cette barque qui, en décembre 1862, a tenté une héroïque sortie en mer pour sauver l'équipage du *Daphne*. J'essaie de m'imaginer parmi les autres, en bottes et en ciré, ramant furieusement contre le courant.

Mais je ne sais pas si j'en suis.

Je ne peux pas en être certain. Je ne dois pas en être certain.

65

Rencontre fictive dans un parc viennois, 1913

1940 : c'est l'année de naissance d'une artiste parmi les plus étonnantes de notre temps.

Pina Bausch. La chorégraphe qui a créé certaines des pièces dansées les plus personnelles que je connaisse.

Les cheveux noirs tirés vers l'arrière, dégageant le visage. Maigre, gracile. Sous cette apparence frêle se cachait une force prodigieuse. Elle était belle d'une manière indéfinissable. En même temps, il y avait chez elle de la sévérité. Mais dirigée vers elle-même, jamais vers les autres.

Le plus étonnant, c'étaient ses yeux, son regard. Une manière de vous regarder qu'on n'oubliait pas. Après sa mort en 2009, beaucoup de personnes ont évoqué les yeux de Pina Bausch. Elle vous regardait avec une concentration absolue. Elle trichait aussi peu avec les gens qu'elle croisait qu'avec ceux qui avaient choisi de danser chez elle à Wuppertal.

Parfois je me dis que j'ai vécu à l'ère du *Sacre du printemps*, dont on a célébré le centenaire en 2013.

Le ballet fut créé à Paris en 1913 avec Stravinski, Nijinski, Diaghilev et les Ballets russes. Ce fut un scandale. Un remue-ménage tel, côté public, que Nijinski, qui attendait en coulisse de faire son entrée, n'entendait pas la musique et devait observer les danseurs sur scène en comptant les temps dans sa tête. Stravinski, furieux, partit avant la fin pour protester contre ces vociférations qui dénaturaient son œuvre.

Le *Sacre du printemps* a transformé l'art et présenté au public, pour la première fois, le siècle nouveau, ce XXe siècle avec ses prodigieuses avancées technologiques et industrielles, ses métropoles en expansion et ses individus solitaires, vulnérables face à une économie brutale qui les rendait interchangeables comme jamais auparavant dans l'histoire.

Le *Sacre du printemps* captait tout cela avec des alternances paradoxales entre une quasi-frénésie tonale et un calme culminant au silence pur. La chorégraphie, l'art de Nijinski, tout était neuf. Le simple fait que les danseurs tournent parfois le dos aux spectateurs avait semé l'indignation dans le public. C'était comme si les artistes l'humiliaient en foulant aux pieds les codes anciens.

Soixante-deux ans plus tard, Pina Bausch et sa compagnie en présentaient leur propre version au Tanzteater de Wuppertal. J'ai vu ce spectacle plusieurs fois après sa création en 1975. Quelques mesures et quelques gestes des danseurs avaient suffi à me faire comprendre que j'allais vivre une expérience extraordinaire.

Ce fut le cas. Dans la création de Pina Bausch, je voyais se refléter comme dans un miroir limpide l'époque et le monde dans lesquels je vivais. La solitude, la fragilité, la frénésie : tout était là, mais toujours avec en contrepoids la faculté humaine de tenir le coup, de résister.

Sa chorégraphie était une lutte. En la voyant, on entrait dans un mouvement de révolte contre un monde où des êtres humains étaient sacrifiés chaque jour sur l'autel de l'absurde.

Sacrifiés parce que trop vieux, ou trop jeunes, ou trop noirs, ou trop lents, ou trop gros, ou trop laids, ou que sais-je. Même si le *Sacre* décrit un rituel païen, il renvoie une image tout à fait nette de notre société contemporaine.

Pina Bausch éprouvait une certaine réserve vis-à-vis de la parole et peut-être même de la langue écrite. Au travers de la danse et du langage du corps, elle a su créer une forme d'expression dans laquelle elle se sentait en sécurité.

Le public de 1913 à Paris a condamné la musique de Stravinski. « Du bruit. » Tel fut le verdict des critiques. Stravinski leur aurait demandé par la suite s'ils pouvaient avoir la bonté de lui indiquer à quel endroit précis, dans sa musique, ils avaient cru identifier ce bruit.

Ils ne le pouvaient pas, naturellement. Quelques années après, le *Sacre* a commencé à remporter un immense succès dans sa version de concert. Un public toujours plus nombreux comprenait le langage musical de Stravinski, partie intégrante d'un monde nouveau.

Aujourd'hui, nous sommes nous aussi en route vers une nouvelle ère. En un siècle, le monde s'est transformé au point d'être méconnaissable. D'autres métamorphoses sont à l'œuvre pour passer de l'industrialisme à ce que nous appelons, faute de mieux, la société de l'information.

Ceux qui sont nés en 1913 ne pouvaient pas imaginer un instant les inventions et les découvertes qui se multiplieraient de leur vivant. Ils ne pouvaient pas non plus imaginer les combats absurdes qui causeraient des millions de morts rien qu'en Europe.

Or, tandis que le *Sacre* était créé à Paris, vivaient dans la ville de Vienne deux hommes dont l'un était originaire de Linz et l'autre de Géorgie. Nous sommes quasi sûrs qu'ils ne se sont jamais adressé la parole. Mais ils se sont très vraisemblablement croisés dans l'un des parcs de la ville. Ils n'habitaient pas le même quartier, mais tous deux à proximité de ce parc.

Le jeune homme de Linz s'appelait Adolf Hitler. Le Géorgien, qui était un peu plus âgé, prendrait plus tard le nom de Staline.

Le jeune Autrichien tentait de subvenir à ses besoins en peignant des aquarelles qu'il vendait ou faisait vendre par des amis en guise de cartes postales. Il venait souvent dans ce parc pour y croquer différents points de vue.

Staline, lui, était à Vienne pour étudier la relation du marxisme à l'État-nation. Il était membre du parti communiste russe dirigé par un autre émigré, Lénine, qui séjournait au même moment dans la Suisse voisine.

En 1914 éclate la Première Guerre mondiale. Hitler, qui a échoué dans ses ambitions artistiques et s'est rapproché des cercles réactionnaires et antisémites, n'hésite pas à rejoindre l'armée allemande en tant que volontaire. Malgré ses blessures au combat, il survit. Après la guerre, au lieu de retourner à Vienne, il s'installe à Munich.

Ni Staline ni Hitler n'avaient conscience d'avoir arpenté le même parc viennois, quotidiennement peut-être, au début de cette année 1913. Il se peut que Staline ait remarqué la présence d'un homme mal habillé qui peignait méthodiquement arbres, fontaines et façades. Hitler, de son côté, avait peut-être levé les yeux vers un petit homme trapu qui se promenait toujours en fumant des cigarettes russes.

À la veille de la Seconde Guerre mondiale, ils avaient conclu l'un avec l'autre un pacte que Hitler dénoncerait deux ans plus tard.

Ces deux hommes sont restés dans l'Histoire comme personnellement responsables de la mort de millions de personnes. Très loin des promenades et des aquarelles.

La musique de Stravinski et le théâtre dansé de Pina Bausch parlent de notre époque troublée et de la force humaine qui résiste à tout ce qui cherche à la détruire.

Hitler et Staline continueront d'occuper chacun un des

pans les plus sombres de la mémoire collective. Nous n'y pouvons rien. Les tyrans ont une faculté étrange de vivre dans le souvenir des autres au moins aussi longtemps que les êtres que nous pouvons qualifier de bons.

Pina Bausch et ses chorégraphies vivront-elles encore dans cinq cents ans ? Ou auront-elles disparu dans le grand oubli qui finit par tout engloutir ?

Je vis à l'ère de Stravinski, bien que Stravinski lui-même soit mort depuis longtemps. Sa musique vit. De la même manière que les danseurs de Pina Bausch continuent de donner vie à ses chorégraphies sensuelles et fascinantes.

Mais Pina Bausch est morte elle aussi.

Je m'interroge. Éprouvait-elle la même inquiétude que moi ? Celle de devoir rester mort si longtemps ? Ou peut-être avait-elle simplement le sentiment qu'elle ne pourrait pas donner corps à la mort et s'était-elle alors désintéressée de ce qui se passerait quand son cœur aurait cessé de battre…

66

La marionnette

En 1891 on a ouvert une tranchée dans une rue du centre de Brno, en Moravie. Il s'agissait de créer des égouts. L'eau sale ne devait plus s'écouler simplement le long de la rue.

Le nom de Brno m'était familier depuis l'enfance car il figurait sur la bande AM de la TSF familiale. Quand je faisais tourner le bouton pour placer l'aiguille sur ce nom, il me semble que je n'obtenais qu'un grésillement lointain. Brno, dans le monde de mon enfance, c'était les confins de l'univers.

La rue où se déroulait le chantier portait le nom de Francouszská. À quatre mètres de profondeur, on eut la surprise de découvrir un tombeau contenant le squelette d'un homme. On fit venir des archéologues, qui constatèrent que le corps était entouré de morceaux d'ivoire provenant de mammouths et de bœufs musqués.

L'objet le plus étonnant se trouvait tout contre le crâne du défunt. On crut tout d'abord à une sculpture qui se serait cassée en trois fragments, après ces millénaires d'enfouissement. Mais en l'examinant de plus près, on constata que c'était une découverte absolument unique. Des analyses minutieuses de l'ivoire et de la terre démontrèrent que l'objet avait le même âge que le tombeau, soit environ vingt-cinq mille ans.

Les archéologues étaient incrédules, mais la conclusion

s'imposait à eux. Près de la tête du défunt, ceux qui l'avaient enterré avaient placé un jouet.

Une marionnette.

Elle était cassée. Pourtant il était possible de voir que la tête tournait sur elle-même comme celle d'une chouette. Le bras qu'on avait exhumé (l'autre demeurait introuvable) présentait une perforation. Or il existait une perforation correspondante dans le haut du tronc de la poupée permettant de les relier. On avait donc offert au défunt une poupée articulée. Le deuxième bras avait dû être emporté par des tassements du sol, des variations de niveau des eaux souterraines ou que sais-je. Mais la poupée était bien une poupée. Aucun doute possible à cet égard.

Elle nous transmettait les salutations d'ancêtres qui avaient vécu vingt-cinq mille ans avant nous. Nous ne savons pas quelle était sa fonction, jeux d'ombres ou rites religieux. Il est possible qu'elle ait réellement été un jouet. Appartenant à un enfant. Ou à un adulte qui n'avait pas cessé de jouer sous prétexte qu'il avait grandi.

Cette marionnette des premiers âges de l'humanité nous informe sur l'essence de celle-ci, par-delà les siècles et les millénaires. J'ai du mal à imaginer, de la part de ces lointains cousins qui vécurent après une période glaciaire, un signe à la fois plus poignant et plus malicieux.

Tandis que nous qui vivons aujourd'hui, nous ne laisserons pas à nos descendants des poupées, mais des déchets nucléaires. Notre principale mission consiste à tenter d'en avertir ceux qui seront peut-être encore là après les lointaines périodes glaciaires de l'avenir.

Dans soixante-dix ans, la question de la forme que doit prendre cet avertissement devra avoir été résolue, au moins en Suède. C'est à cette période que les grottes souterraines seront, si tout va bien, refermées et scellées pour toujours.

Aucun d'entre nous, sauf les plus jeunes, ne saura jamais ce qu'on aura finalement choisi comme message. Pour l'instant, il semble que la seule option retenue est de tout miser sur le secret, la profondeur et l'oubli. La mousse poussera sur la montagne où l'on aura enfermé le troll maléfique. Personne ne se souviendra de ce qui a été autrefois enfoui à cet endroit dans d'hermétiques capsules de cuivre.

L'être humain a toujours aspiré à laisser de beaux souvenirs à ses descendants : il serait donc légitime qu'il les mette en garde contre ce qui est mauvais ou dangereux afin que cela ne se reproduise pas.

Or nous avons décidé de léguer de l'oubli.

Que restera-t-il à la fin ? Un temps sans mémoire ?

La question se pose, en toute simplicité, sans arrière-pensée, mue par le pur bon sens : avons-nous encore le temps de reprendre nos esprits et de changer de cap ? Ou bien les déchets nucléaires ne représentent-ils qu'un pas parmi d'autres sur une pente de plus en plus raide et glissante ?

Je l'ignore. Mais je peux répéter à l'infini, comme un mantra, ce dont je suis profondément convaincu.

Il n'est jamais trop tard. Tout est possible.

Nous vivons encore à l'ère de la marionnette.

67

Ne pas se laisser déposséder de sa joie

Le 9 mai 2014, une pluie fine tombe là où nous vivons, Eva et moi, au sud de Göteborg. Le temps s'apprête à changer : l'eau peu profonde de la baie de Stallviken s'est retirée, ce qui annonce un temps plus ensoleillé et plus chaud. Çà et là, au loin, la silhouette d'un pêcheur de truite, dans l'eau jusqu'aux genoux. Ils peuvent rester immobiles des heures, que ça morde ou non. Quand enfin ils attrapent un poisson, en général ils le remettent à l'eau. Je peux leur envier cette joie insouciante, où ils semblent attendre tout et rien à la fois.

Cinq mois se sont écoulés depuis le diagnostic. Je viens de terminer la quatrième et dernière série de séances de chimiothérapie prévues pour cette première phase. Demain j'ai rendez-vous avec le Dr Bergman, qui va me dire si le traitement a eu l'effet escompté ou non.

Je me suis levé de bonne heure. Sommeil inquiet, comme d'habitude. Je suis dans l'attente d'un verdict pour savoir si je serai acquitté ou condamné. Tout ce que je peux faire, c'est me préparer au pire tout en espérant le meilleur.

Mais c'est une tout autre pensée qui me vient en ces heures matinales, juste quand le merle siffle son réveil sur le faîte de la cheminée, déclenchant le chœur de tous les autres oiseaux.

Au lieu de me préparer, je me demande soudain à quel moment de la vie j'ai éprouvé ma plus grande joie. Est-il possible de choisir ? La naissance d'un enfant, le soulagement d'une grande douleur qui cède enfin, une agression dont je suis sorti vivant, la sensation qu'un travail d'écriture a réussi au-delà de mes espérances ? Assez vite, je me dis que c'est idiot. On ne peut pas comparer ni hiérarchiser de tels instants. Une joie ne ressemble à aucune autre. Elles sont toutes différentes.

Pourtant me reste en mémoire un moment qui, sans que je me livre à des jeux de comparaison, surpasse toutes mes autres joies.

Ce souvenir me ramène au 4 octobre 1992, il y a vingt-deux ans. J'avais quarante-quatre ans et je vivais peut-être les années les plus intenses de mon existence. Je résidais la plupart du temps à Maputo, et j'assurais au moins deux mises en scène par an au théâtre Avenida, auxquelles venaient s'ajouter les responsabilités de la gestion du théâtre.

Mes journées étaient tellement cadrées que cela frisait la monotonie. Je me levais très tôt pour pouvoir écrire à ma table avant que la chaleur ne devienne suffocante. Vers midi je déjeunais et je dormais environ une heure après avoir décroché le téléphone et fermé ma porte à clé. Ensuite je me rendais au théâtre, où les répétitions commençaient en général à seize heures et se poursuivaient jusque tard dans la soirée. Sur le chemin du retour, je m'arrêtais pour dîner dans un petit restaurant, le plus souvent seul, ce qui me donnait la possibilité de lire l'unique quotidien qui paraissait à l'époque au Mozambique et qui s'intitulait *Noticias*. Une fois rentré, j'écrivais un moment encore avant de m'endormir.

Mes amis européens s'imaginaient que je menais une vie aventureuse pleine d'action et de risque. Mais le drame se jouait entièrement dans ma tête. Jamais je n'ai mené une vie aussi rangée voire ennuyeuse qu'à cette époque.

L'année précédente, j'avais proposé que nous montions

Lysistrata, comédie d'Aristophane. J'avais conscience qu'il fallait donner une version sérieusement africanisée de la pièce pour la rendre compréhensible à un public mozambicain moderne, souvent jeune et en grande partie analphabète. Première chose, donc, ôter tout ce qui pouvait évoquer temples grecs, prêtresses, etc. Nous allions mettre en relief l'idée centrale, à savoir la grève de l'amour entamée par les femmes pour obliger leurs hommes à ne plus s'entre-tuer.

La guerre civile au Mozambique faisait rage depuis plus de dix ans et les exactions contre la population n'avaient pas manqué d'être effroyables. Nez et oreilles tranchés, enfants écrasés contre des arbres. Chacun, sans exception, comptait des parents ou des amis parmi les innombrables victimes. Nous avions bien des raisons de monter cette pièce. J'étais persuadé qu'Aristophane, du haut du ciel des dramaturges, comprendrait la nécessité pour nous d'adapter son œuvre à la réalité africaine. Mais qu'est-ce qui pourrait bien remplacer les temples et les prêtresses ?

Un jour, je faisais mes courses sur le marché central de Maputo. En observant les femmes qui tenaient les étals, j'ai eu la révélation que c'était là, à cet endroit, qu'il fallait situer l'action. J'ai demandé à certaines comédiennes de la troupe de venir quelques jours arpenter le marché et de parler aux femmes qui y travaillaient. Il ne fallut pas longtemps pour que prenne racine parmi elles l'idée de la grève de l'amour afin d'en finir avec la guerre. Cependant elles ne comprenaient pas pourquoi nous voulions en faire une pièce de théâtre. Elles voulaient convertir l'idée en pratique, à grande échelle et sans attendre.

Ce n'est pas ce qui s'est passé. Nous avons monté notre pièce. Notre Lysistrata, que nous avions rebaptisée Julietta, était une poissonnière du marché. (La seule Lysistrata de la pièce était une chèvre à qui nous avions donné ce nom.

Elle était censée entrer sur le plateau à un moment précis. Il fallait donc lui faire garder le silence en coulisse, pour ne pas gâcher la surprise. Mais nous avions le plus grand mal à l'empêcher de bêler. À la fin nous avons demandé conseil à un vieux berger, qui n'a pas eu besoin de réfléchir pour nous donner la solution : « Déposez du sel sur ses lèvres, elle ne mouftera plus. » Nous l'avons fait, et ça a marché.)

Cette mise en scène fut un grand succès. Pour des raisons que j'ai maintenant oubliées, nous avions décidé que la dernière aurait lieu le dimanche 4 octobre. Pendant tout le temps où nous l'avions jouée, des négociations avaient lieu entre le gouvernement en place et les bandes armées responsables de la guerre civile, qui agissaient pour le compte de l'Afrique du Sud. Les négociations se tenaient à Rome et je crois que personne n'espérait sérieusement une issue favorable. La guerre continuerait, et avec elle le massacre de civils innocents.

Le 4 octobre au matin, un ami journaliste a frappé à ma porte à coups redoublés. L'inespéré s'était produit. Un accord de paix avait été signé à Rome. La fin de cette guerre atroce était peut-être en vue.

Le temps que j'arrive au théâtre dans l'après-midi pour assister à la dernière, la nouvelle avait été confirmée. Des voitures circulaient déjà en ville en klaxonnant comme si la nation avait remporté un championnat de football.

Une décision a pris forme le temps de descendre à pied des hauteurs de la ville. Arrivé au théâtre, je me suis assis dans la salle déserte avec Lucrecia Paco, qui tenait le rôle principal, celui de Lysistrata/Julietta. Je lui ai fait part de mon idée d'un bref discours qu'elle prononcerait après la fin des applaudissements. Elle a tout de suite acquiescé, mais m'a demandé d'en rédiger le texte.

« Non, ai-je dit. La seule façon pour toi de le dire, c'est avec tes propres mots. Tu ne pourras pas te tromper. »

J'ai assisté à la représentation, debout dans un coin. La chèvre n'a pas bêlé, et son irruption sur la scène a suscité la même gaieté parmi le public. Tout le monde a bien joué ce soir-là. Les comédiens étaient pleins de fougue, concentrés. Ils ont veillé à ne pas être trop rapides et à prendre en compte tous les détails.

Arrive la fin du spectacle. Applaudissements nourris. Les comédiens s'avancent devant la scène. Au théâtre Avenida, on salue toujours ensemble. Au troisième rappel, Lucrecia a levé la main. Les applaudissements ont décru peu à peu. Elle a pris la parole.

Je m'en souviens encore mot pour mot.

« Comme vous le savez tous, un accord de paix a été conclu aujourd'hui à Rome. Nous espérons que cette guerre affreuse, avec ses meurtres et ses mutilations, est à présent terminée. Nous devons croire que cet accord de paix sera respecté. Mais je vous promets que, si nécessaire, nous redonnerons cette pièce. Nous sommes comme vous. Nous ne renoncerons jamais. »

Un grand silence. Les applaudissements n'ont pas repris. Mais les spectateurs se sont levés. En silence, ils ont regardé les comédiens qui venaient de jouer cette pièce vieille de deux mille ans sur la lutte courageuse et désespérée d'un groupe de femmes contre une barbarie guerrière.

C'est le moment le plus émouvant que j'aie jamais vécu dans un théâtre. J'ai connu beaucoup d'instants forts, mais rien de semblable à ce qui s'est passé ce jour-là, le 4 octobre 1992. C'était bouleversant. En même temps rempli d'une joie sans limites. Un dialogue était réellement possible, une guerre pouvait être contrainte de cesser. Ce à quoi j'avais participé faisait trembler le sol. Une ère avait pris fin. Une autre débutait. Notre spectacle n'avait en rien influencé l'issue des négociations de paix. Mais je préfère me dire que, sans notre travail, il aurait manqué quelque chose à ce qui a enfin permis l'arrêt de cette guerre. Aucune des personnes présentes ce jour-là, sur le plateau et dans la salle, n'oublierait cet instant.

La pluie fine tombait toujours. Je regardais la mer en pensant que j'avais malgré tout eu la grâce de connaître dans ma vie un instant de joie sans limites. De nombreux instants, en vérité. Mais ce matin-là, alors que je m'apprêtais tant bien que mal à affronter le verdict, c'est la dernière de *Lysistrata* en octobre 1992 qui m'est revenue en mémoire.

Peu après dix heures, je suis entré dans le bureau du Dr Bergman.

Ce bureau était lui aussi une scène de théâtre, ai-je pensé. Sur laquelle je faisais mon entrée. Ou peut-être étais-je dans le public. Peut-être le Dr Bergman, dans son fauteuil, était-il seul assis à l'avant-scène.

J'avais eu l'occasion de vérifier que c'était un homme qui choisissait toujours ses mots avec soin.

« Un répit se présente, a-t-il dit. La chimiothérapie a eu l'effet souhaité. Certaines tumeurs ont régressé, d'autres ont complètement disparu. Cela ne signifie pas que tu sois guéri. Mais c'est un répit. Et un répit peut durer très longtemps. »

Je vis aujourd'hui dans l'espace accordé par ce répit. Je pense parfois à la maladie, à la mort, au fait qu'il n'existe aucune garantie quand on a un cancer.

Mais par-dessus tout, je vis dans l'attente de nouveaux instants de grâce. Nul ne peut me voler la joie de créer moi-même ou de prendre part à ce que d'autres ont créé.

Des instants qui viennent. Qui doivent venir, si la vie doit avoir pour moi un sens.

Épilogue

Dans les années 1950, du temps où il était juge de paix à Sveg, mon père tenait audience une fois par mois dans le district de Svenstavik. J'avais l'habitude de l'accompagner à bord de l'autorail. À Svenstavik, nous disposions d'une chambre à coucher au premier étage du tribunal. C'était en 1953 ou 1954. J'avais cinq ou six ans.

Une fois, mon père y a jugé un homme accusé d'homicide. Un bûcheron qui avait trucidé un commerçant mal aimé des pauvres car il rechignait à faire crédit. Personne ne regrettait la victime, mais un meurtre était un meurtre, même si le bûcheron vivait dans la pauvreté, peut-être même dans la misère.

Mon père lui a appliqué la peine la plus clémente autorisée par le code pénal.

Ceux que tu croises, dans la vie, sont innombrables. Tu les remarques un instant, puis tu les oublies. Parfois, un échange de regards peut conduire à une forme de contact. Avec quelques-uns, tu noues un dialogue.

À part cela, tu as ta famille, tes amis, tes relations. Tes proches. Quelques-uns s'éloignent, l'amitié refroidit, la trahison interrompt certains liens, des amis deviennent des ennemis.

Mais la plupart de ceux que tu croises ne sont jamais que des êtres qui sont tes contemporains. Des millions d'êtres dont la courte visite sur Terre coïncide au moins en partie avec la tienne.

Depuis que j'ai appris l'existence de mon cancer, je rêve souvent que je marche dans une rue très passante. Il est parfois difficile d'avancer. Soudain le rêve m'entraîne ailleurs, dans une autre foule, dans un théâtre, un café ou un aéroport. Je cherche quelqu'un. Quelqu'un qui me connaît, et qui me cherche aussi.

Le rêve s'arrête là. Je me réveille presque toujours avec une sensation de légèreté. Tous ces gens qui m'entourent dans mon rêve et dans la vie n'ont rien d'effrayant. Ils suscitent ma curiosité. Qui sont-ils ? Il y en a tant et j'aurais tellement voulu les connaître tous.

Comme la femme de la cathédrale à Vienne, les danseurs de tango de Buenos Aires, ou la jeune fille qui a retrouvé ses parents dans ce camp de regroupement au Mozambique.

Et ce bûcheron, et le commerçant qu'il a tué, là-haut dans le Norrland il y a soixante ans.

Tous ces inconnus m'accompagnent. Pendant de brefs instants ils ont fait partie de ma vie.

Avec tous, je partage ce qu'aura été mon existence.

Notre véritable famille est innombrable. Même si nous ignorons qui est cet être que nous avons croisé le temps d'un instant vertigineusement court.

Table

I

Le doigt tordu

II
La route de Salamanque

III
La marionnette

Du même auteur

AUX ÉDITIONS DU SEUIL

Comédia infantil
roman, 2003
et coll. « Points », n° P1324

Le Fils du vent
roman, 2004
et coll. « Points », n° P1327

Tea-Bag
roman, 2007
et coll. « Points », n° P1887

Profondeurs
roman, 2008
et coll. « Points », n° P2068

Le Cerveau de Kennedy
roman, 2009
et coll. « Points », n° P2301

Les Chaussures italiennes
roman, 2009
et coll. « Points », n° P2559
et Point Deux

L'Œil du léopard
roman, 2012
et coll. « Points », n° 3011

Un paradis trompeur
roman, 2013
et coll. « Points », n° P3357

Daisy Sisters
roman, 2015

à paraître

Svenska gummistövlar / Swedish Wellies

SEUIL POLICIERS

« Série Kurt Wallander »
dans l'ordre chronologique des enquêtes

La Faille souterraine
et autres enquêtes
2012
et coll. « Points Policiers », n° P3161

Meurtriers sans visage
coll. « Points Policiers », n° P1122
et Point Deux

Les Chiens de Riga
2003
prix Trophée 813
et coll. « Points Policiers », n° P1187

La Lionne blanche
2004
et coll. « Points Policiers », n° P1306

L'Homme qui souriait
2005
et coll. « Points Policiers », n° P1451

Le Guerrier solitaire
1999
prix Mystère de la critique 2000
et coll. « Points Policiers », n° P792

La Cinquième Femme
2000
et coll. « Points Policiers », n° P877
et Point Deux

Les Morts de la Saint-Jean
2001
et coll. « Points Policiers », n° P971

La Muraille invisible
2002
prix Calibre 38
et coll. « Points Policiers », n° P1081

L'Homme inquiet
2010
et coll. « Points Policiers », n° P2741

Une main encombrante
2014
et coll. « Points Policiers », n° P 4159

***

OPUS, vol. 1
Meurtriers sans visage, Les Chiens de Riga,
La Lionne blanche
2010

OPUS, vol. 2
L'Homme qui souriait, Le Guerrier solitaire,
La Cinquième Femme
2011

OPUS, vol. 3
Les Morts de la Saint-Jean, La Muraille invisible,
L'Homme inquiet
2011

AVEC LINDA WALLANDER

Avant le gel
2005
et coll. « Points Policiers », n° P1539

Hors série

Le Retour du professeur de danse
2006
et coll. « Points Policiers », n° P1678

Le Chinois
2011
et coll. « Points Policiers », n° P2936

Jeunesse

Les ombres grandissent au crépuscule
2012

Le Garçon qui dormait sous la neige
2013

À l'horizon scintille l'océan
2014

Sur l'auteur

Kirsten Jacobsen
Mankell (par) Mankell
2013

Ces titres sont disponibles également en e-book

RÉALISATION : NORD COMPO À VILLENEUVE-D'ASCQ
IMPRESSION : NORMANDIE ROTO IMPRESSION S.A.S. À LONRAI
DÉPÔT LÉGAL : SEPTEMBRE 2015. N° 123340 (1502791)
– *Imprimé en France* –